L'ORANGE DE NOËL

MICHEL PEYRAMAURE

L'ORANGE
DE
NOËL

roman

FRANCE LOISIRS
123, boulevard de Grenelle, Paris

Édition du Club France Loisirs, Paris
avec l'autorisation des Éditions Robert Laffont

Éditions Robert Laffont, S.A., Paris, 1982
ISBN 2-7242-1381-5

« L'ÉDUCATION EST EN UN SENS
UNE GÉNÉRATION. »

(Discours du citoyen Jean Jaurès,
prononcé les 10 et 24 janvier 1910 à la
Chambre des Députés.)

Septembre 1913

Elle était là, à quelques pas de moi. Je l'observais aussi aisément que si j'avais été près d'elle, à l'intérieur de l'école. Elle me fascinait mais je n'aurais su dire pourquoi ; peut-être à cause de son prénom – Cécile – ou peut-être parce qu'elle venait d'ailleurs, qu'elle avait une façon particulière de se comporter, de marcher, de parler, de sourire, de vous regarder. Il a fallu des jours et des semaines pour que cette pellicule de merveilleux qui l'enveloppait se détachât d'elle par lambeaux, pour qu'elle nous devînt plus proche, qu'elle se banalisât à notre contact.

Déjà, juchée dans mon arbre, je cherchais par-dessus le mur de l'école communale ce qui pourrait inciter à la détester, quelle était la faille, le point faible qui annulerait entre elle et moi, entre elle et les gens de Saint-Roch, ces distances et ces différences.

Dans les premiers temps je n'éprouvais pour elle que curiosité ; je la regardais comme on contemple un étrange oiseau voletant en tous sens dans sa cage – et c'est bien l'impression qu'elle me donnait.

Assise dans mon arbre, sans la quitter de l'œil, je me répétais son prénom : Cécile... Je le suçotais comme ces bonbons acidulés, en forme de demi-lune, où la dent s'enfonce dans une pâte molle avant de trouver le cœur craquant du sucre. Elle venait de la ville. De quelle ville ?

J'en avais oublié le nom : peut-être Brive, mais pour moi toutes les villes devaient ressembler à celle-ci, où mon frère aîné m'avait amenée l'année précédente pour la Foire des Rois (j'en gardais un souvenir de brume, de neige, de tumulte dans l'odeur des truffes et des volailles mortes) et peu après pour les Foires Franches qui passaient comme un tourbillon dans ma mémoire.

On avait tant répété autour de moi que Cécile Brunie, jeune institutrice stagiaire envoyée à Saint-Roch par l'Académie pour laïciser la commune, était le diable en jupons que j'attendais avec impatience sa venue et quelque événement qui confirmât ces propos.

Le jour où elle arriva à Saint-Roch, deux ou trois semaines avant la rentrée des classes, j'étais présente. Aujourd'hui, alors que plus de soixante ans ont passé, cette scène reste vivante dans ma mémoire.

Délégué par le maire, M. Joffre, notre garde champêtre, Bécharel, était allé l'accueillir à la gare du Bosplot avec un char à bancs déglingué et un cheval poussif. Je n'étais pas seule à l'attendre : toutes les menettes du village étaient présentes, tenant un bol d'eau bénite dans lequel trempait un rameau de buis. Je cherchai des yeux Mlle Emma Berthier, la directrice de l'école congréganiste Sainte-Thérèse ; elle était absente. Le maire tournait sur lui-même en battant des bras comme un corbeau qui aurait du plomb dans l'aile.

– Qu'est-ce que vous lui voulez? disait-il. Allez-vous-en! C'est pas elle qui a demandé ce poste. Alors foutez-lui la paix!

Avec son mouchoir il essuyait ses moustaches rousses et son gros visage de marchand de bestiaux que la chaleur de septembre baignait de sueur. Un incident quelques jours après la visite en Corrèze du président de la République, M. Poincaré, un scandale que les journaux de gauche : la *Dépêche* et l'*Avenir* ne manqueraient pas d'exploiter... Les menettes se taisaient, immobiles, engoncées dans leur robe noire ornée sur la poitrine du chapelet et du crucifix, la tête bien serrée dans le bonnet blanc attaché sous le cou. Elles attendaient l'Antéchrist, le diable, la représentante de l'école sans Dieu.

12

Un murmure s'éleva dans l'assistance lorsque, sur la route départementale, entre deux haies de peupliers où tremblait une brume de chaleur, se dessina la carriole de Bécharel.

– Je vous en prie, suppliait le maire, rentrez chez vous!

Une femme hurla :

– Qu'elle retourne d'où elle vient! On a pas besoin d'elle ici. Satan! Satan!

De guerre lasse, le maire s'en prit à l'abbé Brissaud qui venait d'arriver. C'était un vieillard encore très dru avec des épaules de lutteur de foire et un visage gris de barbe qu'il rasait une fois par semaine, le dimanche matin, en chantant des cantiques à pleine voix derrière sa fenêtre; il portait une vieille soutane effrangée qui commençait à virer au violet, des godillots de fantassin et le chapeau de paille qu'il mettait pour travailler son jardin potager.

L'abbé fit un signe rassurant.

– Laissez faire, Joffre, dit-il. Je me porte garant de mes paroissiennes. Un peu d'eau bénite n'a jamais tué personne. Si cette fille est le diable vous la verrez repartir vers la gare en courant.

Je me tenais entre deux bigotes : la Marie du Moulin de la Tournadre et la Clotilde Bonneau, comme entre deux rideaux d'un théâtre, un peu ivre de plaisir, persuadée que j'allais assister à une de ces scènes dont le curé faisait parfois le récit en chaire, le dimanche, l'Ancien Testament ouvert devant lui sur le pupitre qu'ébranlaient ses grosses mains de paysan; en l'écoutant on imaginait les armées de Pharaon poursuivant la horde des Juifs. Déjà des éclairs et des coups de tonnerre ébranlaient ma tête; cramponnée des deux mains aux jupes noires, je voyais apparaître entre les peupliers le char de guerre conduit par Bécharel, et j'entendais les lamentations du peuple juif.

Il n'y eut ni éclairs ni tonnerre et la voix de Dieu resta muette. On entendait seulement celle de Bécharel qui demandait le passage. Affolé par la foule, le cheval cabra et le char à bancs faillit verser dans le fossé. Après que le maire, chapeau bas, mal à l'aise, eut bredouillé une formule de bienvenue, le chœur des menettes éclata, tellement confus et suraigu que je n'enregistrais que des bribes de phrases : « Fille impie... Satan en jupons... Tu n'as rien à faire ici... Va-t'en!... » Je reçus sur le nez quelques gouttes d'eau bénite; on me bousculait comme si je n'existais pas, mais je riais de plaisir et me laissais entraîner par le tourbillon derrière la carriole. C'était la fête, une lapidation symbolique dont la victime, le visage estompé dans l'ombre d'un chapeau à voilette, très pâle, droite et immobile sur le siège de cuir rapé, semblait figurer dans la scène en effigie. Je me disais : « Qu'elle pousse le portillon de la voiture, qu'elle saute au milieu de la route, sorte sa fourche ou sa langue de feu comme le diable du Thermogène qui figure sur une affiche dans la boutique d'épicerie d'Agathe Laspoumadère. Au moins qu'elle dise quelque chose, qu'elle se défende, qu'elle riposte! » J'attendais un paroxysme, une de ces sublimes montées de colère qui dégénère en ivresse. En suivant les menettes qui se ruaient derrière le véhicule jusqu'à la « communale », en scandant comme elles « Sa-tan! Sa-tan! » je regrettais de n'avoir pas moi-même le bol d'eau bénite et le rameau de buis. Les mains dans les poches de leur tablier noir, des enfants suivaient d'assez loin, en file le long du fossé, muets de surprise et de crainte. Moi, j'entrais tête baissée dans la fête sauvage et en réclamais ma part; au besoin je me serais battue pour garder ma place entre les deux harpies qui menaient le train.

Peu à peu le cortège s'effilocha, Bécharel ayant cinglé de la mèche de son fouet la croupe de la jument qui prit le trot et distança le groupe. Il ne resta bientôt plus que Marie, Clotilde et moi entre elles deux, toujours accrochée aux pans de leur jupe, et puis Marie et moi, et puis moi toute seule qui marchais en sautillant comme à la marelle dans la poussière.

L'école communale était située à moins d'un kilomètre du bourg, en retrait de la route au fond d'une cour. Elle n'avait d'école que le nom. C'était une ancienne ferme achetée par la commune après la mort du dernier propriétaire. Sur la grange, la toiture de chaume achevait de pourrir et de s'effondrer ; couverte en vieilles tuiles, la maison d'habitation à un étage abritait l'unique salle de classe et, au-dessus, le « logement » de l'institutrice. Un prunier sauvage se dressait comme un drapeau sur l'arête de la grange où s'étageaient de grosses pierres de lauze. Le sol de la cour de récréation sentait la fiente de porc. Les jours de pluie les élèves devaient se cantonner dans la salle de classe ou s'entasser sous ce qui servait de préau : un ancien séchoir à châtaignes, le *clédier*, et la porcherie dont on avait fait en abattant un mur un seul espace.

On accédait à la salle de classe par quatre marches disjointes d'où jaillissaient au printemps de minuscules bouquets de plantes saxatiles et ces petits lézards de murailles que nous appelons des *rapiettes*. Telle était cette école, telle elle est encore à quelques détails près, sauf qu'elle a été abandonnée depuis peu par manque d'élèves.

Installée dans ce qui avait été la salle commune de la ferme, grossièrement dallée, badigeonnée d'un ancien plâtre qui se boursouflait et révélait en s'écaillant des suies ancestrales mal grattées et des relents de fumée de bois, la classe n'incitait guère à l'étude. Elle sentait le vieux, le froid, l'humide, été comme hiver, malgré l'énorme poêle Godin que l'on gorgeait de bois de la Toussaint à Pâques. Le bureau de la maîtresse et les tables patinées et couturées de paraphes avaient été prélevés dans une école de Meyssac. Au mur de droite était accroché un planisphère de Vidal de La Blache où l'humidité avait fait naître, en surimpression, de nouveaux continents et dessiné des frontières capricieuses. En face, sur des étagères qui ployaient dangereusement, moisissaient des sauvagines empaillées, des vestiges archéologiques, des fossiles marins et un herbier dû au zèle d'un ancien maître. A droite du bureau une fenêtre donnait sur un marécage limité par un ruisseau : la Gane, que l'on traversait sur des ponceaux romains ou sur des troncs d'arbres couchés pour passer d'un champ à un autre ; au-delà, une pente de rocaille à genièvres, qui sentait la Provence dès les premières chaleurs du printemps, montait vers le calvaire du Puy-Faure. L'autre fenêtre, en vis-à-vis, près de la porte à doubles battants horizontaux, donnait sur le bourg de Saint-Roch et *ses* châteaux qui crénelaient le sommet de la colline comme une eau-forte de Hugo. Pour donner un peu plus de lumière, il fallait laisser ouvert le battant supérieur de la porte. Le seul « luxe » : deux lampes à acétylène que l'on alimentait avec des comprimés « Delta », garantis « propres et sans odeur ».

L'appartement de la maîtresse présentait le même aspect vétuste, sauf que la lumière y était plus abondante, une fenêtre supplémentaire ayant été ouverte dans le pignon donnant sur le marécage. Les murs nus, boursouflés comme les parois d'une caverne gardaient, au-dessus d'un mauvais lit Louis-Philippe, les traces d'un crucifix. La table constituait, avec deux chaises, une armoire de château énorme et funèbre, un lavabo rond sur pied, en fer écaillé, le seul mobilier. Rafistolé avec de vieilles boîtes à conserve, le parquet craquait à chaque pas et restituait des poussières végétales, des fragments de coquilles de noix et de pelures de châtaignes.

Et puis il y avait *mon* arbre.

On avait respecté ce tilleul qui avait poussé en dehors du mur de la cour sur lequel il s'appuyait. C'était à la fois mon refuge et mon observatoire. Dès que les premières feuilles poisseuses commençaient à sourdre des parois de cette caverne végétale, je m'y lovais comme une couleuvre. Le printemps venu, je m'y donnais des fêtes de solitude, des spectacles sans fin renouvelés, des ivresses légères lorsque l'odeur de la miellée et sa fraîcheur de rosée se répandaient autour de moi. Quelques planches dérobées dans les deux épiceries du bourg (chocolat Pupier... rhum Saint-James... liqueur « La Charmoise »...), deux coussins de fougère liés par des ficelles, une étagère sur laquelle je rangeais des trésors de fleurs, de fruits, de cailloux pailletés composaient mon décor. Je m'y installais comme une reine au milieu d'une cour d'abeilles et d'oiseaux, observant d'un air dédaigneux la plèbe scolaire en tabliers noirs ou gris se livrant aux tristes jeux de la « récré », ou l'instituteur qui avait précédé Mlle Brunie vaquer à ses occupations entre les quatre murs sinistres de son logement. Mon tilleul a disparu. A sa place, à la fin de la guerre de trente-neuf, on a planté de ces marronniers tout bêtes et tout ronds qu'on trouve dans les cours de récréation de la France entière.

Personne ne prêtait attention à moi, fillette un peu *innocentoune* et parfaitement inoffensive, qui n'en faisait qu'à sa tête en dépit des menaces et des coups, qui ne savait ni lire ni écrire (on avait renoncé à m'enseigner quoi que ce soit). On disait de moi : « Malvina, elle est *brave* mais un peu simple. Elle fera pas grand-chose dans la vie. C'est une *baraquaine* [1]. C'est rien. »

La *baraquaine* apprenait la vie à sa manière, faisant son miel de ce qui lui convenait sans rien demander à personne. Elle s'asseyait à la table familiale, mangeait aussi discrètement que le chien qui attendait les déchets sous la table, disparaissait pour aller explorer le village et les alentours où il y avait toujours à glaner des événements nouveaux.

On avait pris l'habitude de ma présence. Je pénétrais comme Asmodée dans toutes les demeures, les yeux grands ouverts, l'oreille tendue aux propos les plus anodins et aux moindres bruits. Les regards semblaient glisser sur moi. On ne m'adressait que rarement la parole et c'était pour me chasser (« *Vai t'en, drolla!* ») lorsque ma présence devenait importune, mais je revenais et m'efforçais de me faire aussi « transparente » que possible. Lorsqu'il m'arrivait de surprendre des amoureux derrière une meule ou dans le foin d'une *juque*, ils m'obligeaient à fuir en disant : « C'est rien : c'est la Malvina. »

Rien. Je n'étais rien, mais je portais en moi le petit univers du village et je le connaissais mieux que quiconque.

Elle me regardait et je soutenais hardiment son regard.

Maintenant, la carriole avançait au pas. C'était un break à quatre roues acheté par le maire à la châtelaine, Mme Hortense de Bonneuil. Après avoir fait office de

---

1. Une bohémienne.

corbillard, il servait à divers usages et notamment aux promenades du jeudi des pensionnaires de Sainte-Thérèse, l'école congréganiste que dirigeait Mlle Emma Berthier. En marchant et en sautillant, je répétais à voix basse : « Cécile... Satan... », mais elle ne m'entendait pas à cause du bruit de la voiture et des grelots de la jument. Elle avait dégrafé le col de la chemise d'étoffe légère qu'elle portait sous un petit caraco à basques et s'éventait nerveusement le visage avec le journal acheté pour lire dans le train. Cécile Brunie rappelait, plus qu'une maîtresse d'école, ces dames de Meyssac, de Beaulieu ou de Brive qui se rendaient parfois en visite au château et que j'accompagnais jusqu'au perron en me cachant derrière les haies de lauriers : des perruches qui parlaient haut, dans ce français que je comprenais mal, en faisant de grands gestes comme dans les pièces de théâtre de Labiche présentées lors des cérémonies de distribution des prix.

Lorsque la voiture s'arrêta devant l'école communale, Mlle Cécile Brunie se leva lentement, ouvrit le portillon à l'arrière et attendit que Bécharel vînt l'aider à descendre.

– Nous voilà arrivés, dit Bécharel. Laissez vos bagages. Je m'en charge.

– C'est *ça*, l'école communale? dit la demoiselle, comme si, malgré l'inscription goudronneuse étalée au-dessus de la porte, elle eût pu en douter.

– Ça paie pas de mine, mais vous vous y plairez, le temps de vous y faire. C'est un peu *peureux* pour une jeune fille seule, mais faut pas craindre. Il se passe jamais rien ici. Méfiez-vous seulement des marchands de draps et des colporteurs.

Lorsqu'il l'eut aidée à descendre du break elle s'avança vers moi et me dit :

– Qui es-tu, petite?

Bécharel répondit à ma place :

– C'est rien. Elle s'appelle Malvina Delpeuch et habite avec sa famille aux Bories-Hautes. Des pas grand-chose. La petite est un peu *innocentoune*, mais pas méchante. Vous en tirerez pas un mot.

J'emboîtai le pas à la maîtresse et la suivis dans son

18

inspection. Elle parlait toute seule, soupirait : « Ça, une école... ce taudis! Ce n'est pas possible... Et aucune porte ne ferme à clé. »

Elle se tourna vers Bécharel qui la suivait, penaud :

– Il faut que je parle au maire. Tout de suite. Où est-il?

– Il va pas tarder à arriver. Mais vous savez, mademoiselle, à Végennes, à La Chapelle, c'est pas mieux qu'ici.

Mlle Brunie sembla me prendre à témoin de sa déception. Les mains dans mon dos, je la regardais à loisir, sans baisser les yeux lorsqu'elle me fixait. C'était une grande belle fille au visage d'un ovale un peu lourd sous la masse des cheveux bruns ramenée en chignon au sommet de la tête, qu'elle découvrit en ôtant son grand chapeau de paille traversé d'une longue aiguille et orné d'un simple nœud grenat. Je me disais que j'en aurais pour des jours et des jours à la regarder du fond de ma cellule de verdure vivre et se mouvoir, à l'écouter parler, chanter peut-être, avant d'obtenir d'elle une image cohérente. Les gens de mon entourage étaient d'une seule pièce : ou bons ou mauvais, rarement complexes. Par les voies de l'intuition, à défaut du raisonnement, j'avais ainsi établi dans ma tête une sorte de géographie humaine de la commune, avec des noirs et des blancs, rarement des demi-teintes. La demoiselle, elle, me troublait; en dépit des frissons de colère qui la parcouraient je la devinais douce et vulnérable.

– Qu'as-tu à me regarder ainsi? dit-elle brutalement. Toi aussi tu crois que je suis le diable en jupons? Eh bien, réponds! Tu as perdu ta langue?

Je reculai de quelques pas, souhaitant disparaître dans la gigantesque armoire qui m'avait toujours causé quelque appréhension, comme si ses lourds battants de noyer pouvaient ouvrir sur des domaines mystérieux et redoutables. Elle poursuivit :

– Tu es une élève de Mlle Emma Berthier ou de l'école laïque? Tu sais lire? Écrire? Compter? Pourquoi es-tu si sale? Il n'y a ni eau ni savon chez toi? Mais réponds donc!

– Elle vous répondra pas, répéta Bécharel. Vous perdez votre temps.

Elle fouilla dans son réticule de velours vert, en tira un bonbon qui ressemblait à un papillon dans son enveloppe de papier, insista pour que je le prenne.

– *Ané!* dit Bécharel. *Prena-lou. Coï pas de la poisoun* [1].

Je défis maladroitement le bonbon, le mis dans ma bouche et gardai le papier dans ma poche. Le maire venait d'arriver, rouge et suant d'avoir couru, mal à l'aise dans son costume des dimanches, son col cassé sur lequel retombait la couenne fraîche de son double menton, ses bottines vernies. D'une voix courte, il regretta l'accueil que les menettes avaient réservé à la nouvelle maîtresse malgré son opposition et ses menaces. Ses administrés étaient pour la plupart de braves gens mais qui avaient toujours mal accepté les tentatives de laïcisation de l'école, puis la « Séparation ». Ils ne pratiquaient guère la tolérance dans ce domaine mais leur violence restait verbale. La demoiselle ne devait pas se décourager.

Cécile l'écoutait distraitement, sans cesser de marcher dans la pièce. Elle dit en contenant mal sa colère :

– N'ayez crainte, monsieur le maire. C'est mon premier poste mais je ne me découragerai pas pour si peu. On m'a mise en garde. Saint-Roch, dit-on, est une « petite Vendée », première paroisse de la Corrèze pour le denier du culte et les pèlerinages à Lourdes. Je n'attendais pas qu'on m'accueille avec la fanfare et la chorale des enfants de Marie, mais j'espérais au moins avoir une classe et un logement convenables.

– Je sais... Je sais... bredouilla le maire. Cette maison n'est pas un palais mais vous vous y plairez. L'endroit est calme, l'air vivifiant. Ça vous changera de l'École normale. D'ailleurs le maître qui vous a précédée s'y plaisait beaucoup.

– Alors pourquoi est-il parti précipitamment?

Joffre parut ne pas entendre. Il se dirigea, les bras écartés, son mouchoir d'une main, son chapeau de l'autre,

---

1. Allons, prends! C'est pas du poison.

vers la fenêtre donnant sur le Puy-Faure : quel paysage admirable! quelle lumière! quel silence!

– Monsieur le maire, il faudra poser des serrures, changer les vitres qui manquent, boucher les trous et passer une nouvelle couche de badigeon à l'intérieur. J'en parlerai au délégué cantonal.

– Je crains que ce soit inutile. Mon conseil municipal a déjà consenti d'énormes sacrifices pour cette école. Il n'en acceptera pas d'autres. Nous sommes une commune pauvre. D'ailleurs, à Végennes et à La Chapelle-aux-Saints...

– Je sais! dit aigrement la demoiselle, mais c'est une mauvaise raison.

Le maire eut un regard vers la porte fermée par un simple *bruchou* de bois blanc. Il soupira :

– Des serrures... Vous ne trouveriez pas dix maisons dans le bourg qui ferment avec de véritables serrures. Je vous assure que vous ne risquez rien.

– Je vais donc repartir, dit Mlle Brunie. Je ferai mon rapport à l'inspection académique qui transmettra ma protestation au préfet.

Le maire leva les bras au ciel. Comme s'il n'avait pas assez d'ennuis! Il ferait pour le mieux mais il fallait d'abord convaincre le conseil municipal. Quant à lui, il ne pouvait que faire des propositions. Des serrures... Des vitres...

La même scène se renouvela au cours de la visite de la classe et, cette fois-ci, je crus bien que Mlle Brunie allait fondre en larmes. Qu'on la comprenne : elle ne réclamait rien pour elle mais pour ses futurs élèves. Un tableau neuf notamment, des cartes murales, des cabinets décents – les deux qui se trouvaient sous le préau n'avaient pas de porte – la réfection du dallage, un nouveau badigeon... Le maire paraissait sur le point d'éclater. Avait-elle décidé de saigner à blanc le budget déjà exsangue de la commune et risquer de compromettre son mandat aux prochaines élections municipales?

Cécile l'écoutait en souriant. Elle dit, sans hausser le ton :

– Je regrette que le président Poincaré ne se soit pas arrêté à Saint-Roch, le mois dernier, lors de sa visite en Corrèze. Il aurait été édifié sur la tenue de nos écoles laïques. Qu'en pensez-vous?

– Je pense, dit Joffre en s'épongeant le front, que vous êtes une sacrée petite bonne femme et que vous feriez merveille si vous m'accompagniez sur les champs de foire. Allons, topez là! Marché conclu! Mais n'attendez pas de miracle. Tout se fera en son temps.

Le maire reparti avec le break, je restai seule en compagnie de la demoiselle, toutes deux enfermées dans notre solitude : elle bougonnant, gémissant, se prenant la tête à deux mains, cherchant des objets ou des ustensiles qui faisaient défaut; moi, muette mais ne perdant rien de son monologue et de ses gestes, veillant à ne pas me trouver dans l'axe de ses évolutions. Une seule fois, elle m'adressa la parole :

– Toi, l'innocente, tu peux me dire où je pourrais trouver de l'eau et un baquet?

Je fis effort pour répondre dans un bon français :

– Ya de l'eau dans la cour.

– Tiens! Tu sais donc parler? Et en français encore! Avec ça tu ne parais pas aussi sotte qu'on le dit. Mais ce que tu es sale! Évidemment, tu n'as pas de mouchoir?

J'ouvris des yeux surpris. Un mouchoir... Elle soupira, sortit le sien de son réticule, que le tramway départemental avait un peu noirci d'escarbilles, me le mit aux lèvres pour que je le mouille de salive, me frotta le museau, dégagea le coin de mes yeux et la commissure de mes lèvres. Le jeu m'amusait et je me mis à rire.

– Est-ce que tu as des poux?

Je ris de plus belle. Des poux! Presque tous les enfants de Saint-Roch en avaient et ne s'en portaient pas plus mal. C'était même une preuve de bonne santé. De temps à autre on tondait ras les garçons mais la vermine ne tardait pas à reparaître. C'est à peine si on en parlait, sauf à Sainte-

Thérèse où Mlle Emma Berthier leur donnait la chasse avec fureur. A la « communale » on n'avait guère ce genre de préoccupation.

La pompe à bras était située contre l'escalier qui menait à la salle de classe. Elle était désamorcée. Je me servis d'une vieille boîte à conserve, comme je l'avais vu faire maintes fois, pour aller puiser dans un baquet où croupissait, sous la gouttière, l'eau du dernier orage et j'activai le bras. Il coula une eau verdâtre et maigre puis claire et abondante. La demoiselle parut satisfaite. Il s'agissait ensuite de trouver un baquet ou une cuve. Dans la cave, qui servait jadis de cellier, nous découvrîmes entre un amas de fûtailles vermoulues un cuveau en assez bon état auquel l'humidité ambiante avait conservé son étanchéité. Il était encore tout violet de moût et des rafles restaient collées au fond.

– Voilà qui fera l'affaire en attendant mieux, dit la demoiselle. Tu veux m'aider ?

Je me demandais ce qu'elle pouvait bien vouloir faire de ce cuveau dans sa chambre et de cette eau qu'il fallut monter à pleins seaux. Voulait-elle nettoyer le plancher, se constituer une réserve ?

– Et voilà ! dit-elle, le dernier seau versé. Cette eau est un peu froide mais je l'aime ainsi. Tu vas me laisser seule à présent. Je n'ai plus besoin de toi. Tu pourras revenir me voir quand tu voudras.

J'allai me hisser dans mon tilleul, auquel j'accédais par une échelle de poulailler. Assise sur la planche du « chocolat Pupier », un coussin de fougère dans le dos, face à la fenêtre, j'assistai à un rite étrange. Mlle Brunie se déshabilla entièrement après avoir pris soin de bloquer la porte avec une chaise inclinée. Je la perdis de vue puis je la vis réapparaître, réajustant son chignon, entièrement nue, fusée de chair rose et blanche, à la fois mince et drue, donnant des idées de fleur et de fruit. En enjambant le bord du cuveau, elle poussa un petit cri, porta ses mains à ses épaules et lentement, à l'aide d'une éponge, elle fit ruisseler l'eau sur sa peau. J'étais si proche d'elle, je pouvais suivre ses gestes avec tant de précision qu'il me semblait que cette cascade glacée ruisselait sur ma peau et j'en ressentais des frissons comme lorsque j'allais, les jours de *bujade* [1], me tremper dans la Gane. J'imaginais les menettes avec leur bol d'eau bénite et leur rameau de buis devant ce spectacle, elles qui conservaient précieusement leurs crasses, leurs humeurs vénérables et ne se lavaient jamais dans leur intimité si ce n'est en des occasions exceptionnelles.

Je cherchai dans ma mémoire à qui je pourrais bien raconter cette scène étonnante, et qui, surtout, pourrait bien me croire. Je finis par me persuader que la demoiselle allait assister dans la soirée à quelque veillée ou qu'un homme allait lui rendre visite. Mais où? Mais qui?

Alors que le soir tombait, je grignotai l'un des croûtons que j'avais rangés dans une boîte en fer pour les protéger des oiseaux et des fourmis. De l'autre côté du marécage, sur la haute colline pelée du Puy-Faure où chantaient les dernières cigales de l'été, le soleil coulait sa lumière brumeuse et dorée. Au-delà de la route départementale, le flanc de la colline où s'accrochait le village s'enveloppait de pénombre. Il venait jusqu'à moi des odeurs de soupe, de *bacade* [2] et de feu de bois qui me faisaient saliver.

Une dernière fois, je regardai la demoiselle qui, après être sortie de son bain, se bouchonnait vigoureusement puis, un flacon à la main, parcourait son corps de caresses très longues et très lentes. J'avais reniflé son parfum – iris ou violette, je ne sais plus – qui flottait autour d'elle et la rendait attirante et mystérieuse.

On m'avait laissé un fond de soupe avec une grosse pomme de terre, un *tourtou* [3] froid, racorni, gréseux, qui crissait sous la dent (le meunier négligeait de repiquer ses meules). J'avalai le tout avec une moitié de *cailladou* [4] crémeux.

– Où es-tu encore allé traîner, *drolla?* me demanda mon frère aîné, Pierre.

---

1. Lessive.
2. Pâtée pour les porcs.
3. Crêpe de blé noir.
4. Fromage blanc.

Il n'exigeait pas de réponse à sa question et je me tus comme à mon habitude. Notre mère – la Maïré – tricotait dans la cheminée avec de vieilles baleines de parapluie affûtées. Mes deux frères, André et Paul, étaient couchés. On n'attendait plus que Flavie, ma sœur cadette, qui venait d'avoir treize ans et se louait dans les fermes avec sa patronne, Jeanne Sauvezie, pour des travaux de ravaudage et de couture. J'avais la grande table familiale pour moi toute seule et cela me plaisait : cette vacuité autour de moi, cette pénombre balayée par les petites rafales du foyer, cette liberté dans laquelle je me laissais bercer, ce silence que j'apprivoisais... Souvent je faisais exprès de rentrer tard, quitte à débarrasser la table et à faire la vaisselle, pour mieux jouir de cet instant où je vivais en plein accord avec la maison. Depuis la mort de mon père, foudroyé par une hernie étranglée au temps des moissons, deux ans plus tôt, personne ne se souciait du comportement de l'enfant ingrate que j'étais; on me laissait libre d'aller à ma guise, de vivre à ma convenance, de fréquenter ou non l'école où d'ailleurs je n'apprenais rien. Je vivais comme le *Babeu*, le garçon idiot de la Chanourdie, que je rencontrais parfois sur les chemins ou dans les bois, la bouche baveuse, l'œil éteint, poussant des cris inarticulés (« ba... beu... ») et dont je me méfiais comme du Drac ou du *chenaton*, ce petit chien blanc qui apparaît lorsqu'un enfant vient à mourir.

Flavie rentra tard ce soir-là. Elle revenait à pied du moulin de la Tournadre, à trois kilomètres des Bories-Hautes et s'était attardée en traversant le bourg qui paraissait en révolution à cause de l'arrivée de la nouvelle institutrice laïque.

Elle posa son cabas, but une gorgée d'eau à la *couade* ¹ de bois.

– Cette femme, tu l'as vue, toi? Comment elle est?

Je haussai les épaules. Elle ne pouvait être comparée qu'à la femme du maire ou à ces perruches qui montaient parfois au château en faisant danser leur réticule. Je mimai leurs gestes précieux et ajoutai :

---

1. Récipient pour puiser de l'eau.

– Elle se lave. Je l'ai vue.
– Tu as vu quoi? demanda la Maïré de sa voix aigre.
Ils se rapprochèrent de moi comme si je venais de proférer une incongruité. Il me sembla même voir bouger dans sa gangue de suie, au creux du *cantou*[1], la pipe saliveuse du pépé. Aussi clairement qu'il m'était possible, en veillant à ne pas en rajouter selon une manie dont j'abusais, je racontai la scène à laquelle je venais d'assister. Ils demeuraient sceptiques. J'entendis Pierre murmurer :
– Elle se lave comme les putes. Que je te prenne pas à tourner autour!
Et la Maïré :
– Quand le curé va apprendre ça...
Flavie ajouta, en mangeant la moitié du *cailladou* qui restait, sur une tranche de pain :
– Dites rien au curé ni à personne, ça vaudra mieux. Elle invente. J'en mettrais ma main au feu. Dis, Malvina, c'est vrai que tu inventes?
Je secouai la tête, rechaussai mes socques et, tandis que Pierre allumait la lampe à pétrole au-dessus de la table, je m'évadai, la vaisselle faite, après avoir bu à la *couade* quelques gorgées d'eau de puits. J'entendis dans mon dos la voix dure de la Maïré :
– *Inte vaï inquere?*[2]
Où j'allais, ça ne la regardait pas. Je repris la route du village par la *traversière* qui pique droit vers la font Saint-Roch par vignes et taillis déjà tout bleus de nuit, traversai le village qui bourdonnait comme une ruche, portes ouvertes, dans ses fumées et ses odeurs du soir. L'abbé Brissaud pérorait dans un groupe de menettes excitées; Mlle Berthier se tenait près de lui, pâle, fluette, les mains croisées sur le crucifix de bois qu'elle portait au niveau du nombril. J'entendis quelques lambeaux de phrases : « C'est intolérable... il faut la chasser... école impie... fille de rien... » J'aurais aimé leur crier : « Et puis,

---

1. Le creux de la cheminée.
2. Où vas-tu encore?

26

si vous saviez : elle se lave! » mais on ne m'aurait pas prise au sérieux.

Après avoir contourné les murailles du château rongées par la maladie de la pierre, j'empruntai le *sendarel* qui mène par les chaumières et les jardinets jusqu'à la route départementale en direction de la Dordogne. La nuit était presque tombée lorsque j'arrivai à l'école. Le marécage dormait sous ses strates de brume légère; loin, comme détaché du monde, le Puy-Faure palpitait encore dans une phosphorescence violette; sur la pureté magique du ciel je distinguais nettement, minces comme des allumettes, les trois croix du calvaire.

Je montai chez Mlle Brunie et grattai à sa porte. Il y eut un bruit de chaises déplacées, puis un silence et une respiration oppressée contre le battant.

– Qui est là? demanda une voix blanche.

– C'est moi, Malvina.

La porte s'ouvrit sur la pénombre totale, la demoiselle ayant éteint la bougie dont je distinguai un point d'ignition empanaché d'une fumée claire.

– Toi encore? A cette heure-ci? Que me veux-tu?

Sans y être invitée, je me glissai dans la pièce. Tandis que la demoiselle rallumait la bougie, je distinguai sur la table un amoncellement de papiers et de journaux. Un battant ouvert de l'armoire révélait quelques robes pendues, des linges rangés sur les étagères, des chapeaux posés à plat comme les tourtes que la boulangère, Noémie Farges, s'apprêtait à mettre au four. Contre la fenêtre ouvrant sur mon arbre s'alignaient deux grands sacs et une valise. La demoiselle était vêtue d'une chemise de nuit qui laissait ses bras nus jusqu'au coude.

– Avec ta permission, dit-elle en se rasseyant, je termine cette lettre.

Elle portait aux joues des traces de larmes et tenait à la main un petit mouchoir roulé en boule. Je la sentais nerveuse, sur le point de me mettre dehors, mais je restai. A plusieurs reprises, elle me rabroua, me reprochant mes regards insistants, mes silences, ma présence même, mais je devinais confusément que c'était la population de Saint-Roch qu'elle invectivait à travers moi.

27

Elle cacheta sa lettre et se leva.

– Selon toi, dit-elle, combien d'inscriptions vais-je avoir? Pour ce qui est des garçons, je ne me fais guère de souci puisqu'ils ne peuvent aller dans une autre école que celle-ci, à moins d'entrer comme pensionnaires à Meyssac, Beaulieu ou Brive. Mais les filles? Elles iront toutes ou presque à Sainte-Thérèse, comme avant.

Elle ajouta pour elle-même :

– Voilà que je parle avec une innocente! Je deviens folle.

Puis, tournée vers moi :

– Tu es gentille d'être venue me dire bonsoir. Va-t'en à présent. Je suis fatiguée. Il faut que je dorme.

Je secouai la tête, bien décidée à rester.

– Tu ne peux tout de même pas coucher ici? Tu as vu le lit? Il tient à peine debout. Et tes parents, qu'est-ce qu'ils penseront s'ils ne te voient pas rentrer?

Le plus naturellement du monde, je répondis :

– Ils s'en foutent. Je fais *ça* que je veux. Je reste. Toute seule, tu aurais peur. On *portera pas peine* chez moi. On a l'habitude.

– Je te répète que je n'ai pas besoin de toi. Dis à tes parents qu'ils peuvent te faire inscrire à partir de demain. Il va falloir que je passe commande des livres et des fournitures. Tiens, en remontant chez toi, mets cette lettre à la poste, je te prie.

Je partis. Une demi-heure plus tard j'étais de retour munie de trois ou quatre sacs de jute « empruntés » à la boulangère. La lumière de la bougie détourait encore la porte. Allongée à même le palier, la tête posée sur une bûche abandonnée, je m'endormis après avoir entendu la demoiselle pester contre le sommier qui grinçait à chaque mouvement. Au milieu de la nuit, le froid me saisit et, en me retournant, je heurtai le mur. Quelques instants plus tard, je clignai des yeux dans la lumière de la bougie qui détaillait un visage lourd de sommeil et une masse de cheveux libres (elle ne portait pas de bonnet!). Nous nous regardâmes en silence quelques instants, puis elle me tendit la main.

– Allons, viens! Tu dois être gelée. Je te ferai une place

28

près de mon lit. Nous réglerons nos comptes demain.

A moitié endormie, je me laissai conduire à travers la chambre. Cécile me déshabilla en grelottant et en gémissant sur ma saleté et mon odeur. Elle s'estimerait heureuse si je ne lui laissais pas ma vermine en cadeau. Cela nous fit rire toutes deux. Elle sentait sous sa chemise ce parfum d'iris ou de violette qui m'avait bouleversée, intense au point qu'il me semblait baigner dans ces effluves et cette chaleur lorsqu'elle me fit allonger sur des couvertures au pied de son lit. Je me sentais planer à des altitudes éthérées, bien au-dessus du Puy-Faure, dans un air où palpitaient des pollens, des duvets de saule, des plumes d'ange. Lorsque je me penchais au-dessus de Saint-Roch, de l'église et de la mairie, des mâchoires carriées du château, je percevais des cris de haine, des mouvements de foule, mais ils n'arrivaient pas à percer mon sommeil.

Le maire avait pris soin de prévenir la demoiselle : cette année, les vendanges seraient retardées à cause de l'été pourri que nous avions connu, et les élèves rentreraient quelques jours plus tard qu'il n'était prévu car ils devraient rester dans leur famille pour aider à la récolte.

— Tous les ans ou presque, c'est la même chose, avait-il ajouté. Ne vous en plaignez pas trop... Nous en profiterons pour demander à Bécharel de badigeonner la classe et votre logement.

— Et les serrures? Et ces vitres qui manquent? Et les portes des cabinets?

— Soyez patiente. Tout viendra à son heure.

— La population s'est un peu calmée? Je peux traverser le bourg sans risquer d'être lapidée?

Un petit rire secoua la bedaine bardée d'une grosse chaîne de montre.

— Vous n'avez rien à craindre. On n'ira pas jusque-là. Tout ça, c'est un coup monté par le curé. Il a voulu montrer une fois de plus qu'il est le maître ici. Il vous a envoyé son avant-garde pour vous impressionner, mais ne

29

vous découragez pas. Si vous restez ferme à votre poste, si vous oubliez ce qui s'est passé hier, si vous vous tenez tranquille et ne faites pas de zèle, il vous fichera peut-être la paix.

– C'est donc lui qui fait la loi au village? Et vous, le maire, vous acceptez cela?

– J'accepte... J'accepte... Comme vous y allez! En confidence, je lui dois mon élection. De plus, lorsqu'il est arrivé, il y a trois ans, l'école congréganiste comptait six filles. Un an plus tard, elles étaient quinze. Cette année, elles seront plus de vingt. Il tient la population comme ça!

Il tendit son poing qu'il fit tourner comme pour fermer la serrure d'un cachot.

– C'est un homme redoutable. Même l'évêque de Tulle le craint. Lors de la « Séparation », il a pris le maquis avec sa servante, son crucifix et un fusil. Il disait sa messe dans un fournil avec sa pétoire à portée de la main.

Il ajouta, ses grosses mains enfoncées dans ses poches :

– Si c'est vous qui avez demandé ce poste à concurrence, c'est que vous avez le goût du suicide. Si l'on vous y a envoyée sans vous mettre en garde, c'est qu'on tient à vous mettre à l'épreuve. Dans les deux cas, vous êtes à plaindre, mais je vous aiderai, car vous m'êtes sympathique malgré vos exigences. Un conseil : tâchez de vous trouver le moins souvent possible en présence du curé.

– Je le verrai dimanche à la messe.

Joffre redressa brusquement la tête.

– Vous, une laïque, vous allez à la messe?

– J'y vais chaque dimanche car je suis croyante et pratiquante, n'en déplaise au curé et à ses menettes. Pourquoi voudriez-vous que j'y renonce?

– Vous allez vous jeter dans la cage aux fauves! Si vous voulez vous éviter des ennuis, allez plutôt entendre la messe à Végennes ou à La Chapelle.

– Décidément, monsieur le maire, ce n'est pas moi qui suis à plaindre, mais vous. Je comptais que vous me feriez les honneurs de la commune dans votre break et que vous me présenteriez au conseil municipal comme c'est la coutume, mais vous craignez trop les foudres du curé. Je devrai donc me contenter de Malvina comme guide.

Elle ajouta en posant sa main sur mon épaule :

– Nous sommes devenues deux amies, vous savez. Nous ne nous quittons plus. Cette nuit elle a couché dans ma chambre.

– Méfiez-vous de cette innocente. Elle raconte déjà des horreurs sur votre compte.

– Que voulez-vous dire?

Le maire parut embarrassé.

– Elle prétend qu'elle vous a vue en train de vous laver, toute nue. Elle n'a fait que le répéter à sa famille, mais, à l'heure qu'il est, la moitié de la commune est au courant.

– Pour être agréable aux menettes, devrais-je renoncer à me laver?

– Je ne vous en demande pas tant, mais faites en sorte de ne pas provoquer inutilement cette population encore un peu attardée.

– Je vous obéirai donc, monsieur le maire. J'accepterai de sentir mauvais, d'avoir les mains et les ongles crasseux, de ne me laver le visage et les pieds que les jours de pluie et, pour faire bonne mesure, je donnerai asile à la vermine. Au nom du Sacré-Cœur, naturellement!

– Allons, ne vous fâchez pas! Je vais vous faire un aveu : je me lave, moi aussi, mais je fais en sorte que ça ne se sache pas.

Je n'étais pas très loin, dans mon arbre, en train de compter et de recompter un trésor de glands dont je voulais faire un *tessenou* [1]. A l'appel de la demoiselle je descendis par mon échelle à poules et sautai dans la cour, pas très fière. Le maire venait tout juste de repartir dans son break. J'encaissai la semonce sans broncher.

– Je croyais que, toi et moi, nous avions fait un pacte d'amitié, dit la demoiselle, et tu t'empresses de rapporter

---

1. Un collier.

mes faits et gestes de manière à ce que toute la population soit informée. C'est donc fini entre nous?

Elle haussa les épaules, répéta son propos de manière qu'il me fût accessible.

– Est-ce que tu le regrettes, au moins?

Je hochai gravement la tête, jurai à sa demande que je ne la trahirais plus. Puis elle me demanda mon âge.

– J'ai dix ans.

– Tu en es certaine? Réfléchis bien. Je suis sûre que tu es plus âgée. De toute manière, je saurai ton âge lorsque ta mère viendra me porter ton bulletin de naissance pour te faire inscrire. Si elle vient...

J'avais dix ans. Je n'en démordais pas. Ce chiffre me plaisait et je m'y accrochais. Au-delà commençait un territoire inquiétant, mystérieux, presque le début d'une vie d'adulte et je ne voulais à aucun prix ressembler aux adultes. J'étais bien dans ces dix ans dont j'avais fait mon refuge et, depuis près de quatre ans, je refusais d'en sortir. Laborieusement, j'expliquai à la demoiselle ce parti-pris insolite; elle mit quelques instants à suivre mes explications embrouillées. Quand elle eut compris, elle s'accroupit près de moi, posa ses mains sur mes épaules.

– Je crois que tu es moins sotte que tu veux le paraître. Tu as quel âge exactement? Puisque nous sommes amies, tu peux bien me le confier. Douze? Treize? Quatorze?

J'acquiesçai. J'allais « sur mes quatorze ans ». La demoiselle se releva et me dit gravement :

– Alors, Malvina, il est temps que tu te réveilles.

Elle m'envoya à l'épicerie chercher une bouteille de pétrole, m'en frictionna la tête pour venir à bout des poux et des lentes et je me promenai plusieurs jours avec sur moi cette odeur qui faisait se détourner les gens sur mon passage. La première nuit que nous avions passée ensemble, la demoiselle et moi, j'avais gardé ma vermine et elle m'en sut gré, de même que du sentiment de sécurité que je lui avais procuré. Elle redoutait surtout l'irruption des *drollards* [1] qui, plus tard, vinrent rôder sous ses fenêtres

---

1. Garnements.

au retour des veillées ou des bals du samedi soir et lancer des pierres dans ses contrevents en criant des obscénités.

Les inscriptions se faisaient au compte-gouttes. Par crainte du curé, le maire avait renoncé à faire passer le tambour de ville, Bécharel, afin d'annoncer à la population que le registre de la « communale » était ouvert, et les parents ne se pressaient guère, d'autant que le maître d'école qui avait précédé Mlle Brunie n'avait pas laissé de bons souvenirs – il menait sa classe mollement et les résultats de fin d'année scolaire, au certificat d'études, avaient été catastrophiques. Mlle Brunie alla elle-même placarder sur le panneau d'affichage de la mairie un avis de sa main, que le maire fit mine d'ignorer.

Les mères arrivaient accompagnées de leurs rejetons, les bulletins de naissance dans la poche de leur *davantal*, la chevelure dissimulée sous le bonnet, la poitrine bien serrée dans le caraco noir boutonné strict avec de petites basques flottant sur la croupe. Un peu intimidées, mélangeant le patois et le français, elles n'étaient guère loquaces. Il en vint trois ou quatre la première semaine, ce qui faisait sept ou huit élèves. Tous des garçons.

Le meunier, Jules Bernède, de Fonfrèje, amena lui-même ses trois enfants : deux garçons et une fille. Sa pipe aux lèvres, son chapeau de paille sur les yeux, il descendit sans se presser de son char à bancs, en fit descendre les trois gosses et se dirigea vers la classe d'un pas de promenade après avoir remonté en deux mouvements d'épaules ses *brajes* tenues par des bretelles lâches. C'était un homme lourd et lent, bâti comme un Gaulois dont il avait les épaisses moustaches, mais subtil et réfléchi. Il avait renoncé à la messe depuis que le curé, sous prétexte qu'il lisait la *Dépêche du Midi*, avait refusé de donner l'extrême-onction à sa mère. La meunière était prête à se jeter aux genoux du curé; Jules non. On s'était passé des sacrements; il avait continué à lire la *Dépêche* et avait décidé que ses enfants iraient tous à l'école laïque. Au conseil municipal, on l'estimait et on le respectait, moins en raison de sa puissance physique (il pouvait soulever un sac de farine avec ses dents) que de sa sagesse qui n'était jamais prise en défaut. Il faisait partie des fortes têtes de la gauche radicale ou socialiste qui commentait le dimanche, chez la Jeanne, autour d'un canon, les éditoriaux de Jaurès.

De mon arbre, je sifflai pour prévenir la demoiselle occupée à des travaux ménagers. Elle descendit et je me joignis au meunier pour pénétrer dans la classe.

Il ôta son chapeau, s'inclina discrètement et tapa sa pipe contre un de ses socques. Cécile s'installa à son pupitre et fit signe à Bernède de s'asseoir. Il souleva l'unique chaise de la classe, éprouva sa résistance et soupira :

— Excusez-moi, mais je préfère rester debout.

Il tira de la poche de son gilet les bulletins de naissance pliés en quatre et les tendit à l'institutrice. Assise sur la marche du bureau, j'assistai à l'opération, les mains serrées entre mes cuisses, en échangeant des grimaces avec les enfants.

— Eh bien, voilà qui est fait! dit Cécile. J'attends vos enfants pour le jour de la rentrée, monsieur Bernède. Je vous remercie de m'avoir accordé votre confiance.

Bernède se dandina d'un pied sur l'autre. Il avait envie de parler, mais craignait de proférer une balourdise. Il se décida enfin après s'être éclairci la voix :

— Je vous préviens, mademoiselle Brunie, les bigotes désarment pas. Ma femme les a reçues hier. Elles ont insisté pour que nous mettions notre petite Alice à l'école Sainte-Thérèse. Quand elles ont vu qu'elles pouvaient rien faire, elles ont passé aux menaces. Plus personne ne viendrait faire moudre chez nous, le curé refuserait de faire faire la communion aux enfants, l'épicière nous fermerait sa porte... Quand je suis arrivé, elles ont changé de ton, les garces. J'ai simplement dit : « Foutez le camp et que je vous revoie plus! » Alors, voilà les petits. Les deux garçons, c'est pas des intelligences, mais ils sont sérieux et travailleurs. Ils en sauront bien assez pour faire boulangers. J'aimerais bien que le Jouannet ait son certificat, cette année. Il vaut rien en rédaction mais il est bon en calcul et il a la voix juste pour le chant. Le Jeantounet a besoin de se secouer un peu, mais juste ce qu'il faut, parce qu'il bégaie et qu'il est timide. Faites pour le mieux. Alice,

34

c'est autre chose. Elle veut apprendre pour entrer dans les postes. C'est son idée fixe.

– Pourquoi voulez-vous faire des boulangers de vos garçons? Ils ne vous aideront pas au moulin?

Bernède prit le temps de bourrer et d'allumer sa pipe, son chapeau sous le bras. Le métier ne nourrissait plus son homme. Le curé soutenait ceux de Bernes et de La Tournadre et les paysans l'écoutaient. Lui, Bernède, il en avait assez de battre la campagne avec son char à bancs pour aller mendier un sac de farine à moudre. Il s'était plaint au conseil municipal des manœuvres du curé mais il s'était heurté à un silence obstiné. Le maire, cette « chiffe molle », ne pouvait contraindre ses administrés à faire moudre ici plutôt que là. Bernède avait donc décidé de construire et de se lancer dans la « boulange ». Il avait appris au service militaire. Il n'entrerait pas en concurrence avec la Noémie Farges, du bourg, cette forte femme qui travaillait seule avec un petit commis depuis la mort de son homme.

– Elle y tient plus, la pauvre. Elle se crève et fournit pas assez. Les gens vont s'approvisionner à Végennes ou font leur pain eux-mêmes comme dans le temps. Nous sommes un peu du même bord, question politique. Je suis allé la trouver et je lui ai expliqué. Elle est d'accord. Reste à savoir si les calotins voudront manger de mon pain hérétique.

Survint, le lendemain, la Marie Simbille, des Escrozes, tenant un de ses « drolles » d'une main et un livre de l'autre. C'était une femme tout en os, jaune de teint, toujours tirée à quatre épingles malgré l'état quasi misérable de la famille. Elle jeta un sec « bonjour », posa le livre sur le bureau de Cécile et l'ouvrit à une page cornée. C'était le livre d'histoire de Gauthier-Deschamps. En même temps que Cécile, je me penchai sur une image représentant un cavalier romain en train de trancher un morceau de sa cape pour l'offrir à un pauvre.

– D'après vous, dit la femme, qui est ce cavalier?

– Le soldat Martin, dit Cécile. C'est écrit là.

– Non, mademoiselle! Ce cavalier n'est pas le *soldat* Martin. C'est saint Martin.

– Ma foi, si c'est votre avis...
– C'est pas mon avis qui compte, c'est le vôtre.
– Au moment où cette scène se déroulait, Martin était encore un soldat de l'armée romaine. C'est la vérité historique et la simple logique.

La Marie Simbille reprit le livre, recula comme une vipère dont on aurait piétiné la queue.

– La vérité... La logique... C'est bien ce que je pensais. On dit pourtant que vous êtes croyante et que vous fréquentez la messe. Et vous niez que Martin soit un saint! Le curé avait raison : vous êtes une fille sans religion. Ça me coûtera ce que ça me coûtera, mais mon fils reviendra chez les « Frères », à Beaulieu.

La Marie se retira sans un mot. Elle faisait partie du commando de menettes qui avait accueilli la nouvelle maîtresse avec le buis et l'eau bénite. Son fils n'apprenait rien chez les « Frères », comme on disait encore, et elle aurait bien aimé tenter une expérience à la « communale », malgré son mari qui, quelques années auparavant, avait prêté main-forte au curé Brissaud pour jeter par la fenêtre le mobilier de l'instituteur.

– Eh bien, dit Mlle Brunie, tout se précise. Amis et ennemis choisissent leur camp. Pour le moment cela nous fait... dix élèves, dont trois filles. Quatre avec toi.

Moi, j'avais choisi mon camp, en dehors, bien entendu, de toute considération politique. Je n'avais aucune sympathie véritable pour la nouvelle maîtresse; elle était trop différente, trop lointaine, malgré mes approches assidues et les témoignages d'affection qu'elle me prodiguait. Je n'éprouvais encore pour elle qu'une curiosité craintive et émerveillée rejoignant celle que suscitaient les personnes étrangères à la commune : dames et demoiselles qui fréquentaient chez la baronne Hortense de Bonneuil, marchands ambulants beaux parleurs, baladins qui venaient parfois donner leur spectacle sur la place... Prématurément, Mlle Brunie m'avait inscrit sur ses registres et attendait la visite de ma mère ou de Pierre mais ils ne se décidaient pas et elle avait scrupule à insister. D'autres parents allaient se présenter; avec une quinzaine d'élèves elle pourrait former une classe de trois divisions et présenter quelques grands au certificat d'études, à Meyssac, en juillet.

L'Aurélie Blavignac, de Puyperdu, se présenta le lendemain avec ses deux filles : Anna et Camille. Elle habitait un hameau perché sur un sucquet de vignobles, dominé par un gigantesque pin parasol qui se voyait à des kilomètres à la ronde. La famille vivait dans une aisance relative, le mari travaillant à la « Compagnie », sur les tramways départementaux de la ligne de Beaulieu à Brive. Ceux-là, le curé et les menettes ne s'y frottaient pas. Chaque matin, le facteur leur livrait l'*Humanité*, c'était tout dire. Bon ouvrier, Blavignac avait pu se maintenir à son poste malgré ses activités syndicales et politiques mal vues des responsables de la Compagnie et en dépit des interventions du curé.

Je n'aimais pas cette femme. Elle était froide, sectaire, aigrie par sa solitude, déplaisante jusque dans son physique : une lourde ossature et des mains en battoirs à linge. Son mari était plus avenant mais on ne le voyait jamais la semaine; le dimanche, à l'heure de la messe, une fleur rouge à la boutonnière, il allait boire le coup chez la Jeanne. Ses vignes, dont il prenait soin en dehors de son service, étaient les mieux soignées, les plus belles du pays et la qualité de son vin faisait des jaloux. Il est vrai que, depuis des temps immémoriaux, les vignobles de Puyperdu étaient réputés en raison de la qualité du sol et de l'ensoleillement.

L'Aurélie Blavignac s'assit et, d'un air pincé et doucereux, se présenta de manière à ce que, d'emblée, il n'y eût pas d'équivoque. Elle portait ses convictions comme une cocarde.

– J'ai assisté de loin à la réception que les menettes vous ont réservée. Pourquoi ne vous êtes-vous pas rebiffée? Moi, à votre place... Il est vrai que...

La main levée sembla laisser la phrase en suspens.

– Que voulez-vous dire?

– Allons! mademoiselle, nous savons bien que vous êtes du même bord que ces bigotes. Vous avez sûrement un crucifix et un livre de messe dans vos bagages.

– Le contenu de mes bagages et mes convictions ne regardent que moi, madame Blavignac.

37

– Vous fâchez pas! Mon mari et moi on a appris à se méfier. Il y a des « davidées » qui se promènent dans le diocèse.

– Voulez-vous insinuer que je pourrais bien être une de ces filles?

La demoiselle s'était levée lentement, très pâle. Je me demandais quant à moi ce que « davidées » voulait dire. Mlle Brunie devait me l'expliquer plus tard : c'étaient des filles formées par les écoles congréganistes, fortement nourries de religion militante, qui s'insinuaient dans la phalange de l' « école impie » pour en opérer un changement de l'intérieur, y semer le trouble, la faire éclater. Elle avait lu le roman de René Bazin : *Davidée Birot* dont l'héroïne, institutrice laïque qui avait dérivé vers la religion, aurait pu être le modèle de certaines compagnes d'École normale qu'elle connaissait bien. Les deux femmes s'affrontèrent du regard tandis que tournait et retournait dans ma tête ce joli nom de fleur : « davidée »... Aurélie Blavignac rompit la première sur un ton conciliant :

– On n'est jamais assez prudent, mais oubliez ce que j'ai dit.

Elle montra, au-dessus du bureau de la maîtresse, la trace du crucifix, qui transparaissait sous le badigeon de Bécharel.

– Vous n'avez pas l'intention de le remettre? dit-elle.

– Nous sommes une école laïque, madame, et les choses de la religion et de la politique n'y ont pas leur place. Si vous souhaitez toujours faire inscrire vos enfants, donnez-moi leur bulletin de naissance, je vous prie.

C'est le lendemain, un samedi, qu'eut lieu la première rencontre entre Pierre et Mlle Brunie. Grâce à moi ou par ma faute, comme on voudra.

La maîtresse se rendait le moins souvent possible au bourg. Elle en avait assez de voir les fenêtres se fermer sur son passage, des visages l'épier derrière les rideaux, des bouches invisibles lui crier des injures, des femmes se signer en la croisant ou détourner ostensiblement la tête.

L'une des épicières, Eugénie Saulière, avait refusé de la servir en lui jetant : « Les « sans Dieu » peuvent bien crever la gueule ouverte! »; l'autre épicière, Agathe Laspoumadère, s'exécuta mais avec tant de réserve et de méfiance que la demoiselle ne put s'empêcher de lui dire : « Rassurez-vous, personne ne m'a vue entrer. »

Elle se lamentait :

– Qu'est-ce que je vais bien pouvoir manger à midi? Tu as une idée, toi, Malvina? Non, bien entendu. Il me reste en tout et pour tout ce quignon de pain et ce fromage trop fait. Et je n'ai pas le courage de monter jusqu'au bourg, avec cette chaleur et tous ces gens qui m'épient et me narguent. Je me contenterai donc de ce que j'ai.

Elle ne s'étonna pas de me voir partir aussitôt, mais ouvrit des yeux ronds lorsque je reparus une heure plus tard avec dans mon cabas un pot de *grillons* [1], un large chanteau de pain et une bouteille de piquette.

– Où as-tu trouvé ça? Tu l'as volé? Chez qui? Chez tes parents? Bon! Alors tu vas le rapporter tout de suite. Le règlement interdit que l'on fasse des cadeaux à la maîtresse.

Je secouai la tête. Elle se fâcha, menaça de me jeter dehors. Je sentis les larmes me brûler les yeux. Elle s'en aperçut et eut un geste de lassitude.

– Écoute, Malvina, je ne peux pas accepter. Si mes supérieurs apprenaient que je reçois des cadeaux des parents d'élèves, ils m'infligeraient un blâme. Ce qui est valable pour mademoiselle Berthier ne l'est pas pour moi. Je gagne mille cent francs par an et je dois me suffire avec cette somme.

Elle avait parlé trop vite et trop de mots m'échappaient pour que je puisse suivre son raisonnement. Dès qu'elle eut terminé, elle jeta un châle sur ses épaules, me prit la main et par les *escourssières* nous montâmes jusqu'aux Bories-Hautes. Il faisait un temps chaud de fin septembre; l'air sentait le vieux moût des fûtailles; des comportes et des cuves rincées à grande eau que l'on apprêtait pour les vendanges trônaient dans les cours des fermes et sur le

---

1. Sorte de rillettes.

seuil des maisons du bourg. Une cendre bleue coulait sur les lointaines forêts au-dessus desquelles planaient interminablement des milans et des busards. Il faisait chaud comme dans une chambre de malade. La demoiselle s'arrêtait pour souffler et s'éponger les ailes du nez avec son mouchoir. Rose de chaleur, avec ses cheveux noués derrière la tête (on l'avait trop longtemps contrainte, à l'École normale, à les porter en chignon) elle était très belle et j'étais fière d'avoir ma main dans la sienne, nerveuse, secouée de légères contractions, amicale.

– Nous ne sommes pas près de commencer la classe si ce temps se maintient, dit-elle. Il paraît qu'il fait mûrir le raisin et monter le degré, comme on dit. Tu iras vendanger toi aussi, sans doute, le moment venu ? J'y allais volontiers, chez mes grands-parents, quand j'étais plus jeune.

J'aimais vendanger. Ou plutôt assister aux vendanges, c'est-à-dire passer de rang en rang, me laisser barbouiller de jus par les garçons, épier la ronde des guêpes saoules dans les comportes et les cuves, me gaver de raisin et revenir le soir, le ventre malade, dans le grand ballant des charrettes. Il ne fallait pas m'en demander davantage : je n'aurais pas su. J'étais l' « innocentoune », et bien heureuse que l'on me jugeât ainsi.

A quelques pas de la ferme, je pris les devants pour prévenir Pierre qui se trouvait dans la remise en train de préparer sa fûtaille, les mains violettes, le torse nu, des rafles jusque dans la moustache. En apercevant la demoiselle et sa coiffure libre, il eut un mouvement de surprise, murmura : « *Que volè inquere ?* [1] » et, en *roumant* [2], enfila sa chemise qu'il boutonna de travers et s'essuya les mains à une touaille.

Mlle Brunie lui tendit le cabas.

– Je vous rapporte ces cadeaux que Malvina a eu la gentillesse ou l'inconscience de m'apporter à l'école. Elle a mal agi, mais promettez-moi de ne pas la gronder.

Pierre se contenta de me regarder sévèrement et de dire de la grosse voix qu'il prenait pour parler aux chiens :

---

1. Que veut-elle encore ?
2. Grognant.

« Malvina! » Je baissai les yeux en signe de contrition.

– Fallait pas monter jusqu'ici pour ça, dit-il maladroitement, mais puisque ma sœur vous l'a offert, gardez-le, allez!

La demoiselle remercia, secoua la tête, expliqua : le règlement, l'administration, le blâme, la censure...

– Je comprends, dit Pierre, gravement. Au moins, restez pas là, au soleil. Finissez d'entrer. Vous goûterez notre vin. Vous me dérangez pas. J'avais presque fini.

Il me jeta quelques mots en patois pour m'ordonner d'aller prévenir la Maïré, ainsi que Paul et André qui coupaient de l'herbe pour les lapins dans une friche voisine. Je les appelai de derrière la ferme et revins précipitamment. La grande salle dallée était fraîche, sombre, bourdonnante de mouches et de guêpes qui butinaient sur la table mal nettoyée un rond de confiture. La demoiselle avait remis sur ses épaules le châle qu'elle avait ôté en cours de route. Elle se tenait devant une gravure jaunie et tachée de chiures de mouches sur laquelle il m'arrivait de rêver sans comprendre ce que pouvaient bien faire ces hommes en essaims qui prenaient d'assaut des ruines sous un ciel de fumée.

– La bataille de Sébastopol, dit la demoiselle. Prise de la tour Malakoff. C'est une belle œuvre d'Yvon.

– Le grand-père s'est battu en Crimée en cinquante-cinq, dit Pierre. Il en a bavé, le pauvre. C'était l'enfer à ce qu'il disait.

– Il est mort?

– Non, mais c'est tout comme. Il parle plus depuis longtemps. Regardez-le fumer sa pipe dans le cantou. Il en bouge pas, sinon pour aller pisser, et encore...

On distinguait à peine le pépé dans sa coque d'ombre. En Crimée, il avait appris à chiquer, mais, depuis son retour en France, il avait dû renoncer car il salissait ses chemises avec ce jus brunâtre qui lui coulait des lèvres. Alors il s'était mis à la pipe et elle ne quittait plus sa bouche.

– J'aurais dû venir vous trouver pour faire inscrire Paul et André, dit Pierre, mais j'arrive pas à trouver un moment. Je viendrai un de ces jours, c'est promis.

Il ajouta :

– J'ai appris la réception qu'on vous a faite l'autre jour. Encore un coup du curé! Celui-là, quand il quittera Saint-Roch...

J'essuyai la table sur laquelle Pierre posa les verres, la bouteille de piquette et le pot de *grillons*. Il se ravisa, alla chercher dans le cellier une vieille bouteille (du bon, celui-ci) qu'il essuya au torchon après l'avoir arrosée avec la *couade*.

– Il ne faut pas vous déranger pour moi, dit la demoiselle. Je vais repartir.

– Vous avez bien le temps. On doit pas se bousculer pour les inscriptions.

– Vous me parlez de Paul et d'André. Et Malvina ?

Pierre avait ouvert à moitié le *tiradour* de la grande table, où nous rangions le pain et les couverts. Son geste resta en suspens.

– Malvina ? Nous avons tout essayé. D'abord on l'a mise à Sainte-Thérèse, il y a un an. Elle y est pas restée quinze jours. Après on l'a « donnée » à la « communale » mais elle manquait un jour sur deux et le maître nous l'a rendue. On a même essayé de lui faire donner des « répétitions » chez mademoiselle Berthier. Autant vouloir enseigner nos vaches et nos cochons. En ce moment, elle nous regarde et nous écoute, mais elle comprend rien à ce que nous disons.

– Ou elle fait semblant de ne rien comprendre...

Je baignais dans la félicité. La demoiselle... Mon frère... Je n'avais jamais osé espérer qu'ils se rencontreraient ainsi, dans cette pièce, dans ma maison, qu'ils partageraient le pain et le vin. Et cette rencontre était mon œuvre ! J'éprouvais le sentiment d'entrer de mon plein gré dans le jeu complexe des adultes, de le susciter, de le maîtriser, de l'orienter, d'en être responsable. Cette idée barbotait dans mon inconscient mais se précisait insensiblement. Je rayonnai lorsque la demoiselle ajouta :

– J'aimerais que vous me confiiez Malvina. Cette enfant est sensible et intelligente autant que vous et moi mais sa sensibilité est demeurée à l'état brut et son intelligence commence tout juste à s'éveiller. Ce qu'il faut c'est

42

s'occuper d'elle individuellement, l'obliger, par la douceur et la persévérance, à s'intéresser aux études. Accepteriez-vous de me la confier ?

Confier Malvina à la maîtresse ? Pierre resta sans répondre. Il n'aurait pas été autrement surpris qu'on lui demandât la permission de lui emprunter un peu de vent et de lumière. J'étais libre comme le vent, libre comme la lumière, libre de toute l'indifférence des autres. Allait-on me mettre en cage pour tenter de m'apprivoiser ? Cette réflexion que je me faisais à moi-même m'amusa pourtant. Ce jeu, je l'acceptais, à condition qu'il me plaise et ne me lassât point. Et là, c'était une autre affaire.

– Si vous arrivez à en faire quelque chose, dit Pierre, je suis prêt à croire aux miracles.

– Il n'y aura pas de miracle, mais nous allons essayer. Il faut que je puisse compter sur votre compréhension et sur votre aide.

– Nous verrons bien, dit Pierre, évasivement.

Ils s'étaient attablés et avaient entamé les *grillons* lorsque la Maïré et mes frères surgirent avec leur baluchon d'herbe grasse. En guise de contenance, pour cacher sa surprise et sa déconvenue, la Maïré houspilla les poules qui commençaient, d'une patte circonspecte, à prendre possession de l'espace interdit de la demeure, et le chien qui attendait, assis sur son arrière-train, les morceaux que nous laissions tomber dans sa gueule. Elle échangea avec Pierre, en patois, quelques mots aigres-doux. La demoiselle, qui ne parlait pas notre langue mais la comprenait assez bien, se leva pour partir. Par sa présence et en quelques mots, la Maïré venait de détruire le bel édifice que j'avais édifié. Poussée par la colère, je me précipitai vers elle en pleurant, cognant des poings contre sa poitrine, frappant ses tibias avec mon socque. La Maïré glapit :

– *Aquela drolla vèn fola, per moun arma ! Achaba o te tane !* [1]

– Restez ! dit Pierre en se levant à son tour. Ma mère est surprise de votre présence. Je lui expliquerai.

---

1. Cette fille devient folle, par mon âme! Cesse ou je te cogne !

Puis, d'une voix autoritaire :
– *Taisa te, Maïré ! N'i a pro ! Vai t'en !* [1]
– Laissez ! dit la demoiselle. De toute manière, il fallait que je parte. J'attends de nouvelles inscriptions avant quatre heures.

C'était faux et Pierre ne fut pas dupe. Il remplit son verre, le tendit au pépé qui venait de se rappeler à son attention en lui frôlant l'échine de la pointe de sa canne. La demoiselle tapota la joue de Paul et d'André qui se tenaient immobiles et muets devant l'évier en attendant la conclusion de l'algarade, leurs mains souillées de jus d'herbe croisées sur le ventre.

– Tenez-vous toujours à faire inscrire vos frères et sœur à mon école? demanda la demoiselle.

– Le maître, ici, c'est moi, dit sévèrement Pierre, du moins jusqu'à mon service. Paul et André iront à la « communale », comme l'année dernière. Ce sont deux braves enfants, pas très avancés mais pas bêtes. Tout ce que j'espère c'est qu'ils aillent jusqu'au certificat, qu'ils sachent écrire un bout de lettre. Ce sera bien assez pour s'occuper des vaches et de nos vignes. Alors inscrivez-les et revenez me voir quand ça vous fera plaisir ou besoin. Vous serez toujours bien reçue chez nous. Ça vous fera un peu d'amitié quand vous en manquerez.

Je séchais mes larmes dans le *cantou*, face au pépé qui achevait son verre d'une main tremblante lorsqu'une silhouette se dessina dans la porte. Un voix aigre lança :
– *N'ia degun ?*[2]

C'était la Toinette qui revenait de faire ses dévotions à la fontaine Saint-Roch et remontait à son perchoir à chouette de Bel-Air. Je reconnus en elle une des menettes qui avait aspergé quelques jours auparavant les traces du Satan en jupons. Elle entrait sous prétexte de nous emprunter des allumettes, mais en fait attirée par le bruit de la dispute dont elle n'avait sans doute rien perdu car elle avait l'oreille fine malgré ses quatre-vingt-huit ans. Elle marqua un arrêt en apercevant la demoiselle et repartit précipi-

---

1. Tais-toi, mère ! Ça suffit ! Va-t'en !
2. Il n'y a personne ?

tamment avec ses trois ou quatre allumettes de contrebande.

– Elle va en avoir des choses à raconter au village ! dit la
demoiselle. Pierre, je n'aurais jamais dû accepter votre
invitation. Voilà votre famille compromise par ma faute
aux yeux du curé. Quant à moi, je n'ai plus rien à redouter.
Ma réputation est faite.

Elle ajouta avant de nous quitter :

– Merci tout de même pour le vin et pour l'amitié.

Il y eut un dimanche bien calme.

Ceux qui attendaient un incident à la grand-messe en
furent pour leurs illusions. Informé de la présence
probable de Cécile Brunie, l'abbé Brissaud avait concocté
une diatribe acerbe contre l' « école sans Dieu » et ceux qui
la servaient avec un zèle damnable. Il dut la réserver pour
une autre occasion car, afin d'éviter de faire de nouveau
acte de scandale, la demoiselle avait choisi d'aller entendre la messe et communier à La Chapelle-aux-Saints. Elle
s'y était rendue à pied et était revenue de même.

Je l'avais attendue, juchée dans mon arbre ou traînant
mes socques dans le marécage pour débusquer les couleuvres. Le monde me paraissait vide et dépeuplé. Au
début de l'après-midi, n'y tenant plus, alors que l'orage
menaçait, je forçai la porte de sa chambre, fouillai dans ses
affaires et dans les paperasses encombrant la petite table
qui lui servait de bureau. Sur une feuille vierge, je dessinai
des images d'elle qui naissaient spontanément dans ma
tête, afin sans doute de susciter sa présence, de me la
rendre proche, de me l'approprier comme les chasseurs
du néolithique faisaient des animaux de subsistance. Le
flacon de parfum était à portée de ma main ; je m'en oignis
à plusieurs reprises avec délices et savourai, les yeux
mi-clos, la saveur inconnue d'un bonbon à l'orange. La
porte de la grande armoire s'ouvrit en grinçant sous ma
main qui tremblait. Revêtue des robes et des chemises de
la demoiselle, le visage enfoui dans ses lingeries intimes, je

recréais sa présence dans le mouvement des étoffes. Elle était là ; elle était mienne ; je dépassais la simple curiosité pour pénétrer par effraction dans un monde secret, mystérieux ; nous devenions complices dans un sentiment que j'ignorais encore mais qui se modelait en moi comme un fruit mûrit sous la feuille.

Il faisait chaud, lourd et sombre. Les cigales s'étaient tues sur les pentes du Puy-Faure enveloppées d'une lumière d'abricot. D'une ferme lointaine venaient une aigre musiquette d'accordéon et des cris. Aux premiers éclairs, j'imaginai celle que j'appelais déjà par son prénom – Cécile – en proie à l'orage, fouettée par la pluie, trébuchant dans les flaques, embrasée par la colère de la foudre. Allongée sur le lit défait, je me mis à pleurer et à gémir avant de m'endormir.

Lorsque j'ouvris les yeux, Cécile achevait de se bouchonner avec une serviette dans la lumière de la lampe à pétrole. Ses vêtements s'entassaient sur le parquet. Elle enfila une chemise, grignota un morceau de pain et parut s'abîmer dans la contemplation de mes gribouillis. Puis elle vint me rejoindre et s'allongea près de moi.

– Tu sens encore le pétrole, dit-elle. Lorsque j'irai à Meyssac, j'achèterai du civadon, de l' « herbe aux poux ». C'est aussi efficace et ça sent moins mauvais.

Elle ajouta :

– Tu sais que tu es douée pour le dessin ? Si tu l'es autant pour le reste, je ferai quelque chose de toi. Dis-moi : tu aimerais passer ton certificat d'études ? Ce n'est pas impossible, à condition que tu le veuilles vraiment. Dis-moi, est-ce que tu aimerais ? Réponds. Oui ? Non ?

J'opinai, sans conviction, me retournai et la serrai contre moi. J'étais tellement possédée de bonheur et de bien-être qu'il me semblait que mon corps dépassait ses limites et prenait des dimensions insolites. Je me rendormis. Lorsque je m'éveillai de nouveau il faisait nuit et j'étais seule. Ce n'est qu'en me redressant que je finis par distinguer Cécile, accoudée à la fenêtre qui donnait sur le marécage d'où montaient les fortes odeurs de l'orage. Un petit point lumineux dansait devant elle comme une luciole.

Cécile fumait en regardant la nuit brouillée d'éclairs.

Elle passait et repassait devant moi en riant et je n'en croyais pas mes yeux et mes oreilles, et je riais aussi, et je courais derrière elle.

C'était une belle bicyclette, une *Hirondelle* de Saint-Étienne qu'elle s'était achetée un mois auparavant et payait à tempérament : un sacrifice qui pesait lourd dans son maigre budget.

– Tu veux l'essayer ? Allez, monte ! N'aie pas peur.

Je secouai la tête. Elle insista et je me risquai. Mes premiers tours de roue je les fis dans la cour de l'école puis sur la route, Cécile me retenant ou me poussant par la selle en courant derrière moi. A la fin de la journée je savais me tenir seule en équilibre sur les pédales. Échappant à sa surveillance, je me lançai sur la route départementale et poussai en zigzag jusqu'au moulin de Fonfrèje où je m'affalai au milieu de la volaille et des cochons. Pas fière de mon exploit, les genoux et les paumes des mains écorchés, je revins à l'école avec la bicyclette à la main.

– Ce n'est rien, dit Cécile, et la bicyclette n'est pas abîmée. Un peu de teinture d'iode et ça passera.

Au cours de cette même soirée j'eus une autre surprise en pénétrant dans l'appartement de Cécile : un rocking-chair trônait près de la fenêtre. Il avait été amené là avec la bicyclette depuis la gare du Bosplot par la voiture de poste, ainsi qu'une malle de vêtements, une panière de couverts et une caisse de livres. La chambre paraissait transformée. Cécile me fit essayer le fauteuil à bascule, m'expliqua – comme si j'étais susceptible de le comprendre – qu'elle jugeait cet élément indispensable à son confort, en y ajoutant sans doute une pointe de malice. Avec des planches supportées par des briques découvertes dans l'ancienne grange elle s'était composé des rayonnages rustiques pour ses livres. Sur la panière elle avait disposé un napperon et un vase avec des fleurs cueillies au rosier sauvage de la cour. Quelques gravures étaient épinglées au mur, des reproductions en couleurs de la maison Braun : une « Maternité » d'Eugène Carrière, « Madame Vigée-Lebrun et sa fille » par elle-même, la « Joconde » et mes dessins à moi, Malvina Delpeuch, des gribouillages informes dont je m'étonnais qu'ils eussent pu retenir son attention.

Les livres, je n'aurais su dire pourquoi, me fascinaient. Je crois que j'y découvrais inconsciemment l'approche d'un mystère qui pouvait être merveilleux ou redoutable. Cette appréhension m'est toujours demeurée. Ouvrir un livre c'est se laisser happer par un monde qui rappelle les « trous noirs » de l'univers profond, découvrir que tout est possible, se sentir prisonnier d'une opération de magie à laquelle il ne nous est plus donné d'échapper dès lors que nous acceptons d'entrer dans le jeu. Je prenais un livre, l'ouvrais avec précaution, le feuilletais, le refermais brusquement, la mort dans l'âme. Ce fruit de l'intelligence me rejetait dans mes limites. Je me disais que jamais je ne pourrais apprendre à lire. Jamais. Cécile surprit mes mouvements de désespoir.

– Si tu savais comme c'est simple ! Tu connais le plus jeune des Bernède : Jeantounet ? Il n'est pas très malin, hein ? Eh bien, il sait lire et écrire. Alors, toi qui es plus intelligente que lui, tu apprendras vite.

En attendant la rentrée de l'école, comme elle ne manquait pas de temps libre, elle s'occupa de moi.

Elle ouvrait *Pêcheur d'Islande*, de Pierre Loti, me lisait quelques passages pris au hasard et me montrait les images correspondantes, dans l'édition illustrée de Calmann-Lévy, à 95 centimes, un roman interdit à l'École normale à cause du récit d'une nuit de noces. Elle me guidait dans ces itinéraires prodigieux. Je ne comprenais pas tout mais j'étais sensible au mouvement du récit, donné par des mots repères, et je marchais à travers le texte comme une aveugle, un ballet d'images folles dans ma tête. Je murmurais : « Lis-moi encore », et elle poursuivait inlassablement.

Parfois elle me disait :

– Toi, petite, je peux te prédire une grande passion : celle de la lecture. Mais il est plus urgent que tu apprennes à parler.

Elle commença à me faire répéter des mots, puis des phrases, puis des vers dont les cadences et la fluidité m'enchantaient. Un jour, à la ferme, au milieu d'un repas, dans le silence troublé seulement par le bruit des mastications laborieuses et des déglutitions, je lâchai tout à trac : « *Et rose elle a vécu ce que vivent les roses – l'espace d'un matin...* » Mon frère m'écrasa d'un regard de lourde pitié. La Maïré soupira. Pauvre folle que j'étais...

Parfois, au milieu du bourg ou en pleine campagne, je m'arrêtais pour lâcher à tous les échos un quatrain d'Albert Samain ou de Sully Prudhomme, ou encore tout un chapitre de *Jean-Christophe*, de Romain Rolland. Ma mémoire surprenait Cécile. Je retenais tout. « Une mémoire de sauvage ! » disait-elle. Le terrain était excellent; il suffisait d'y semer de bonnes graines.

Lorsqu'elle était satisfaite des progrès de son élève, Cécile me permettait d'utiliser sa bicyclette. Je pédalais en danseuse car mes jambes étaient encore un peu courtes, m'amusant à courir derrière les poules ou à effrayer les femmes. Prise d'une frénésie d'espace et de vitesse, je sillonnais routes et chemins, traversant la Gane d'un élan dans une gerbe d'eau qui trempait le fond de ma robe, évitant les chiens qui me suivaient en aboyant et cherchaient à mordre mes mollets.

La Maïré me jetait de sa voix aigre :

– Rouler à bicyclette et réciter des âneries, c'est tout ce qu'elle t'apprend, la maîtresse ?

– Laisse ! répondait Pierre. Tu vois pas qu'elle est en train de changer, la *petiote ?*

Je changeais. Chaque matin je ressentais l'impression de m'éveiller à une existence nouvelle, de découvrir un aspect du monde qui allait m'obliger à me projeter hors des limites de mon univers quotidien. Je voulais comprendre Cécile, l'imiter en tout, devenir son reflet, son ombre, son double, devenir elle-même jusque dans ses singularités. Un jour je volai une des vieilles pipes du pépé – celle qui représentait une tête de zouave à la chéchia brûlée – l'emportai chez Cécile et, profitant de son absence, la bourrai de tabac et me mis à la fumer. Cécile à son retour me trouva penchée à la fenêtre, verte et vomissant.

Assez vite j'avais appris à articuler et à parler à haute voix ; Cécile entreprit de m'apprendre à m'exprimer. Je n'établissais aucune corrélation entre un texte de Loti que je déclamais sans en saisir le sens et mon être profond. Insensiblement, Cécile m'amena à relier ma pensée à mes propos. Lorsque je prenais une pomme sur une étagère, elle me l'enlevait des mains et me forçait à dire : « J'ai envie d'une pomme, mademoiselle », ou « puis-je prendre une pomme, mademoiselle ? » Je me pliais assez mal à cette discipline nouvelle pour moi : la priorité, la préséance de la parole sur le geste. La Maïré bâilla de stupeur le jour où je lui dis, dans le plus pur « langage monsieur » : « Maman, veux-tu me couper une tranche de pain, je te prie ? » Elle ne devait pas être loin de considérer que, par une opération de sorcellerie, la demoiselle avait changé la nature intime de sa fille et de penser que les menettes de Saint-Roch avaient raison de la considérer comme l'émanation d'un esprit maléfique venu troubler la sérénité de la paroisse. Elle me préférait telle que j'étais avant.

La rentrée des classes, comme on l'avait prévu, fut retardée d'une semaine à cause des vendanges. Le maire en profita pour envoyer Bécharel badigeonner la salle de classe et remplacer les vitres qui manquaient. Pour les serrures et les portes des cabinets il faudrait attendre.

– Le curé s'est fâché, avoua Joffre. Vous savez que les filles de Sainte-Thérèse sont encore plus mal loties que vous ? Si j'en faisais davantage j'aurais contre moi la majorité de mon conseil municipal et presque toute la population.

Cécile vint nous aider pour les vendanges, aux Bories-Hautes, malgré l'opposition sournoise de Maïré. Contrairement aux autres années, Pierre avait rencontré des réticences parmi les gens des environs, la Toinette de Bel-Air ayant jasé. Pierre avait choisi son camp ; on lui faisait payer sa désertion.

La demoiselle mit à profit ce travail pour bavarder avec moi. Durant deux jours pleins, nous ne nous quittâmes pour ainsi dire plus. Elle se tenait d'un côté du rang et moi de l'autre. Je mettais du cœur à l'ouvrage, m'attachant à couper les grappes sans les égrener et sans en oublier, tout

50

en répondant le plus correctement possible aux questions de Cécile, en bon français. Elle commença même à m'apprendre des chansons mais dut renoncer car je n'étais guère douée.

Au soir du deuxième jour, alors que nous revenions sous une pluie fine vers les Bories-Hautes, appuyées aux ridelles de la charrette, elle me dit en mouillant de salive les jointures de sa main meurtrie par le sécateur :

– Et maintenant, ma petite Malvina, il va falloir penser aux choses sérieuses.

Octobre

Moi, la vagabonde, je n'aimais guère ces interminables pluies d'automne qui me confinaient au creux de la cheminée, sous un parapluie ou le toit d'une cabane de feuilles, à *garder* lorsque je le voulais bien ou après avoir reçu de la Maïré une tannée qui m'arrachait des grimaces de douleur mais jamais une larme ni une plainte. « Elle est dure comme un chien ! » disait ma mère. Pierre, lui, me frappait rarement ; j'avais une manière de le regarder, avec un air de tendresse et de défi à la fois, qui le désarmait. Avec mes deux frères cadets j'entretenais des rapports distants ; ils me redoutaient à cause des vengeances raffinées que j'exerçais sur eux à l'occasion (une couleuvre dans leur lit ou de la cendre dans leur soupe) et je les méprisais pour leur servilité (ils étaient toujours dans le sillage de la Maïré, à supputer ses intentions et ses désirs).

Il plut cette année-là tout de suite après les vendanges.

Aujourd'hui, il me suffit de fermer les yeux pour retrouver le goût fade des premières journées de classe, succédant à celui, sucré, tiède, exaltant, des vendanges.

Il fait encore chaud ; les fenêtres de la classe sont ouvertes, ainsi que la porte sur le seuil de laquelle s'aventurent parfois des volailles prudentes. Le Puy-Faure s'estompe derrière un rideau de pluie tiédasse ; le maré-

52

cage macère sous une crème de brouillard écœurant, qui sent le crapaud mort. Au fond de la classe, je somnole derrière Alice Bernède, Anna et Camille Blavignac, prise d'accès de torpeur dont me tire la voix sévère de la maîtresse. Cette voix, je ne la reconnais plus : tantôt elle ronronne, s'enlise dans des phrases qui n'ont pour moi ni queue ni tête, se perd comme dans du sable; tantôt elle raye le silence comme du verre, se casse sur des intonations brutales lorsqu'elle souhaite imprimer fortement une idée dans les têtes pouilleuses qu'elle domine. Ce n'est plus Cécile; ce n'est plus moi. Nous sommes devenues étrangères l'une à l'autre depuis le jour où j'ai franchi en élève le seuil de cette école.

La différence entre les autres élèves et moi, je l'ai ressentie dès la première heure de classe, lorsque je me suis retrouvée au dernier rang, en présence de vieux livres écornés, sabrés à l'encre violette de noms qui n'étaient pas le mien, alors que la plupart des autres avaient reçu par l'intermédiaire de la maîtresse, de la librairie Bessot et Guionie, à Brive, des ouvrages neufs qu'ils manipulaient religieusement. Le seul qui n'eût pas servi était un manuel d'arithmétique d'Arsène Pintaut, achat obligatoire du fait que cette sommité de la littérature scolaire était notre inspecteur primaire. Ce livre, j'en raffolais; je l'ouvrais sans raison, à tout bout de champ, non pour le lire mais pour respirer son odeur complexe d'encre, de colle et de papier neuf.

Je m'ennuie. Je regarde les poules, le cochon qui se vautre dans la boue de la cour de récréation à la recherche d'un croûton, les canards qui s'ébrouent sous la pluie. Je rêve que je suis poule, cochon, canard et que je dévore avec délices les problèmes odorants d'Arsène Pintaut. Qu'est-ce que je fais ici? Tout ce que j'ai appris depuis que Mlle Brunie est arrivée, c'est à délier ma langue, à nouer dans ma glotte des nœuds de phrases avec des ficelles de mots qui n'ont aucun sens. Je peux dire : « J'ai faim. Puis-je avoir une tranche de pain? » ou « Peut-être aurons-nous demain un temps agréable. » Je peux réciter par cœur le poème d'Albert Samain qui parle d'une petite grenouille et d'une fillette qui s'appelle Chloé, ou encore le *Vase brisé*, de Sully Prudhomme. Et après? Cette musiquette de mots m'a amusée; elle m'ennuie à présent.

Le premier jour, aidée par une grande, Alice Bernède, j'ai appris les voyelles : « A E I O U Y » et le jeu m'a captivée un moment. Le lendemain, ce fut le tour des consonnes et là, très rapidement, le jeu a tourné au chahut, lorsque Mademoiselle s'est mis en tête de faire répéter à ceux de ma division : « peu deu feu gueu... beu deu veu jeu... ceu que reu neu... » J'ai répété à voix basse d'abord, puis plus haut, en bourrant le dos d'Alice de coups de poing. « Peu deu feu gueu... » J'imagine le train de Vayrac démarrant dans la gare du Bosplot en patinant sur ses rails. Je suis la locomotive. Je m'époumone, souffle ma vapeur, ma fumée, et gronde : « Peu deu feu gueu... » La classe explose d'un rire qui n'en finit plus. Fière de mon succès, je me lève, me mets à tourner dans les rangs en raclant le dallage de mes socques ferrés, manœuvrant mes bras comme des pistons. « Peu deu feu gueu... » Le délire m'emporte, me soulève Des garçons et des filles se lèvent à leur tour, s'accrochent à moi par le fond de mon tablier et la chaîne se forme, et je siffle, et je crie : « Le Bosplot... Le Pescher... Le Planchat... Lanteuil... Brive... Tout le monde descend! » Je me sens ivre, comme folle. J'entre tout entière dans le domaine du jeu véritable : celui qui n'a d'autres limites que celles du plaisir. Je me donne une fête totale, un *happening*, comme on dit aujourd'hui.

Fière, indifférente, je passe devant ce sémaphore animé de gestes convulsifs : Mlle Brunie. Elle crie : « Allez-vous cesser? Revenez à vos places immédiatement! Toute la classe sera en retenue ce soir! » De guerre lasse, elle oriente le train vers la cour et, claquant dans ses mains, annonce l'heure de la récréation. Dans la cour, le jeu se poursuit mais s'essouffle vite; la locomotive rejoint son garage sous le préau. Je regarde le convoi se défaire dans la boue et les flaques d'eau, au milieu des canards indignés. Cessant d'être interdit, le jeu m'indiffère. Je bâille.

Mlle Brunie me prend par la main, me ramène dans la classe ferme les deux battants superposés.

54

– Pourquoi as-tu fait cela? Réponds!

Elle se tient debout devant moi, raide, sévère. Laide. Je me tais. Elle me prend par les épaules, me secoue.

– Qu'est-ce que je t'ai fait? Tu as voulu me ridiculiser, hein? Tu es un monstre. Réponds!

Je me tais. Elle me secoue de plus belle, me gifle. Je la frappe à la jambe avec mon socque. Elle me lâche en gémissant. Digne, l'œil sec, j'ouvre la porte et je m'en vais.

Je ne reparus pas de deux jours à l'école. Mlle Brunie semblait avoir pris son parti de cette fugue, persuadée sans doute que je ne tarderais pas à reparaître. Le jeudi soir, elle monta jusqu'aux Bories-Hautes. De loin, j'aperçus son petit parapluie dansant au-dessus des vignes qui commençaient à roussir et me réfugiai dans le *cantou*, en face du pépé.

C'est la Maïré qui l'accueillit, assise sur le banc, en train d'éplucher des patates.

– Je viens prendre des nouvelles de Malvina.

La Maïré me montra de la pointe de son couteau et dit simplement :

– Elle va bien. Qu'est-ce que vous lui voulez?

– Je veux qu'elle revienne. Vous l'avez fait inscrire. Elle doit fréquenter l'école. C'est la loi.

– La loi... soupira ironiquement la Maïré. Aucune loi n'oblige une pauvre innocente à s'instruire. Foutez-lui la paix! Ça vous suffit pas l'*escandale* de l'autre jour? Si vous savez pas tenir votre classe, pauvre, faites un autre métier.

– Où est Pierre?

– Il est en train de curer l'étable, mais je vous préviens, il est de mon avis.

Mlle Brunie se retira. Je la suivis à distance.

Mal rasé, le mégot aux lèvres, du fumier jusqu'aux yeux, Pierre daigna à peine lever la tête.

– Vous aussi, dit la demoiselle, vous croyez que Malvina n'apprendra jamais rien? Vous vous découragez vite. J'avais pensé, pourtant...

Pierre posa sa fourche contre le mur et cracha son mégot.

– C'est vrai, je croyais, mais j'ai changé d'avis. Je vous en veux pas d'avoir giflé la petite. Une correction de plus ou de moins, elle a l'habitude. Mais elle était tranquille avant que vous arriviez, et maintenant elle est comme folle. Vous lui avez tourné la tête. Elle raconte n'importe quoi, se met à rire sans raison et à « parler monsieur ». Si vous voulez faire une « expérience pédagogique », comme dit Mlle Berthier, il faudra choisir quelqu'un d'autre. Malvina remettra plus les pieds chez vous.

– Et Paul? Et André?

– Oh! ceux-là, vous pouvez bien les garder. Pourvu qu'ils sachent un peu d'orthographe et d'arithmétique, ça suffira. Pour travailler la vigne et curer l'étable, pas besoin d'être savant.

Très pâle sous son petit parapluie, Mlle Brunie s'approcha de moi, caressa mes cheveux et dit simplement :

– Je t'aimais bien, Malvina, Mais puisque tu l'as voulu, adieu.

Le château écrase le village. De loin on ne voit que lui ses deux donjons, l'un carré, l'autre circulaire, ses courtines ébréchées et envahies par le lierre, la silhouette massive des bâtiments intérieurs, pour la plupart à l'abandon. On dirait un laissé-pour-compte de l'histoire planté là un peu par hasard ou par le caprice d'un hobereau nostalgique. A ses pieds, le village, malgré quelques jolies maisons à tourelles qui font les coquettes avec les pieds dans la bouse, leurs adorables portes à millésime, leurs tortils baronniaux, se tasse et fait grise mine, mais alentour, le pays respire largement avec ses vallées d'églogue, ses collines qui jouent aux montagnes, ses forêts sans légende et ses chemins sans histoire.

Autour du donjon carré étêté par Richelieu et qui ne s'en est jamais remis, le passé redevient lui-même et assume sa ruine avec un air de fatalité plein de noblesse et de poésie.

Cette partie ruinée du château appartenait alors à tout le monde et à personne. Il était interdit en principe d'en prélever les pierres et ce qui restait d'ornements, mais on y entrait comme dans un moulin. Des paysans du bourg y rangeaient leurs charrettes et le maire le corbillard municipal; on s'y débarrassait des fûtailles pourries, des antiques araires, des lits vermoulus. Les amoureux s'y donnaient rendez-vous et les enfants y apprenaient à leur manière les batailles de l'histoire.

Mme Hortense de Bonneuil habitait la partie occidentale que dominait le donjon circulaire : un domaine de pelouses nettes, de buis disciplinés, de rosiers fous et de lauriers sages, de grands ramages de glycines et de pigeons (elle disait « mes colombes » car elle avait l'âme romantique et lisait Anna de Noailles).

C'était une longue femme noire, sans un cheveu blanc, née semblait-il avec une vocation de veuve ou de moniale. Elle parlait avec lenteur et précision en étirant ses lèvres sèches jusqu'au milieu des joues. Chaque jour, elle enfilait ses gants de peau pour aller chercher son lait à la ferme. Dans ses rapports avec la population de Saint-Roch elle bénéficiait d'une condescendance sans chaleur, d'un respect figé comme si cette famille, propriétaire du château depuis moins d'un siècle, avait hérité d'un millénaire d'histoire en achetant cette carcasse de pierre. Elle vivait seule avec de vieux domestiques. Sa fille demeurait à Brive où elle était pionne dans une institution religieuse et venait assez souvent passer une journée ou deux au château; elle se prénommait Isabelle, montait à cheval, chassait et fumait comme un homme.

Mon refuge à moi, qui faisait pendant à celui du tilleul, se situait dans le donjon circulaire. Il fallait pour y accéder passer par une entrée majestueuse flanquée d'un écriteau : « Interdit d'entrer : danger », monter un escalier à vis rappelant ces gros coquillages évidés qu'on trouve sur les plages, déboucher par une spirale à des étages marqués par des lambeaux de poutres effondrées. En principe il était impossible de monter plus haut que le deuxième étage. Mon domaine à moi se situait au quatrième. Il fallait escalader des gravats, des blocs, s'insinuer dans des pertuis pour couleuvres, se glisser dans des couloirs ouverts en partie sur des vides vertigineux.

J'avais acquis la certitude que personne ne montait jamais jusque-là. Qu'y aurait-on fait, d'ailleurs? C'est cette virginité, ce caractère quasi inviolable de mon refuge qui me plaisaient. Mon tilleul, je l'aimais bien à cause du vert, du mouvement des oiseaux, des abeilles et des feuilles mais j'y étais trop proche des autres et la moindre pluie m'en éloignait. Je lui préférais ma cellule de la tour, cette caverne creusée dans la chair du château, sans autre ouverture que l'entrée, sans autre mobilier qu'un moellon armorié qui me servait de siège et une petite caisse à liqueur « La Bénédictine » dans laquelle j'entassais des trésors d'écureuil et, en dernier lieu, une vieille ardoise d'écolier sur laquelle je crayonnais inlassablement et le papier qui avait enveloppé le bonbon que Mlle Brunie m'avait donné lors de notre première rencontre. J'avais tapissé le sol pulvérulent d'une couche de fougère où, les nuits d'été, je venais m'étendre en la recouvrant, suprême luxe, avec la couverture qui avait servi de siège à Bécharel pour le break municipal. Le silence minéral, la pureté magique de l'air qui circulait à travers ce squelette, la fraîcheur de puits qu'exhalait le ventre crevé du donjon, me faisaient oublier, dès que j'avais franchi le seuil de ma cellule, les spectacles souvent monotones et décevants du village.

C'est là que je me réfugiai après la dernière visite de Mlle Brunie et cet « adieu » qui était resté en moi comme une blessure. Pourtant j'étais libérée de cette partie de moi-même qui avait consenti avec légèreté à des complaisances. J'entrepris un long discours, tantôt à voix haute, tantôt dans le secret de mes pensées, pour me fustiger et m'inciter à retourner à ma solitude.

Pierre l'avait bien compris : avant l'arrivée de Mlle Brunie j'étais heureuse, insouciante, libre, irresponsable. Moins de trois semaines plus tard je me retrouvais entortillée dans un nœud de problèmes, engagée dans le monde des adultes qu'auparavant je refusais et qui me rejetait, dans lequel en tout cas je n'avais aucune place.

Je restai là trois jours, grignotant des croûtons, des pommes, des noix, buvant le lait ou le cidre que j'allais voler à la nuit tombée.

Le lendemain de mon installation j'entendis crier mon

nom et je reconnus la voix de Mlle Brunie. Montée sur la terrasse de la tour je l'aperçus même sous son petit parapluie (il pleuvotait interminablement), entourée de Bécharel et de quelques enfants qui l'aidaient dans ses recherches et paraissaient s'amuser follement. Je criai : « Peu deu feu gueu beu deu veu jeu! » mais ceux qui me cherchaient étaient trop loin pour m'entendre.

Je me saoulais de rancune mais elle avait un goût amer. Le lendemain, comme je m'ennuyais, je dormis longtemps. Pour me dégourdir les jambes j'allai, profitant d'une éclaircie, danser sur la tour, pieds nus dans les flaques, face au pays brumeux et gorgé d'eaux mortes, écouter avec ravissement, montant de Sainte-Thérèse, le chœur des grandes élèves de Mlle Berthier qui chantaient un cantique : « *Mon âme, prends courage – Le Ciel en est le prix...* », et je mimais leurs attitudes lors des messes du dimanche, je pianotais sur un harmonium imaginaire, je sentais un bonheur triste m'envahir.

La nuit qui suivit, je rêvai de Cécile plus intensément que d'ordinaire. Elle m'emportait sur sa bicyclette et nous nous enfoncions dans la nuit, à l'aveuglette, à travers les nuages de pluie.

Prise d'une envie de pédaler, féroce et irrépressible, je me levai, descendis de mon perchoir à hibou et courus à travers le village endormi en réveillant les chiens jusqu'à l'école communale. Je pris dans la grange la bicyclette de Mlle Brunie et partis en danseuse en direction de la Chapelle-aux-Saints. La nuit était froide avec des nappes de brouillard ici et là. Les noix fraîches craquaient sous mes pneus. Péniblement, j'escaladai un petit raidillon de mauvais chemin et, retournant mon engin, je me laissai glisser, les yeux fermés, droit devant moi comme dans mon rêve, traversai la route en trombe et me retrouvai tout étourdie dans un pré marécageux après un bond par-dessus une haie d'épines noires. Je n'avais pas de mal, sauf quelques écorchures mais je dus laisser sur place la bicyclette qui avait une roue voilée.

Il m'avait fallu ces trois jours pour m'apercevoir combien Cécile me manquait.

Elle venait se mêler à mes songeries, à mes jeux, à mes

sommes. Je la recréais sur ma vieille ardoise, effaçais rageusement son image, recommençais. Je souhaitais la revoir mais aussi lui faire payer cher la gifle qu'elle m'avait administrée.

Le dimanche qui suivit je le passai à regarder et écouter vivre le village en me disant avec une pointe de vanité qu'on devait parler de moi, que Bécharel avait passé une annonce avec son tambour et que le curé avait évoqué en chaire ma disparition. Je me laissai bercer par la musique de l'harmonium et les cantiques, vibrai au son de la vieille cloche, tâchai de deviner dans le peuple de fourmis qui se pressait à la sortie de l'église, Pierre, Flavie et la Maïré.

Estimant que ma vengeance avait assez duré, je redescendis parmi les hommes.

Lundi matin. Le village est long à s'éveiller de sa torpeur dominicale.

Je songe à ma sœur Flavie, couturière de treize ans; elle doit être déjà en route pour aller rejoindre sa patronne, Jeanne Sauvezie, qui demeure dans la maison du bourg voisine de la boulangerie. Installée derrière un baquet plein d'eau, sous une gouttière, j'attends son passage, simplement pour la voir de loin car je l'aime bien avec son allure d'écureuil, ses petits yeux gris que la souffrance ou la fatigue ne parvient pas à rendre durs, ses gestes précis de petite ménagère; je ne la vois que rarement mais je l'observe en toute occasion comme on regarde un bel animal en cage.

La boulangère, Noémie Farges, est occupée à ranger ses tourtes dans les rateliers; elle a passé une partie de la nuit à préparer la pâte et à cuire le pain; une partie du jour elle restera derrière son comptoir pour le vendre. C'est une femme jeune et belle encore malgré l'usure du travail qui lui voûte les épaules et lui met des cernes aux yeux. L'odeur du pain me bouleverse; si j'allais lui demander un *michou* elle ne me le refuserait pas, comme d'habitude, mais ça ferait toute une histoire.

Saisie par le froid et l'humidité, je m'accroupis pour faire pipi et c'est à ce moment précis que je vois passer Flavie, son cabas au bras, légère et fragile comme une quenouillée de lin, à demi perdue sous son gros parapluie noir privé de la moitié de ses baleines. Elle passe, fiérote, lestée d'une grosse soupe et d'un *chabrol*, frappe à la porte de sa patronne. Je peux la voir encore dans la lumière de la lampe à pétrole, distinguer le bruit des voix, imaginer la conversation : « Alors, petite, tu es d'attaque ce matin? » « Oui, madame. » « Tu sais que nous allons au moulin de Bernes, aujourd'hui, et que la Julie Ponchet est une fichue garce. Elle nous aura à l'œil toute la journée. Il ne te manque rien? » « Non, madame. » « Alors, en route, mauvaise troupe! » La lumière s'éteint, la porte s'ouvre et se referme sur deux ombres emmitouflées.

Ça sent le lait chaud, la *bacade*, le pain frais et mon estomac se contracte. Derrière l' « Épicerie-mercerie-tabac » d'Eugénie Saulière où je vois bouger des ombres, monte le grognement des porcs. Personne dans la rue. Une vieille chienne passe en traînant ses mamelles. Un éclat de forge lèche la chaussée tandis que résonnent les premiers coups de marteau de Lavergne, le forgeron.

En longeant les murs, je remonte jusqu'à l'église où les enfants sont déjà rassemblés pour le catéchisme : ceux de Sainte-Thérèse et ceux de la « communale » mêlant leurs voix face à Mlle Berthier qui se tient assise avec sa chaufferette sous les pieds, son fichu noir aux pans rejetés dans le dos, enveloppant sa tête de madone.

Sainte-Thérèse est à deux pas. C'est une vieille demeure grise à allure de château aujourd'hui à l'abandon, dans l'attente d'un amateur de résidence secondaire. Elle a poussé tout droit en marge du bourg, au milieu des jardins striés de cordes à linge, encore dans leur opulence estivale, avec quelques touches de rosiers et des flambées d'asters. Je traverse la cour boueuse au milieu de laquelle trône un puits désaffecté dans lequel les filles laissent tomber pendant les récréations des pierres et des éclats de voix.

La porte de la salle de classe est entrebâillée. J'entre. Les pensionnaires (elles sont une dizaine) ont laissé des odeurs de soupe maigre. La cuisinière s'affaire encore à la cuisine et au réfectoire où tremblote un lumignon. Il fait un froid de pierre; on n'a pas encore, par mesure d'économie, allumé le poêle.

« Ma » place est tout au fond de la première division : celle des « petites ». J'écris « ma » place parce que personne ne me l'a jamais contestée. Mlle Berthier m'aime bien ou, du moins, me voue une indifférence courtoise dans la mesure où je me borne à regarder, écouter, dormir (je dors beaucoup et n'importe où). Elle ne m'a éconduite qu'une fois : le jour où j'ai lâché un lézard vert dans la classe. Je peux revenir quand je veux sans avoir à demander la permission. Les filles me laissent tranquille; elles m'ignorent, me méprisent ou me redoutent.

J'attends en grelottant, sale, morveuse, puante mais jubilant à l'idée de la surprise que je vais occasionner. Je somnole un moment. Et soudain, un cri :

– Mademoiselle, elle est là!

– Qui donc?

– Malvina Delpeuch.

Mlle Emma s'approche, me secoue l'épaule.

– Mon Dieu! D'où sors-tu? Tu sais qu'on te cherche partout? La gendarmerie est prévenue. On a fouillé tout le pays. Angèle! courez prévenir le maire Vous, Louise, allez aux Bories-Hautes avertir les parents.

J'ouvre un œil atone d'enfant martyr, me laisse extraire du banc par les mains précautionneuses de Mlle Berthier.

– Berthe, dit-elle, je m'absente un moment. Veuillez surveiller la classe, je vous prie. Et que je n'entende pas un bruit!

Elle m'entraîne jusqu'à sa chambre, une grande pièce vide, glaciale, sombre, meublée d'un lit à rideaux aux dimensions d'un catafalque, d'une table-bureau surchargée de livres et de cahiers, de deux chaises sur lesquelles trônent des vêtements de nuit. Elle débarrasse l'une d'elles, m'y installe, jette les vêtements derrière le rideau dissimulant le mobilier de toilette.

– Malvina, ma petite fille, il faut tout me dire. C'est grave. Fais un effort pour me faire plaisir. Veux-tu un bonbon?

Je mâchonne sans plaisir une gomme farineuse qui colle aux dents.

– Parle, maintenant. Pourquoi t'es-tu cachée ces trois jours?

62

– Elle m'a battue.

– Qui, elle? Mademoiselle Brunie? Pour cette stupide histoire de chahut?

– Oui. Peu deu feu gueu...

Après s'être accroupie près de moi elle se redresse, hoche la tête.

– Je comprends. Et elle t'a giflée? Mon Dieu, quelle histoire! Quelle idée, aussi, de vouloir faire de toi une élève normale! Je ne comprends pas cette lubie, ni pourquoi elle t'a frappée. Vous étiez pourtant devenues des amies? Tu l'aimais bien?

Je secoue énergiquement la tête :

– Non! non! non!

Elle se penche de nouveau sur moi, plaque sa main sur mon front.

– Ne t'agite pas. Tout cela n'est pas clair. Voyons, Malvina, tu as l'habitude des coups. Ta mère ne se prive guère de te frapper et tu t'es fait souvent rosser par tes camarades. Alors, pourquoi lui en veux-tu de ce soufflet?

Je la regarde froidement, sans répondre. Cette longue face pâle, ces yeux immenses, d'un bleu de scabieuse, ces lèvres décolorées par le froid et les privations, ces cheveux qui commencent prématurément à grisonner, ces mains cireuses qui semblent coupées au poignet et vivre leur vie propre...

Elle soupire en se relevant :

– Je commence à comprendre. Tu es jalouse. Tu tolères mal que Mlle Brunie s'occupe des autres élèves plus que de toi. Tu as voulu te venger d'elle? Eh bien, tu as réussi. Par ta faute elle va quitter Saint-Roch entre deux gendarmes. On va peut-être la jeter en prison et tu ne la reverras plus. C'est ça que tu voulais? Alors c'est que tu es plus mauvaise encore que je ne pensais.

Les gendarmes à cheval, coiffés de leur tricorne luisant de pluie, arrivèrent dans la matinée. On me conduisit derrière eux par les rues du village animées comme un dimanche, jusqu'à l'école communale. Mlle Brunie nous attendait en compagnie du maire, tous deux silencieux, très pâles, appuyés aux pupitres. Dès que je l'aperçus je courus vers elle, la serrai dans mes bras en pleurant. Elle murmura en m'embrassant les cheveux :

– Ma petite... Mon enfant... Si tu savais comme j'ai eu peur! Pourquoi as-tu fait ça?

– Oui, insista un gendarme, pourquoi es-tu partie?

– La demoiselle t'a brutalisée? ajouta l'autre. Elle t'a battue?

Je secouai furieusement la tête et leur jetai un mauvais regard. De quoi se mêlaient-ils, ces deux-là?

– Nous ne comprenons plus, dit le premier gendarme. Pourquoi a-t-elle disparu?

Le maire expliqua que j'étais une enfant « un peu sauvage » et que j'étais coutumière du fait.

– Sa famille ne « porte pas peine », d'habitude. Mais Malvina n'était jamais restée aussi longtemps absente.

Il se pencha vers moi, ses grosses moustaches qui sentaient le tabac frôlant mes joues.

– Malvina, où t'étais-tu cachée? Nous avons cru que tu t'étais noyée dans la Gane, près de l'endroit où on a retrouvé la bicyclette de Mlle Brunie.

Dévoiler le secret de ma cachette? Jamais! Je me raidis, fis un geste vague au-dessus de ma tête. J'étais « là-haut, quelque part ». Il faudrait bien qu'ils se contentent de cette réponse. Mon secret, peut-être l'avouerais-je à Cécile, plus tard, mais à personne d'autre qu'à elle. Ces alvéoles bien cloisonnées, étanches, me protégeaient du monde des adultes; ils étaient ma part inviolable de mystère et de merveilleux.

Les gendarmes parurent perplexes. Leurs regards allaient de Mlle Brunie à moi, se reportaient, interrogatifs, sur le maire qui écartait désespérément les bras, déclarant que c'était un incident sans importance, qu'un rapport de quatre lignes suffirait.

Il ajouta :

– Ne restez pas là, brigadier!

– Nous y resterons le temps qu'il faudra! répliqua le gendarme.

– Alors tant pis pour votre bicorne. Vous êtes sous une gouttière.

Il pleuvait ici et là dans l'appartement de Cécile et dans

la classe. A la moindre averse on entendait au milieu du silence studieux un gémissement ou un juron en patois : « *Milhard de Dieus! Enquèra!* » « Eugène Simbille, qu'est-ce que c'est que ces manières! » « C'est pas des manières, mademoiselle, c'est des gouttes. Regardez! » Il levait à deux mains son cahier maculé d'une grosse étoile qui semblait avoir traversé des tissus de poussière et de toiles d'araignées. Les filles ouvraient en riant leurs parapluies; les garçons se penchaient le plus près possible de leur cahier ou de leur livre. Les gouttes avaient des points de chute imprévisibles, on se croyait à l'abri et brusquement : « glop! » « Ah! *puta de puta*, gémissait Jeantounet Bernède, faut que je recommence ma rédaction! »

– Cette toiture, soupira le maire, il faudra bien que nous nous décidions à la faire « resuivre ». C'est du « vieux tuile » bouffé par la mousse ou déplacé par l'ouragan de mil neuf cent douze. Mais si j'entreprends ce chantier je vais me mettre à dos le curé et presque tout le conseil. C'est pire, à Sainte-Thérèse.

Les gendarmes et le maire repartis, nous nous assîmes, Cécile et moi, à un pupitre.

– Avant que la récréation soit terminée, dit-elle, il faut que je te parle. Et ne fais pas celle qui ne comprend pas. Tu es moins sotte que tu veux le paraître. Alors voilà : si tu décides de revenir t'asseoir à ta place, nous ne parlerons plus de ce qui s'est passé et nous redeviendrons amies comme avant, sinon, tu peux rester chez toi, courir les bois ou fréquenter l'école de mademoiselle Berthier, mais tu n'auras plus rien à faire ici et si tu te présentes je te chasserai comme une *baraquaine*. Tu as bien compris?

Je hochai la tête d'un air excédé. Bien sûr que j'avais compris! Je réclamai un bonbon à l'orange. Cécile fouilla dans sa poche, en découvrit un sous son mouchoir, entre les bons points et les morceaux de craies; il était à l'anis et je fis la grimace.

– Tu me promets d'être sérieuse, de t'intéresser à ton travail?

Je hochai énergiquement la tête.

– Récite-moi tes voyelles et tes consonnes, si possible en gardant ton sérieux.

Je m'exécutai. Satisfaite elle me frotta la tête, retira sa main avec répulsion : mes cheveux étaient gras de saleté et coupés de travers par les ciseaux malhabiles de Flavie.

Pierre arriva peu après, engoncé dans un vieux pardessus gorgé d'eau, mal rasé, son chapeau gouttant devant lui. Il ne dit rien, leva la main sur moi. Cécile s'interposa :

– Non, Pierre, je vous en prie. Malvina est à plaindre plus qu'à blâmer. Je reconnais avoir été injuste avec elle. Elle s'est vengée à sa manière mais le regrette. Maintenant, elle va reprendre la classe bien sagement. Elle me l'a promis

Pierre ôta son chapeau, le fit claquer contre sa cuisse.

– Reprendre la classe! Vous n'avez donc pas compris que cette pauvre folle n'apprendra jamais à écrire son nom! C'est tout juste si elle sait compter les vaches qu'elle garde, quand elle le veut bien.

Il ricana :

– Vous voulez toujours l'amener jusqu'au certificat?

– C'est mon intention. J'ignore si elle l'obtiendra mais je vous garantis qu'elle ira à Meyssac au mois de juillet prochain.

Le rire grinçant de Pierre me fit mal. Il devait se demander qui était la plus folle de la maîtresse ou de l'élève. Rageusement, il se recoiffa, fit tourner son chapeau sur sa tête pour l'enfoncer.

– Toi, Malvina, tu perds rien pour attendre. Maintenant, dis adieu à la demoiselle.

Il ajouta, embarrassé :

– Pour les livres et les fournitures, si vous pouviez les reprendre, ça m'arrangerait. Nous n'avons pas d'argent pour les payer. Une de nos vaches a crevé. Ceux de Paul et d'André, je vous les réglerai plus tard, avant Noël, si d'ici là je suis pas parti.

Il faisait allusion à la guerre qui menaçait, au service de trois ans dont reparlait l'État-Major à la suite des combats au Maroc. C'était son obsession.

– Ne vous tracassez pas, mais laissez-moi faire encore un essai. Cette petite, vous ne l'avez pas comprise et vous n'avez fait aucun effort pour l'aider. Elle est différente de vous et de tous les gens de ce village. Moi-même elle me déroute et me dérange. Sous ce fatras d'incohérence je devine une belle intelligence et une sensibilité toutes neuves. La difficulté avec elle c'est qu'on ne peut pas la contraindre sans la brimer ni lui laisser la bride sur le cou sans qu'elle s'égare. Il faut la surveiller sans en avoir l'air mais avant tout s'intéresser à elle, entrer dans son jeu pour le maîtriser et l'orienter. Il faut surtout l'aimer. Je vous demande la permission d'aider Malvina et de l'aimer. Si je me trompe, le mal ne sera pas grand : elle retournera garder vos vaches et nous n'en parlerons plus.

Pierre n'avait pas suivi le raisonnement dans tous ses méandres mais le discours l'impressionna. Il accepta une ultime tentative.

– La Maïré va nous en vouloir mais je le prends sur moi. Après tout, vous avez peut-être raison.

– Malvina a besoin de vêtements propres et décents. Ses frères pourraient peut-être me les rapporter tout à l'heure. Je vais faire sa toilette après ma classe. Elle n'est pas à toucher avec des pincettes.

Tournée vers moi, elle ajouta :

– Allez, monte! Je te rejoins dans un moment.

L'eau, dans le cuveau, était tout juste tiède et je grelottais sous le savon et la brosse qui m'écorchaient la peau. Je gémissais : « Assez! assez! » mais Cécile protestait : « Ce que tu es douillette! Je fais moins de façons, moi. Si tu crois que je fais chauffer l'eau pour me laver... Regarde! On dirait que tu t'es roulée dans la bouse. Ton chien est moins sale que toi. » L'eau était grise et grasse de suint, avec des brindilles et des puces qui nageaient à la surface. Cécile lava mes vêtements, chercha ma culotte (je n'en portais jamais), ranima le feu dans sa cheminée et mit ma lessive à sécher après m'avoir couchée dans son lit. Je revivais; je sentais m'envahir une délicieuse torpeur malgré les bourrasques de pluie qui agitaient mon tilleul et lui arrachaient ses dernières feuilles. Des odeurs de soupe chaude et de boudin grillé montaient de la classe où les élèves qui ne retournaient pas chez eux le midi faisaient cuire leur fricot de pauvres sur le poêle Godin. Cécile me servit un vin chaud dans lequel elle fit tremper du pain, puis une pomme et des noix. Je dévorai le tout, rotai d'aise et demandai une ardoise pour griffonner des dessins.

– Pas de dessins pour aujourd'hui, dit impérieusement Cécile. Tu es dispensée de classe mais pas d'étude. Voilà ton cahier de lecture. Tu vas reproduire les voyelles du mieux que tu pourras. Si je suis satisfaite tu auras un bon point et un bonbon à l'orange. Mais ne cherche pas à me voler : les bonbons sont dans l'armoire et la clé est dans ma poche.

Elle m'embrassa sur le front et descendit faire sa classe. Lorsqu'elle remonta, une heure plus tard avec les vêtements rapportés par mes frères, je dormais, mon ardoise sur mes genoux.

– Ce n'est pas trop mal, dit-elle, mais tu dois faire mieux et tu le peux. Repose-toi encore. Je vais remonter dans un moment.

Je m'appliquai sans conviction. Ces signes abstraits qui sortaient du crayon d'ardoise serré comme une baïonnette dans son étui métallique, n'évoquaient rien pour moi et ma main peinait pour s'imposer une discipline. Le trait amorçait des zigzags et des circonvolutions, se perdait dans des figurations de fleurs, de nuages, de personnages. Rageusement, j'effaçais mon exercice avec la petite éponge humide que Cécile m'avait laissée et je recommençais, tendue, nerveuse, au bord des larmes.

– Tu as tort de vouloir aller trop vite, dit Cécile. Regarde comment je fais, moi. Un œil sur le modèle... Un œil sur l'ardoise...

Je louchais désespérément. Mon crayon accouchait de monstres qui ne suivaient que leur caprice. La pointe dérivait dans le fantastique, transcendait la réalité, inventait de merveilleuses références. Le « i » devenait l'if du cimetière et se terminait dans un brouillon de nuages, le

« m » qui avait trois pattes comme pour mieux marcher se chaussait de sabots et pataugeait dans une flaque de boue ; le « f » devenait faux ou faucille pour faucher un carré de pré planté de marguerites...

– Tu dois oublier ce que ces lettres te rappellent, répétait inlassablement Cécile. Contente-toi de les reproduire telles qu'elles sont. Tu ne vas tout de même pas recommencer à dessiner des bâtons!

Je m'amusais à dessiner des bâtons. Éblouie, Cécile m'entendit compter jusqu'à sept : la « Brunette »... la « Banou »... la « Rousselle »... la « Marguerite »... Une, deux, trois, quatre, cinq, six, sept... Elle m'embrassa, me fit répéter, compter les bâtons jusqu'à dix. Au-delà j'affrontais des domaines redoutables dans lesquels je me sentais étrangère, exclue. Un domaine pour les riches, où les chiffres prenaient des dimensions impressionnantes. Les nombres simples étaient mon domaine à moi : celui de l'enfance où tout se ramène à des notions élémentaires et à des dimensions quotidiennes. Avec les nombres composés commençait le territoire des adultes, semé de chausse-trappes, débouchant sur l'illimité. Je prenais un plaisir inquiet à faire glisser entre mes dents les « douzzzes » ou les « seizzzes » sans savoir quelle importance arithmétique leur conférer. J'avais beau les répéter à l'endroit et à l'envers, les chanter, les mélanger, les baratter avec ma langue, il ne restait de cet exercice qu'une aigre musique. Lorsqu'elle était de bonne humeur, la Maïré s'amusait à m'enseigner les unités en comptant les briques de la cheminée ; par la suite, Pierre m'avait appris à faire le compte des vaches mais nous n'en avions jamais dix – c'étaient les troupeaux des riches qui dépassaient ce chiffre.

– Tu sais, me dit Cécile au terme de cette mémorable journée, je suis assez contente de toi. Les garçons de la première division ne font pas mieux et, de plus, ils ne s'amusent pas.

Elle me prenait la tête à deux mains, me regardait dans les yeux :

– Je t'aime, Malvina, et je veux que tu apprennes. Est-ce que tu le veux aussi. Répète : « Je le veux. »

Profitant de ces tendres dispositions, je lui demandai un bonbon à l'orange, puis je répondis très poliment en salivant de plaisir :

– Oui, mademoiselle, je le veux.

Le dimanche suivant, Cécile se rendit pour la dernière fois à la messe à la Chapelle-aux-Saints. Elle en revint crottée, trempée, transie et jurant que le temps des randonnées à bicyclette sous les pluies d'octobre qui risquaient de la clouer au lit avec une pneumonie était révolu. Ses collègues de La Chapelle et de Végennes l'avaient traitée de folle. Je l'aidai à essuyer son *Hirondelle* avec un chiffon et allai la ranger dans la grange, suspendue à un piton de bois. Cécile prit un bain de pieds brûlant à la farine de moutarde, chauffa le lit avec des briques et se coucha en grelottant.

Lorsque je revins vers midi je la trouvai en train de lire, les paupières rouges, les pommettes avivées, le drap remonté jusqu'au menton.

– Tu étais à la messe, ce matin?

J'y étais comme chaque dimanche. C'était pour moi un spectacle dont le sens m'échappait totalement mais qui me réjouissait et que je ne manquais jamais.

– Le curé s'en est encore pris à moi sans doute?

– *Voï!* [1]

En fait, je n'en étais pas certaine car il parlait souvent par métaphores. Il me semblait bien pourtant que c'était d'elle qu'il s'agissait lorsqu'il parlait des « suppôts en jupons de l'école sans Dieu » qui « fabriquait des Garnier et des Bonnot », les bandits célèbres à cette époque de la « bande à Bonnot ». Ce matin-là il avait été plus direct, parlant de ces enseignantes « notoirement incompétentes, incapables de tenir leurs élèves dans le droit chemin », des « sévices qui aboutissaient à la rébellion et peut-être au crime. »

Je répétais phonétiquement au fur et à mesure que ma mémoire me restituait la diatribe. Cécile paraissait suivre

---

1. Oui.

70

le sermon comme si elle y assistait, me priait de poursuivre lorsque ma mémoire était en défaut. Elle hochait la tête, serrait les poings sur le drap, murmurait :

– Non et non! Je ne me laisserai pas calomnier et insulter par ce Basile de village!

Je me demandai pourquoi elle appelait Basile l'abbé Brissaud.

– Passe-moi mon tabac et mes allumettes, je te prie.

Elle dut s'y prendre à deux fois pour rouler sa cigarette, dispersant autour de la boîte à pastilles qui contenait son tabac des brindilles qu'elle balayait d'une main nerveuse. C'était la même chose à La Chapelle, les mêmes allusions à l'«école impie», chaque dimanche, sans nulle réaction dans les rangs de ces moutons et de ces brebis dont la plupart envoyaient leurs enfants dans cette école honnie des autorités ecclésiastiques et vomie par Dieu – mais moins coûteuse que l'école congréganiste. L'institutrice de La Chapelle elle-même écoutait sans broncher; c'était une timide stagiaire chlorotique, poitrinaire, avec laquelle Cécile ne se sentait aucune affinité.

Tant bien que mal, je rapportai ce que l'abbé Brissaud avait dit à la fin de son sermon, tonnant comme Moïse descendant de la montagne sainte dans un flamboiement de rayons. Il avait parlé des «écuries» d'un certain «Augiasse» ou «Argiasse», je ne savais plus, où il faudrait bien un jour faire passer le «torrent de la foi divine». Là encore, personne n'avait réagi car cet «Augiasse» n'était pas connu dans le pays et d'ailleurs on se demandait ce que cette affaire d'écurie avait à faire là.

– Cet après-midi, dit Cécile, il faudra me laisser seule. J'attends une visite. As-tu mangé?

Je secouai la tête. Avec simplement du pain, des noix, un morceau de fromage et un verre de vin nous fîmes la dînette. Ensuite, alors que je dormais à moitié, elle me fit répéter mes voyelles et mes consonnes sur une vieille ardoise de carton qui s'effrangeait et se boursouflait.

– C'est bien, dit-elle. La semaine prochaine je t'offrirai une véritable ardoise, avec un cadre de bois et une ficelle pour attacher ton éponge. Et si tu me récites les consonnes et les voyelles sans te tromper, si tu les écris correctement au tableau, tu auras un bon point.

L'œil brillant, je savourai à l'avance cette victoire. Mes progrès étaient évidents mais je n'en avais qu'une conscience imparfaite. Cécile, en revanche, me couvrait de baisers pour des subtilités qui m'échappaient.

– Tu as bien compris, insista-t-elle. Je désire rester seule cet après-midi.

– C'est un monsieur ou une dame que tu *espères*?

– On dit : « que tu attends », mais ça ne te regarde pas. Disparais et que je ne te revoie pas avant ce soir tard ou même demain. Et surtout tiens ta langue si tu veux que nous restions amies. C'est juré?

Je jurai, réclamai des bonbons à l'orange et tins parole.

Cachée derrière un pommier je le vis surgir, pédalant dans une brouillasse de pluie molle et froide, sa casquette sur le nez, jouant du guidon pour louvoyer entre les nids de poule.

Il paraissait jeune, de l'âge de Cécile à peu près, et portait de belles moustaches noires sous la capuche de son imperméable. J'observai qu'il avait un paquet attaché à son porte-bagages. En descendant de bicyclette devant le portail de l'école il regarda autour de lui comme s'il craignait d'être surpris, rangea son engin sous le préau et pénétra rapidement dans la salle de classe.

Appuyée de l'épaule à mon tilleul, je me sentais exclue d'une fête mystérieuse, rejetée comme un témoin indésirable et encombrant, et je me mis, en suçant mon dernier bonbon à l'orange, à haïr Cécile et l'inconnu qui partageait cette fin de dimanche avec elle. Ce qui allait se passer, je n'avais aucune peine à l'imaginer. Des scènes comme celle qui se préparait j'en avais surpris souvent dans les granges perdues, les maisons des vignes, au milieu des bois, derrière des meules de foin. Ces corps à corps m'intriguaient et me fascinaient. Leur caractère répétitif, la monotonie du rite ne parvenaient pas à décourager mon attention. Confusément je devinais dans ce mystère un mouvement essentiel de la vie, un mécanisme secret mais capital qui ne s'assimilait qu'imparfaitement à l'accouplement des animaux dont j'étais souvent le témoin. Ma surprise venait de ces précautions dont s'entouraient les partenaires pour s'isoler comme s'ils étaient en train de commettre un forfait. Je somnolais encore, mon intelligence, ma sensibilité, mes sens enfouis dans des épaisseurs d'inconscience, lents à s'éveiller, à établir des liens entre les motivations des adultes et leurs actes. De vagues présomptions, une chaleur brutale au ventre, c'est tout ce que je ressentais devant ces spectacles à deux personnages. Les parodies auxquelles se livraient les galopins de mon âge m'amusaient mais je comprenais mal le luxe de précautions dont ils entouraient leurs sordides et clandestines célébrations des sens. Je m'étais toujours refusée à y participer. On n'insistait pas car j'étais laide, crasseuse, idiote, et l'on me redoutait à l'égal de cette Angèle-Mauvais-Œil dont on évitait le strabisme démoniaque lorsqu'on avait quelque affaire en projet, l'inquiétude d'une épidémie ou un enfant dans le ventre.

Grimper dans mon tilleul, qui n'était d'ailleurs plus une cachette – il avait perdu presque toutes ses feuilles – épier ce qui se passait à l'intérieur? J'y renonçai. Cécile ne m'aurait pas pardonné cette indiscrétion si elle m'avait surprise. Il me semblait plus sage et plus loyal d'attendre le départ de l'inconnu et les confidences de Cécile.

Trois ou quatre fois, je tournai autour de l'école, épiant les fenêtres, pataugeant dans l'eau glacée du marécage, tournant en rond dans la cour, résistant à la tentation de crever les pneus de la bicyclette. Des idées de vengeance me tournaient dans la tête : j'irais tout raconter au village et au curé : que Mlle Brunie se lavait où c'était interdit, qu'elle fumait, qu'elle avalait de pleins verres de vin pur, qu'elle recevait un homme... Au besoin j'inventerais. Ce que je considérais comme une trahison, Cécile me le paierait cher.

L'idée me vint de pousser jusqu'à la grange située derrière l'église, où l'on donnait un bal le dimanche après-midi, après les parties de quilles ou de palets. Je glisserais mes secrets dans quelques oreilles bien disposées à les accueillir et laisserais l'incendie gagner tout le village...

73

La rage au cœur, j'allai m'enfermer dans ma cellule du château. L'air sentait le froid et la fumée de bois. Il devait y avoir fête chez Mme Hortense de Bonneuil. Mlle Isabelle avait débarqué la veille avec quelques amies surveillantes comme elle dans l'institution religieuse Jeanne-d'Arc, à Brive, où les pensionnaires payaient quatre cent cinquante francs par année scolaire. On distinguait des éclats de lumière et des murmures de voix, des mouvements lents contre les larges fenêtres griffées par des retombées d'ampélopsis. De la grange où dansait la jeunesse, montait un rythme insistant et lourd; j'imaginais le vieil Armand Lavaur, l'aveugle, juché sur une estrade composée de quatre planches couchées sur des fûtailles vides et rythmant la danse avec sa canne : « Pan pan pan pan pan-pan pan pan pan pan... » et les couples tournaient la bourrée dans la poussière âcre qui montait du vieux parquet malgré l'eau dont on l'avait arrosé.

Il ne faisait pas tout à fait nuit lorsque je redescendis vers l'école communale.

La pluie et le vent brassaient des odeurs de pomme aigre dans le village quasi désert. Lavergne, le forgeron, fumait sa dernière pipe de la journée, abrité par l'auvent de sa forge noire et froide, sous une constellation de fers cloués en aura sur la grande porte. D'aigres petites lumières de foyers, de lampes à huile ou à pétrole bougeaient contre les fenêtres, sous lesquelles les gens lisaient la *Croix de la Corrèze* achetée le matin chez Eugénie Saulière (l'épicière qui avait refusé de vendre à Cécile des articles de première nécessité) ou, plus rarement, la *Dépêche*. Valette, le bedeau-tisserand, travaillait encore dans sa cave d'où montait, dans la clarté blanche de la lampe à carbure, le claquement sec de la navette (ringue... rangue...) et le craquement du métier vétuste dont les œuvres vives paraissaient danser dans la lumière crue. Avec cette pluie tenace le village semblait dégorger ses misères cachées.

74

L'homme venait tout juste de partir. De loin je l'aperçus, engoncé dans son imperméable de cycliste qui lui donnait l'aspect d'un gros insecte à la carapace luisante.

– Eh bien, me dit Cécile, toi au moins tu ne perds pas de temps. Tu nous guettais, hein? Après tout, peu importe. Il ne reviendra peut-être jamais. Tu es contente?

Il ne lui avait pas fallu longtemps pour comprendre par quels sentiments j'étais passée, après qu'elle m'eut renvoyée. J'appris qu'ils s'étaient disputés, son « cousin » et elle, puis réconciliés, puis disputés de nouveau et que, cette fois, c'était peut-être pour de bon.

– Pourquoi est-ce que je te raconte ça? De toute manière, tu ne peux rien comprendre. Tiens, prends un autre bonbon.

Je feuilletais en faisant mine de ne rien entendre les livres que le « cousin » de Brive lui avait apportés : des œuvres de Jean Jaurès et de Romain Rolland. Cécile soliloquait en arpentant sa chambre de long en large. Elle avait envie de parler; elle en avait besoin; elle se serait confiée à son armoire.

– Ce n'est pas la première fois que nous nous querellons mais je crois bien que c'est la dernière. Il ne tolère pas que j'aille à la messe. Il me reproche même mes croyances, me répète que je ne suis pas une véritable laïque, que je fais le jeu des curés! Est-ce que j'ai jamais, dans ma classe, invité les élèves à se montrer assidus au catéchisme et aux offices? Est-ce que je ne proteste pas lorsque le curé pour me provoquer retient les enfants du catéchisme après l'heure prévue pour la sortie? Je lui ai même envoyé une belle lettre, au curé, avec copie à l'inspecteur primaire, et il la lira sûrement en chaire un de ces dimanches en la tournant à son avantage. « Voilà comment, dans cette paroisse, on contrarie l'enseignement de la religion! »

Elle fit un geste vers le crucifix placé au-dessus de son lit avec un brin de buis bénit, au milieu d'un grand rosaire de bois noir déployé en forme de cœur.

– Sur un coup de colère il l'a décroché. Il voulait le jeter par la fenêtre. Je lui ai dit : « Si tu fais ça, tu pars et tu ne reviens plus! » Il s'est calmé. Nous nous sommes réconciliés et puis ça l'a repris brusquement. Il voulait que je renonce à ce traitement de misère, à ce village pourri, à ces gens stupides et illettrés, que je retourne avec lui à la ville, que nous vivions ensemble. Si c'est avec son salaire de typographe qu'il compte nous faire vivre, et avec « ça »!

Elle brandit un journal dont elle répéta le titre avec colère : *L'Insurgé.* Ouvrier imprimeur à Brive, Fred Moreau (c'était le nom de son « cousin ») écrivait des articles et des poèmes dans ce journal qui se disait « révolutionnaire »; il déclarait une guerre ouverte à la bourgeoisie, insultait l'armée, appelait les prolétaires aux armes, prônait l'avortement, éclaboussait de sa colère et de sa haine le monde capitaliste. Fred en assurait en partie la fabrication en prenant sur ses heures de loisir.

– Tu as raison, avait-il fini par dire à Cécile. Je ne peux pas t'épouser du fait de mes convictions et je dois faire bientôt mon service militaire, à moins que je décide de déserter. Tu sais que la guerre est imminente. Je la sens venir. Guillaume est un dément. Les Français veulent prendre leur revanche de soixante-dix et reconquérir l'Alsace et la Lorraine. Alors, nous marier, ça n'aurait pas de sens.

Elle allait et venait dans la pièce, s'asseyait sur le bord de sa table de travail garnie de livres et de devoirs à corriger pour le lendemain, revenait vers le lit défait, encore chaud de leurs corps, s'y appuyait des deux mains, paraissait en respirer l'odeur, se plantait les bras croisés devant la cheminée sans cesser de soliloquer.

C'est à lui qu'elle écrivait chaque jour ou presque en me laissant parfois le soin de mettre la lettre à la poste. C'étaient des lettres épaisses, matelassées de sentiment sous leur enveloppe rose griffée par l'ample écriture où s'harmonisaient sans défauts les pleins et les déliés.

– Vivre sans sacrements avec un révolutionnaire, un anarchiste, moi, Cécile Brunie! Partager, sans être passée devant l'autel, la vie d'un garçon qui parle de déserter avant même d'être appelé au service militaire! Non et non! Je ne veux plus le revoir. C'est fini. Il l'a bien compris d'ailleurs. Il ne m'a même pas embrassée en partant.

Elle eut un accès de larmes vite réprimé puis, se

tournant vers moi, me prit aux épaules et me dit presque joyeusement :

– Heureusement tu es indifférente à ces affaires de cœur et d'ailleurs tu ne comprends rien à ce que je te raconte. Et maintenant, si nous travaillions un peu?

Je n'avais plus du tout envie de me venger d'elle. Au contraire : elle me faisait pitié. De la voir pleurer, j'avais failli pleurer moi aussi. Comme il faisait nuit, elle alluma la lampe à pétrole décorée d'un abat-jour vert où couraient des frises de fleurs et de fruits, se balança dans son rocking-chair tandis que je prenais place à son bureau avec mon ardoise de carton.

Pour lui faire plaisir, je m'appliquai et couvris les deux faces : celle qui était rayée et celle qui était vierge, de lettres et de tronçons de mots qui se tortillaient comme des vers sous mon crayon. Lorsque j'eus terminé, je lui tendis mon chef-d'œuvre. Elle l'examina, se redressa, l'examina de nouveau comme si elle doutait que j'en fusse l'auteur. J'étais allée au bout de mes facultés de connaissance et d'application.

– Mais c'est bien! s'exclama-t-elle. C'est très bien! tu vois que, lorsque tu le veux, tu peux faire aussi bien sinon mieux que les autres.

De nouveau, elle paraissait très excitée. Ouvrant le livre de lecture appliquée, elle me fit faire d'autres exercices mais je me fatiguai vite; mon attention se relâcha et dériva vers des images qui passaient dans ma tête, occultaient le raisonnement et l'application.

– Tu es fatiguée? Alors arrête et repars chez toi pour souper. Emporte ton ardoise et montre-la à Pierre. Dis-lui bien que c'est toi, toute seule, qui as fait ces exercices, sinon il ne te croirait pas. Attends...

Elle ajouta en marge : « Excellent : 9 sur 10 », me prépara quelques exercices à faire à la veillée, me confia quelques feuillets et je repartis d'un cœur léger avec l'impression d'être nantie d'une mission de confiance. Tout le monde à la ferme était couché. Je mangeai ce qui restait de soupe, croquai une pomme et, dans la lumière de la bougie, sur les feuillets vierges que Cécile m'avait confiés, tirant la langue, les yeux au ras de la feuille, j'alignai des lettres et des mots que je répétais à voix basse pour ne pas réveiller le pépé, et ces mots devenaient des objets ou des êtres vivants. Je découvrais avec une source exaltation les équivalences subtiles entre la langue parlée, l'écriture, les choses et les êtres auxquels ils se rapportaient; je nouais entre eux des liens délicats et tout s'ordonnait comme par une opération de magie.

Certains mots me paraissaient dotés d'un potentiel d'émotion inépuisable. Lorsque je les entendais ou que mon regard tombait sur eux, je me les répétais à satiété. Ainsi « volontiers », que Cécile employait souvent; ou encore « affinité »; ou bien « subtil ». Il ne s'y attachait pour moi aucune signification précise. Je n'étais sensible qu'à leur sonorité, leur couleur, leur poids.

En maniant ainsi les mots, je me sentais au seuil d'un mystère dans lequel je pénétrais insensiblement. L'écriture ne m'apparaissait plus comme un univers à part, séparé de moi par une frontière infranchissable. Le sentiment d'impuissance qui avait engendré l'indifférence s'estompait, dérisoire et ridicule. L'indifférence vaincue, je me sentais apte à affronter les domaines redoutables de la connaissance. Loin de se fermer à moi, ils m'aspiraient, me poussaient toujours plus loin et plus profond dans une nuit qui s'illuminait à chacun de mes pas comme si j'étais porteuse de ma propre lumière. Ils me révélaient à moi-même; ils m'*engendraient*.

Je m'endormis, le nez sur mes papiers. Le froid m'éveilla. Mes socques enlevés, j'allai me couler tout habillée contre Flavie qui dormait avec le pépé dans le grand lit à rideaux de cretonne rouge de la salle commune. Elle grogna, protesta : « Tu pourrais te déshabiller, au moins! » puis me serra contre elle pour me réchauffer.

– Flavie, je sais lire et écrire. J'ai écrit « chat » et « chien ». Tu verras demain, je te montrerai ce que j'ai fait. Et puis je sais compter jusqu'à vingt. Une... deux... trois...

Je m'endormis avant d'avoir atteint le nombre seize.

Novembre

Il fallait bien qu'un jour ou l'autre Cécile rencontrât Emma Berthier. A vrai dire elles s'étaient croisées à plusieurs reprises dans le village mais ni l'une ni l'autre n'avait eu l'audace de faire le premier pas.

Après l' « incident » (certains prononcèrent le mot « scandale »), une rencontre et un entretien devenaient inévitables.

Le dernier dimanche d'octobre, Cécile avait décidé de se rendre à la messe à Saint-Roch.

Les deux dimanches précédents, le temps s'étant remis au beau, elle s'était rendue à l'église de Végennes, malgré la distance et la côte redoutable qu'il fallait affronter pour accéder au bourg : quelques fermes assises sur une crête dominant un pays vaste et profond de vignes et de forêts qui roulaient comme une houle dans le bleu-violet de l'automne. Le curé était un vieil homme plus occupé de ses rhumatismes que de la concurrence entre les écoles et qui avait la sagesse de croire que Dieu est présent partout, dans toutes les âmes et qu'il finira par triompher des obscurantismes les plus tenaces.

Ce dimanche-là, la pluie lui interdisant de quitter Saint-Roch, Cécile se recueillit et se prépara mentalement pour l'affrontement qu'elle jugeait inévitable avec l'abbé Brissaud. Je la regardais aller et venir dans sa chambre, s'occuper à des riens, tendue, nerveuse, faussement enjouée dans l'attente du duel. Elle avait revêtu une tenue noire un peu trop sévère à mon goût, avec une grande croix d'argent sur la poitrine, une pèlerine également noire dont la pointe lui descendait jusque sur les talons, un chapeau rond à larges bords orné d'un simple ruban gris.

Le danger auquel elle allait s'exposer, elle en était pleinement consciente. Depuis quelques jours, l'abbé Brissaud ne décolérait pas. Trois des filles qui fréquentaient Sainte-Thérèse et quatre garçons que leurs parents avaient enlevés à l'institution des « Frères » de Beaulieu et de Meyssac, avaient demandé asile à la « communale » pour des raisons d'économie ou de commodité mais aussi parce que les calomnies sur l'incompétence et les mauvaises mœurs de l'institutrice laïque n'avaient pas tenu. Le curé avait fait irruption dans quelques-unes des familles coupables d'une telle trahison et les avait menacées, n'obtenant que des excuses mais aucun repentir ni changement de conduite.

– Il ne me fait pas peur, « votre » curé, m'avait dit Cécile. S'il croit pouvoir m'interdire la porte de son église, il se trompe. Je sais qu'il m'attend, qu'il cherche à m'attirer comme dans un piège pour me clouer au pilori devant tout le village. Ça fait des semaines qu'il guette l'occasion de me fustiger publiquement. Il considère comme une défaite par forfait le fait que je ne me sois pas encore présentée à lui. Je vais lui montrer que je ne le crains pas.

Cécile avait raison. Le curé cherchait l'affrontement. On ne se privait pas de l'affirmer dans la paroisse et on l'attendait.

– Tu me suivras? demanda Cécile.

Je la suivrais. A aucun prix je ne voulais manquer l' « événement » mais je tremblais pour elle comme un écuyer pour son chevalier. Elle n'allait tout de même pas riposter à ses propos, enlever la chaire d'assaut comme une citadelle!

Elle me fit un brin de toilette, arrangea mes cheveux avec une frange sur le front, « à la chien », frotta d'un doigt humide de « sentbon » le lobe de mes oreilles, poudra par jeu mes joues avec sa houpette, me jugea « présentable » malgré mes socques râpés et mal cloutés, mais je n'avais rien d'autre à me mettre aux pieds.

Nous entrâmes parmi les derniers à l'église où notre arrivée fit sensation. Les parents d'élèves saluaient la demoiselle d'un air gêné. Les menettes se détournaient avec des airs pincés comme si la seule présence de l'institutrice laïque eût constitué une provocation. Mlle Berthier se tenait à l'harmonium, entourée des grandes élèves de Sainte-Thérèse qui constituaient la chorale ; elle eut un sourire vite estompé mais je la surpris à plusieurs reprises à regarder dans notre direction d'un air inquiet, comme si les voûtes allaient se lézarder et nous tomber sur la tête.

Près de Cécile, je me sentais bien. Lorsque nous nous asseyions, je mettais ma main sur son genou et elle la tenait serrée dans la sienne. A travers l'étoffe de la robe je sentais sa nervosité et son inquiétude. Ma famille se tenait à deux pas de là, dans le même rang mais de l'autre côté de la nef. Sous le bonnet blanc attaché au menton, je distinguais le profil aigu de la Maïré, celui, sévère, de Pierre, les mines amusées de Flavie et de mes frères cadets.

La messe se déroula sans encombre, entrecoupée de cantiques auxquels Cécile mêlait sa voix.

Lorsque le curé, la tête rentrée dans les épaules, l'air bourru, monta en chaire, j'éprouvai une impression de panique comme si le sol allait s'ouvrir sous moi. Cécile me rassura en prenant ma main dans la sienne, brûlante et crispée.

L'abbé Brissaud ouvrit son livre : l' « Évangile selon saint Matthieu » au chapitre du « Bon grain et de l'ivraie ». La tête bourdonnante, insensible aux significations subtiles de la parabole, je l'écoutai raconter l'histoire du semeur :

– « Le royaume des Cieux, dit Jésus, ressemble à un homme qui avait semé de la bonne semence dans son champ. Mais pendant que les gens dormaient, son ennemi vint, sema de l'ivraie au milieu du blé et s'en alla. Lorsque la plante eut poussé et fait du fruit, alors apparut aussi l'ivraie. S'avançant, les esclaves du maître de maison lui

81

dirent : « Seigneur, n'est-ce pas de la bonne semence que tu as semé dans ton champ? Comment se fait-il qu'il y ait de l'ivraie? » Il leur déclara : « C'est un ennemi qui a fait cela. » Les esclaves lui dirent : « Veux-tu que nous allions la récolter? » Il déclara : « Non, de peur qu'en récoltant l'ivraie vous ne déraciniez le blé en même temps qu'elle. Laissez-les tous deux croître ensemble jusqu'à la moisson et, au temps de la moisson je dirai aux moissonneurs : " Récoltez d'abord l'ivraie et liez-la en bottes pour la consumer; quant au blé, ramassez-le et rangez-le dans mon grenier ". »

Il y eut un silence comme entre deux coups de tonnerre. De toute sa carrure le prêtre se renversa en arrière, fermant les yeux pour mieux se pénétrer du sens de la parabole. Il était majestueux et presque beau avec son lourd visage, ses cheveux blancs qui lui faisaient une auréole, ses mains puissantes accrochées à la balustrade de la chaire qui craquait chaque fois qu'il bougeait. Sûr de sa puissance et de son invulnérabilité, il promena un regard sur l'assistance, l'arrêtant sur Cécile qui le soutint hardiment. Puis il développa la parabole, la dépouillant de ses ambiguïtés et de ses superfluités pour la rendre nue comme une lame. Le champ de blé du Seigneur, ensemencé de foi, était menacé. Les mauvais semeurs étaient à l'œuvre, dispersant à pleines mains l'erreur et le mensonge, et tous pouvaient voir, au milieu des épis majestueux du savoir, surgir et croître le chiendent de l'ignorance et de la bêtise laïques.

Tendue à l'extrême, Cécile pétrissait son réticule de velours entre ses mains. Les fidèles se retournaient avec des sourires ironiques vers la semeuse d'ivraie, mais elle ne broncha pas.

Un nouveau silence succéda à la péroraison du prêtre. Il y eut des bruits de chaises, mais il leva la main pour faire signe qu'il n'en avait pas fini et poursuivit, le visage plus dur, comme serré dans un casque de fer :

— Mes chers frères, mes chères sœurs, qui sont-ils, ces mauvais semeurs? Qui sont-elles, ces mauvaises semeuses qui compromettent la moisson de Dieu? Ah! nous les connaissons bien! Ils sont au milieu de nous. Ils opèrent en toute impunité et leur apparence est si trompeuse que beaucoup d'âmes naïves s'y méprennent. Les ignorants! Que de comptes ils devront rendre! Oui, nous les connaissons bien, ces potaches en jupons aux propos lestes, aux façons cavalières, qui semblent sortir d'une caserne plus que d'une école. Elles sont institutrices comme on est employée de poste ou dactylographe. Leur seul souci c'est l'avancement et les palmes. Comme nous sommes loin des éducatrices chrétiennes, qu'elles portent ou non le costume, pour qui l'enseignement est un apostolat, qui ne veulent pas d'enfant à elle pour mieux aimer ceux des autres...

C'est à ce point du sermon que Cécile se leva. Ce ne fut pas de sa part une fuite mais une retraite hautaine. Elle se dressa lentement, resta debout sur la houle des visages tendus vers elle, gros d'inquiétude et de réprobation. Elle prit le temps de glisser son missel dans son réticule sans quitter de l'œil le prêtre qui continuait à vitupérer en haussant le ton puis, d'un pas tranquille et assuré, bien droite, elle quitta le rang, gagna la sortie, ouvrit la porte et la referma dans un bruit de tonnerre.

Je la retrouvai dans le tambour, appuyée de l'épaule contre le panneau de bois où figuraient les couvertures de la « bonne presse » et, encadrés de rouge, les titres des journaux à l'index. Une main au creux de la poitrine, elle respirait avec peine, très pâle. J'étais fière d'elle; j'aurais mal toléré qu'elle acceptât sans réagir les insultes du vieux curé, qu'elle n'essuyât pas le crachat.

Elle prit ma main, m'ordonna de revenir à ma place. Je refusai. Elle me serra contre elle en pleurant.

– Ma petite fille, ma Malvina... Ce curé est un méchant homme mais il ne l'emportera pas en paradis.

Dans l'après-midi, nous eûmes la surprise, Cécile et moi, de voir apparaître Isabelle de Bonneuil montée sur sa jument, *Praline*. Elle pénétra dans la cour de la « communale » et, sans mettre pied à terre, appela Cécile qui accourut à la fenêtre.

– Mlle Brunie, dit Isabelle, je tenais à vous féliciter.

Vous avez fait preuve de fermeté et de dignité. Cette vieille ganache de curé méritait une leçon. Vous ne lui avez pas cloué le bec, mais c'est tout comme. Salut! Nous nous reverrons bientôt, je l'espère.

Avant que Cécile ait pu répondre, Isabelle faisait tourner bride à *Praline* et piquait un petit trot vers le moulin de Bernes.

– Eh bien, tu vois, dit joyeusement Cécile, nous n'avons pas que des ennemis!

Cécile quitta Saint-Roch à Toussaint pour aller se recueillir sur la tombe des siens, à Brive.

C'est dans la semaine qui suivit que Mlle Emma Berthier vint lui rendre visite au retour d'une promenade, après avoir vérifié que personne ne pouvait la voir pénétrer à la « communale ». Elle revenait de la direction de Vayrac dans une belle éclaircie. L'été de la Saint-Martin, malgré quelques bénédictions d'averses, était dans sa splendeur, novembre s'ouvrait par de belles journées tièdes et des tourbillons de feuilles dorées dans le vent du sud. Mlle Berthier portait au bras un petit panier d'osier plein de cèpes. Elle pénétra furtivement dans la cour. J'alertai Cécile qui descendit pour l'accueillir.

– J'ai trouvé ces quelques champignons en me promenant, dit Mlle Berthier. Et j'ai pensé que... Voyez, ils sont tout frais. Les aimez-vous, au moins?

– Je vous remercie, dit Cécile. J'espérais que vous viendriez un jour en amie. Voulez-vous monter jusqu'à ma chambre?

Je me chargeai des champignons que je mis au frais dans la grange. Lorsque je remontai avec le panier vide, je surpris une conversation qui me concernait et j'écoutai, l'oreille collée à la porte.

– C'est un miracle, vraiment, disait Mlle Emma. En quelques semaines vous avez transformé cette petite. Je ne la reconnais plus. Il paraît qu'elle commence à lire et à écrire.

– Je n'ai guère de mérite, répondit Cécile. Le terrain était tout prêt. Je n'ai eu qu'à ensemencer. On aurait dit qu'elle m'attendait. Au début, ça n'a pas été facile et puis, peu à peu, je l'ai éveillée. Son intelligence n'était pas absente; elle était simplement engourdie. Sa mémoire vierge lui permet de tout retenir très vite. J'ai l'intention de la présenter au certificat. Elle devra mettre les bouchées doubles, mais nous y arriverons, elle et moi.

– Durant des années, je suis restée aveugle à côté de cette petite. Elle avait l'air absent, ne répondait pas quand on l'interrogeait, restait des heures à dormir dans le fond de la classe. Vous, vous l'avez comprise du premier coup.

En vraie petite fille modèle, je frappai avant d'entrer comme Cécile m'avait appris à le faire. Elles se turent. Cécile avait servi un doigt de « Charmoise » à chacune et il y avait pour moi un verre de cidre doux.

– Vous avez eu tort de venir à l'église ce matin, dit Mlle Berthier. Si je ne commençais pas à vous connaître, je croirais à de la provocation de votre part. Le village est suffisamment divisé sans que vous accusiez encore cette scission. Isabelle de Bonneuil s'en est prise au curé, cet après-midi, au château.

– L'église est la maison de tous! dit sévèrement Cécile. J'y ai ma place. Je pensais que vous aviez compris cela.

– Ne vous fâchez pas. Le curé a eu tort lui aussi et une bonne partie du village juge qu'il n'aurait pas dû s'en prendre aussi directement à vous.

– Que me reproche-t-on alors?

– C'est difficile à dire. Vous êtes un peu trop « moderne » pour ces gens. Vous vous conduisez comme une fille libre et c'est très mal vu dans nos campagnes. Je connais bien la population. Je la sers de mon mieux et je l'aime malgré ses défauts. Vous, vous venez d'ailleurs, de la ville, vous bouleversez leurs habitudes, vous vivez *autrement*. On dit même que vous n'avez de la foi que les apparences.

– Et que dit-on encore?

– Que vous recevez un homme chez vous, que vous fumez, que vous lavez votre intimité. Pour ce qui est de votre travail d'institutrice, on ne peut rien vous reprocher, mais on vous tient à l'œil. Au moindre faux pas, l'Académie sera informée par des lettres anonymes. Méfiez-vous.

– Merci de vos conseils, dit sèchement Cécile. Mais vous-même...

– Oh! moi... je ne suis rien, à Saint-Roch. Bonne tout au plus à aider aux travaux des champs et à remplacer le médecin quand il tarde à venir. Si je vous dis tout cela, c'est pour vous mettre en garde. Méfiez-vous surtout du curé. Ce que vous avez fait ce matin, il ne vous le pardonnera pas. C'est maintenant la guerre ouverte.

Elle se leva brusquement, consulta la petite montre d'argent qu'elle portait en sautoir à côté du sifflet dont elle se servait pour imposer la discipline dans son école.

– Je devrais être rentrée déjà. Des élèves retardataires m'attendent pour des « répétitions ».

– J'ai été heureuse de votre démarche, dit Cécile. Ma porte vous est ouverte. D'ailleurs elle ne ferme pas à clé! Revenez me voir s'il n'y a pas trop de risques.

Cécile n'avait pas baissé pavillon. Le dimanche suivant, discrètement, elle était revenue à l'église, mais s'était tenue dans le fond de la nef et avait savouré ce qu'elle prenait pour une victoire : l'abbé Brissaud n'avait pas fait usage de ses armes.

– Ces braves paroissiens en sont pour leurs frais, me dit-elle comme nous sortions de l'église. Tu as remarqué qu'il y avait davantage de monde que dimanche dernier? On est venu assister à l'estocade et rien ne s'est produit.

Isabelle de Bonneuil nous rattrapa comme nous entrions chez l'épicière, Agathe Laspoumadère. Cécile voulait se réapprovisionner en tabac, en feuilles, en allumettes et m'avait promis un craquelin. Les sonnailles de la porte n'avaient pas fini de tinter qu'Isabelle entrait à son tour. Mon regard allait de l'épicière qui pesait fin les cinq grammes en puisant le tabac dans un grand pot de faïence à motifs bleus avec une sorte de chausse-pied en corne et le laissait tomber avec un petit tapotement de l'index dans le plateau en forme de bol de la balance romaine. Il y en avait pour trois sous. Elle enveloppa cette

mousse brunâtre et odorante dans un cornet de papier
« Riz-la-Croix », y ajouta une boîte d'allumettes de la Régie
et alla pêcher un craquelin dans une boîte de fer.

– J'ai besoin de vous parler, dit Isabelle. Montez avec
moi jusqu'au château.

– Vous n'y pensez pas! protesta Cécile.

– Vous n'avez rien à craindre. Ma mère va rester une
heure à *clamper* [1] avec des amies sur la place, au soleil.

– Je ne puis vous suivre, mademoiselle. Cela passerait
pour une provocation.

– Peut-être avez-vous raison. Alors je vous invite chez la
Jeanne.

– Vous plaisantez?

– Pas du tout. Sachez qu'à Saint-Roch je me conduis
comme bon me semble et que personne n'y trouve à
redire. Quand on a derrière soi des siècles de baronnaille
mitée, de turpitudes dorées sur tranche, de vénérables
hypocrisies, on peut se donner des allures « peuple ». Ça
passe pour de la largesse de vue et de la simplicité. On dit
de moi : « Elle n'est pas fière, la petite de Bonneuil. » Et on
m'en estime davantage.

Elle ajouta en riant :

– Suivez-moi et ne craignez rien. Vous êtes sous ma
protection.

Avant que Cécile ait pu protester, elle la prenait par le
bras et elles entrèrent toutes deux, moi derrière, chez
Jeanne. Notre arrivée fit sensation, au point que Cécile eut
un mouvement de recul.

– N'ayez pas peur! dit Isabelle en la faisant asseoir. Ici,
vous êtes un peu chez vous. Les hommes que vous voyez là
sont presque tous des lecteurs de la *Dépêche* et bouffent du
curé.

Ça sentait la sciure de bois, la soupe et le tabac. La
Dépêche était ouverte sur une table au milieu des ronds de
vin et des dernières mouches engourdies. A notre arrivée,
les conversations avaient baissé d'un ton. On nous observait. Isabelle commanda une absinthe pour elle, Cécile un
verre de vin paillé.

_____

1. Bavarder.

– La petite devrait pas être là, dit la grosse Jeanne. C'est interdit par le règlement.

– Laisse faire le règlement! dit Isabelle. Elle boira une grenadine.

Elle ajouta, les coudes sur la table :

– Votre tabac m'a fait envie. Je roulerai bien une cigarette.

– Vous voulez fumer? Ici? Devant tous ces hommes?

– Et pourquoi pas, sainte Nitouche? Vous n'allez tout de même pas prétexter que « ça ne se fait pas »? Pas vous! Si vous pouvez me fournir une raison valable pour que je renonce, je m'abstiendrai.

Cécile sortit de son réticule le paquet de « caporal », le tendit à Isabelle qui roula sa cigarette avec une dextérité que parurent apprécier les buveurs, parmi lesquels Bécharel qui avait posé son tambour sur la table, près de son absinthe, Bernède, Blavignac qui portait une rose rouge à la boutonnière et quelques autres. Isabelle fit la grimace devant les allumettes de la Régie qui, dit-elle, « prenaient une fois sur deux ». Elle sortit de son réticule des allumettes de contrebande fabriquées par un Espagnol de Vayrac et vendues sous le manteau par le *Caïffa* – de grosses bûchettes à section carrée, rugueuses, dotées d'une grosse tête rouge. Elle en frotta une sur la table et cela fit une longue flamme claire.

– Gare mes moustaches! dit Isabelle. Un jour, j'ai mis le feu à ma voilette et j'ai failli brûler vive. Alors, Jeanne, tu nous sers!

Jeanne posa les verres crasseux et nous servit. Isabelle manipula avec dextérité la cuillère à absinthe, le sucre et la carafe. De gros rires d'hommes éclatèrent dans son dos. Elle haussa les épaules.

– Qu'est-ce que tu crois, Bécharel? J'avais dix ans, quand j'ai bu ma première absinthe. Et alors, Cécile, comment trouvez-vous ce vin?

Il était jaune doré comme un œil de chat et prenait toute la lumière. On y voyait danser un bel automne clair, des soleils et des sources. Je goûtai au verre que me tendit Cécile et fermai les yeux : quelque chose se mit à fumer en moi comme un encens sur l'autel.

– La patronne, dit Isabelle à voix basse en montrant la Jeanne, c'est la plus grande putain du canton mais la meilleure femme que je connaisse. Elle ne sait pas faire la différence entre ses richesses : elle donne son cœur et son corps avec la même facilité. J'aime ces gens qui ne trompent pas leur monde.

– C'est pour me parler de la Jeanne que vous m'avez amenée ici?

– Je vous choque? Tant pis! Je n'aime pas tourner autour du pot. Si mes façons vous offusquent, mademoiselle l'institutrice, je cesserai de vous importuner. Si vous supportez sans vous signer ma vulgarité et ce que ma mère appelle mes « diableries », nous serons amies et, croyez-moi, vos amis, vous les compteriez sur les doigts d'une main, à Saint-Roch.

Elle tira une longue bouffée, avala voluptueusement la fumée et la restitua par le nez en léger nuage.

– Vous avez raison. Parlons sérieusement. Si vous vous imaginez avoir triomphé du curé parce qu'il ne vous a pas prise à partie ce matin, vous vous trompez. Je connais Brissaud. C'est un homme terrible. Il s'est mis en tête de vous briser comme il l'a fait de tous ceux et celles qui vous ont précédés et il réussira si vous ne vous défendez pas. Savez-vous pourquoi il a organisé cette petite réception en votre honneur lors de votre arrivée? Pourquoi il a orchestré ce concert d'anathèmes contre vous? Pourquoi il veut votre départ?

– Parce qu'il voit en moi l'image du démon, je suppose.

– Ma pauvre Cécile, vous n'y êtes pas.

Elle vida son verre à moitié, reprit :

– Brissaud a une nièce qui fait ses études à l'École normale de Tulle. Sous des apparences de bonne laïque, pionnière attachée aux idées de tolérance, c'est une hideuse punaise de sacristie. Les « davidées », vous savez ce que c'est? Eh bien, c'en est une, et des plus sournoises. La grande idée de Brissaud était d'obtenir sa nomination à la « communale » de Saint-Roch. Le projet était sur le point d'aboutir, et voilà que vous êtes nommée à sa place. Une manœuvre de dernière heure de Pintaut, l'inspecteur primaire, un franc-maçon qui mène la vie dure aux curés. C'est pourquoi je vous dis : prenez garde. Brissaud est en train d'engager une épreuve de force qui durera le temps de l'année scolaire mais pas plus. Il fera en sorte de vous compromettre, de vous rendre la vie impossible. Si vous n'êtes pas déplacée d'office vous quitterez Saint-Roch de votre plein gré. Il emploiera les grands moyens.

Cécile but ce qui restait de vin d'une main qui tremblait un peu. Isabelle poursuivit :

– Pour le moment, il cache ses armes mais l'armistice sera bref. On vous a sans doute parlé de son attitude lors de la « Séparation ». C'est à peine si l'on exagère en disant qu'il disait la messe avec son fusil sur l'autel. On lui avait tiré dessus. Il se serait défendu en tuant. Il a hérité l'esprit des Templiers et il dort avec son épée sous son traversin.

Elle commanda un deuxième verre d'absinthe, la prépara avec la même minutie un peu affectée, but une gorgée et parut soudain découvrir ma présence.

– On dit que vous avez fait des prodiges avec *celle-là* et que vous comptez l'amener cette année jusqu'au certificat. Ça me plaît. Au curé, pas du tout. Si vous réussissez, il ne vous le pardonnera pas et il fera son possible pour vous faire échouer. *Tout* son possible. C'est Basile et Machiavel dans un même homme. Il ne pardonne pas à ceux qui contrarient ses projets. Je crois qu'il s'est trompé d'époque, mais ici, sur ce tas de fumier qu'est Saint-Roch, c'est encore le Moyen Age, d'une certaine manière.

Elle acheva son deuxième verre d'absinthe en même temps que sa troisième cigarette et elle était un peu ivre. Je la devinais pleine de tendresse pour Cécile, prête à lui prendre la main, à l'embrasser, à la protéger. Elle détestait Brissaud mais sans parvenir à le mépriser comme cette « légion de culs-terreux », ce troupeau qu'il menait à la baguette et qui se laissait prendre à ses façons rudes et franches (en apparence), aux *niorles* qu'il contait aux repas de familles, à ses sermons en patois, à sa réputation de mangeur, de buveur, de trousseur de filles (encore que, sur ce dernier point, il eût pris du champ).

L'heure tournait. Accoudée à son comptoir, Jeanne écoutait les hommes commenter le dernier article de Jaurès dans la *Dépêche* et les discussions s'animer. De temps à autre, elle tendait l'oreille vers notre table.

– J'ai reçu la visite d'Emma Berthier, dit imprudemment Cécile. Elle m'a offert un panier de champignons et son amitié. Je la trouve bien téméraire. Tout se sait ici et, lorsque le curé apprendra...

Isabelle fronça les sourcils.

– Cette pauvre folle! Comment a-t-elle osé? Quoi qu'il en soit, vous n'avez rien à redouter de sa part. Elle est franche comme l'or. Vous pouvez vous fier à elle. Elle s'est d'ailleurs querellée avec le curé. On les entendait du château. Il était question de vous.

J'étais bien. Comme dans du sable chaud. Petit à petit se formait autour de Cécile, de sa tendre peau, de sa solitude à vif, une cuirasse d'amitié. Si j'en avais eu le pouvoir, je l'aurais moi-même protégée, mais je la desservais plutôt par le favoritisme qu'elle me témoignait par rapport aux autres élèves dont certains me jalousaient. J'avais envie de les prendre toutes deux par la main, de les forcer à s'embrasser, de les nouer l'une à l'autre, d'en faire un bloc immuable contre les forces mauvaises qui menaçaient leur amitié toute neuve et vulnérable.

Isabelle faillit tout gâcher. En roulant sa quatrième cigarette d'une main mal assurée, elle murmura :

– Il y a plus grave : vos relations avec Fred Moreau. Vous devriez cesser de revoir ce garçon. Il peut être dangereux pour vous. Un révolutionnaire... Un anarchiste...

Cécile ne put réprimer un mouvement de surprise. Comment Isabelle avait-elle appris cette liaison? Tout le monde à Brive connaissait Fred mais personne ne prenait très au sérieux ses diatribes contre la bourgeoisie, l'armée et le capital. Au cours d'une promenade en ville, une amie de pensionnat avait montré à Isabelle le jeune journaliste-typographe drapé dans son ample blouse noire, ses pinces accrochées à la boutonnière, devant la petite imprimerie de la rue de Corrèze. C'était un beau garçon à l'air un peu sévère mais avec du feu dans le regard. Le dimanche précédent, elle l'avait rencontré, pédalant sur la route du Bosplot.

— Vous souffrirez à cause de ce garçon, si vous persistez à le voir, poursuivait Isabelle. Sa seule idée est de révolutionner le monde et d'instaurer l'anarchie. Rien d'autre ne compte pour lui. Il faut se méfier de ces gens : ils commencent à écrire des articles et finissent par poser des bombes.

Cécile avait pâli. Ses mains tremblaient. Elle replaça ce qui restait de tabac dans son réticule et se leva. Isabelle lui accrocha le bras, la força à se rasseoir.

— C'est à cela que vous vouliez en venir! dit Cécile d'une voix âpre. J'aurais dû me méfier de vous. Vous cherchez d'abord à me compromettre en m'entraînant dans ce lieu, en me faisant boire, et maintenant...

Isabelle écrasa sa cigarette à demi consumée.

— Pardonnez-moi, dit-elle. Je suis très maladroite et parfois les mots vont plus vite que ma pensée. Je voulais simplement vous mettre en garde. Fragile comme vous l'êtes, isolée, vous risquez d'être entraînée dans une vilaine affaire. La police a l'œil sur votre ami et l'*Insurgé* est condamné à brève échéance. On dirait que Moreau fait tout pour ça, d'ailleurs. Si l'on apprenait qu'il vient vous rendre visite dans les locaux de fonction que vous occupez, cela vous coûterait une mise à pied.

La brouille entre Fred et Cécile n'avait duré que quelques jours. Le dimanche suivant, il était revenu, et même un jeudi après-midi elle l'avait vu arriver, radieux, le porte-bagages de sa bicyclette chargé de cadeaux. Gentiment il m'avait prié d'aller lui chercher des champignons. Après chacune de ces dernières visites, j'avais trouvé Cécile transfigurée, chantonnant, riant pour des riens, me prenant sous les aisselles pour me faire tourner autour d'elle. De la savoir heureuse, toute rancune s'évanouissait en moi.

— Je vous prie de m'excuser, dit Cécile, je dois rentrer à présent. Mon Dieu, la tête me tourne. Et ces hommes qui nous regardent...

— Je sors avec vous. Nous nous donnerons le bras.

Les hommes s'étaient tus pour nous regarder sortir.

– Cécile, dit Isabelle, j'aimerais vous revoir si toutefois vous pardonnez mes mauvaises manières et ma brutale franchise. Je viendrai à l'école vous porter quelques livres que j'aime. Avez-vous lu Péguy et les *Cahiers de la Quinzaine*? Je dois vous faire un aveu : je ne serais jamais venue seule chez la Jeanne, mais avec vous je me sens toutes les audaces. Cécile, vous donnez des idées et des envies de liberté.

Bras dessus, bras dessous, elles continuèrent à bavarder en descendant vers la route départementale. Les gens se retournaient sur leur passage. Moi, je restais derrière, les mains dans le dos, traînant mes socques dans la poussière, comme si je portais la traîne d'un mariage.

La classe de Cécile se composait maintenant de quinze élèves répartis en trois divisions. J'étais la seizième, mais étais-je une élève à part entière? Le régime de faveur dont je bénéficiais me classait à part. A moi seule, je constituais une division flottante, en marge des autres : une rareté pédagogique.

J'apprenais vite mais mal.

Ma curiosité subitement éveillée faisait feu de tout bois. Je digérais gloutonnement le salmigondis qu'on me servait et interprétais avec fantaisie toutes les données qui pleuvaient sur moi et autour de moi. Ma mémoire me jouait de mauvais tours : elle retenait tout et Cécile avait ensuite du mal à me débarrasser de ces nourritures trop riches pour moi ou inutiles.

– J'ai dit, m'expliquait-elle, qu'il fallait mettre les bouchées doubles et non se goinfrer comme tu le fais.

J'avais assimilé toute la table de multiplication mais j'étais incapable de résoudre un problème nouveau pour moi; je récitais des fables ou des poèmes que j'avais entendus trois ou quatre fois mais j'étais dans l'impossibilité d'en expliquer le sens ou d'en découvrir les beautés. Je répétais phonétiquement les maximes qui ne se traduisaient pour moi que par une petite musique de mots.

La classe terminée, Cécile me faisait monter dans sa chambre, ranimait le feu dans la cheminée, m'obligeait à restituer mes acquisitions du jour et pâlissait devant ce fatras. Le prodige confinait à l'incohérence. Elle achoppait sur une terrible certitude : mon intelligence s'éveillait moins vite que ma curiosité. Avec douceur, avec patience, elle s'efforçait de maîtriser mes aptitudes, de les soumettre à un choix draconien.

– Ce que je veux, comprends-tu, Malvina, c'est que tu apprennes à lire, à écrire, à compter. Le reste viendra facilement. Tâche de te discipliner.

La discipline – un mot qui n'avait aucun sens pour moi – me répugnait. Je sentais un monde bouillonner en moi et autour de moi et l'on me demandait d'en refuser les tumultes et les délices; une boulimie de savoir me possédait et j'aurais dû me contenter de rogatons soigneusement triés; on m'avait ouvert la porte donnant sur une fête permanente et l'on m'interdisait de m'y jeter. Je boudais sur ma belle ardoise neuve que Cécile m'obligeait à couvrir de lettres, de syllabes, de mots répétés interminablement et qui me donnaient l'impression de bégayer comme le petit Bernède. Les bons points ne me procuraient plus ce petit frisson d'orgueil et de plaisir que le premier avait suscité car je soupçonnais de la part de la maîtresse une certaine complaisance. La seule satisfaction qu'ils me procuraient c'était le spectacle des jalousies qu'ils suscitaient. La croix d'honneur dont je rêvais n'était pas encore à portée de ma main.

– Assieds-toi dans le rocking, disait Cécile, et raconte-moi ce qui t'a intéressée chez le forgeron. Réfléchis. Prends ton temps.

Pour lui faire plaisir, je racontais en me balançant la visite que j'avais faite au Père Lavergne. Cécile s'était mis en tête, pour délier mon intelligence, coordonner mon élocution et ma pensée, de me faire parler de tout et de rien.

Les débuts avaient été laborieux. Je n'avais rien à dire, sinon des banalités, des puérilités, des absurdités. Elle haussait les épaules, soupirait, me priait de revenir sur tel ou tel détail, reprenait des termes fautifs (« On ne dit pas : « J'arrive que... » mais « Je viens juste d'arriver. ») Elle me forçait à éliminer des termes en patois dont j'usais

abondamment (« Ne dis plus : « Je vais *quère* mes vaches »,
mais « Je vais ramener mes vaches. ») Des termes neufs
pénétraient par effraction dans mon vocabulaire, réajus-
taient mes réflexions dans des moules nouveaux, me
donnaient l'impression de muer insensiblement dans ma
nature profonde. En regardant mes mains propres, aux
ongles nets, posées sur l'accoudoir du fauteuil, mes
chaussettes soigneusement reprisées – moi qui n'en portais qu'au plus rigoureux de l'hiver – je m'écoutais parler
comme une dame. Un sentiment confus gâtait ma vanité :
j'abordais un monde condamné d'avance. Cécile quitterait
bientôt Saint-Roch – elle était trop fragile et désarmée
pour s'opposer aux pressions que les éléments catholiques
de la population faisaient peser sur elle. Quant à moi, sans
son appui, sans ses encouragements, je retournerais à mon
ignorance, à ma crasse, à mon irresponsabilité.

Je les regardais et les caressais, ces mains que je ne
reconnaissais plus. Cécile me les avait révélées, comme le
reste ; elle m'avait appris à les soigner, à les respecter, à les
aimer.

Le premier jour de classe, elle avait passé l'inspection.

– Montre tes mains ! Dessus... Dessous... Allez ! va te
laver dans le baquet. Toi aussi...

Nous avions tous des mains de vendangeurs, noires de
jus jusque sous les ongles et elle avait déclaré une guerre
implacable à ce qu'elle appelait les « ongles en deuil », ces
« nids à microbes ». Le même jour, armée d'un canif, elle
nous avait fait une démonstration sur la manière de les
curer et toute la salle avait croulé de rire. Cette demoiselle
avait de drôles de manies ! On n'allait pas s'ennuyer avec
elle !

Parfois elle s'arrêtait au milieu d'une explication, d'une
dictée ou d'un problème et fronçait les sourcils :

– Alice ! on ne t'a pas appris à te servir d'un mouchoir ?

Alice reniflait, se torchait le nez d'un revers de manche,
nous regardait comme pour mendier un secours. Elle
n'avait pas de mouchoir ; elle n'en avait jamais eu. Elle
portait bien sur elle, comme certaines d'entre nous, un

bout de chiffon qui en faisait office, mais il fallait le dénicher sous le tablier où il était attaché pour qu'il ne se perde pas. Les garçons qui se mouchaient comme leurs parents, un index bloquant une narine, éjectant la gourme de l'autre – de préférence sur les pieds du voisin – apprirent à se servir de cette superfluité bonne pour les gens du château : le mouchoir à carreaux; ils s'en servaient indistinctement pour essuyer leur ardoise et se torcher le nez ce qui leur faisait parfois des visages de meuniers.

Revue du matin... Nous devions montrer nos mains, exhiber notre mouchoir, tendre nos oreilles pour un examen attentif. Cécile ne tarda pas à déclarer la guerre aux poux. Ce fut un long conflit plein d'aléas, de fausses victoires, de retraites désabusées, de contre-offensives brutales, au pétrole, au vinaigre chaud ou au civadon.

Qui était Cécile? D'où venait-elle? De quel monde grouillant dans son passé, dont elle recevait des messages énigmatiques sous forme de lettres ou de paquets?

En marge des jeux violents des garçons, nous lui inventions des existences durant les récréations. Elle arpentait la cour de long en large de son allure à la fois légère et appuyée, s'arrêtant parfois lorsqu'un passage de son livre retenait plus intensément son attention, jouant entre le pouce et l'index de cette mèche de cheveux, toujours la même, qui s'échappait de son chignon. Elle passait près de nous sans nous voir, pivotait devant le *clédier* ou le tilleul, marquait un arrêt avant de repartir sur cette longitude, toujours la même, qui avait fini par se marquer comme la trace d'un animal et que nous suivions nous-mêmes, les yeux fermés, par jeu, lorsque nous la sentions perdue dans sa lecture.

– Moi, disait Joséphine Escaravage, la dernière arrivée, transfuge de Sainte-Thérèse, moi je sais que ses parents habitent un château dans la région de Tulle. Ils ont *pas guère* d'argent mais beaucoup de terre.

Anna Blavignac, qui zézayait et perdait sa salive, était moins imaginative :

– Oh là, *yéou!* T'es pas folle! Un château... **Ses parents** tiennent bistrot à Brive. Son père y est *venu gendre.*

Sa sœur, Camille, n'avait pas d'opinion, encore moins d'imagination et ne commentait que des certitudes. Ce saint Thomas en jupons serait un jour fonctionnaire du Trésor ou postière. En revanche, Alice Bernède et moi nous nous livrions à de folles surenchères. Cécile devenait un personnage mystérieux, inquiétant : une comédienne, une fée, une grande pute. Nous délirions dans l'imaginaire, inventions des vies antérieures à cette exilée, tressions des auras à cette dame de légende.

Et ces lettres qu'elle recevait presque chaque jour elles venaient d'où et de qui? Par leurs parents qui tenaient eux-mêmes cette révélation de la postière, Mélanie Puyjalon, certaines élèves connaissaient les origines géographiques de ces envois : la plupart du temps de la Corrèze et des départements limitrophes (des collègues de l'École normale), parfois de Paris, deux ou trois fois d'Allemagne, ce qui faisait beaucoup jaser dans le village du fait de la tension entre nos deux pays.

Nous guettions le facteur. Il appuyait sa bicyclette par une pédale sur la première marche de l'escalier, raclait ses souliers sur l'arête de la marche supérieure, pénétrait dans la classe, son képi à la main, en lançant un sonore « Salut, la jeunesse de France! », et venait déposer sur le bureau de la demoiselle le courrier qu'il sortait de sa sacoche noire élimée. Nous l'appelions « La Jeunesse ». Il faisait presque chaque jour halte à l'école.

Ses lettres, Cécile les rangeait chez elle dans un cahier avant de les classer. Elle ne les cachait pas et les relisait souvent. Incapable quant à moi de les lire, je les regardais en essayant de deviner au passage des syllabes, des fragments de mots et de phrases qui ne parvenaient pas à se coordonner. Ces lettres me fascinaient; derrière le réseau serré de l'écriture je tentais de découvrir le fil d'Ariane des sentiments; je les respirais. J'avais appris à reconnaître au premier coup d'œil certaines d'entre elles, rédigées d'une belle écriture violette, très inclinée, rapide, cursive, terminée par la même signature puissamment étalée et dominatrice : « Ton Fred. »

Je rêvais tellement de recevoir moi aussi du courrier que je décidai de m'en adresser à moi-même, persuadée, je ne sais pourquoi, qu'il ne me parviendrait jamais.

Cécile m'avait appris à écrire mon nom et celui de mon village. J'en couvrais fièrement des pages, dessinant en marge une fillette qui était moi. Sur une des belles enveloppes roses de Cécile j'écrivis : « Mademoiselle Malvina Delpeuch, écoleu de Saint-Roch » et collai un timbre. A l'intérieur, je glissai un brouillon de dessin et de mots que je signai : « Ton Fred. » Et je mis la lettre à la poste.

Le lendemain, à ma grande surprise, « La Jeunesse » tira de son sac de cuir trois lettres dont une m'était destinée. Il s'écria :

– Salut, la jeunesse de France! Mademoiselle Malvina Delpeuch est ici ? Tiens, ma belle, c'est ton amoureux qui t'écrit.

– La classe se figea dans un silence d'élévation. Le feu aux joues, je me levai, traînai mes socques jusqu'à « La Jeunesse » qui s'inclina cérémonieusement et me tendit le pli rose. Je revins à ma place, accrochée par un buisson de regards interrogatifs et respectueux. Ma lettre rangée sans l'ouvrir dans le livre d'arithmétique d'Arsène Pintaut, inspecteur primaire, je me remis tranquillement à ma leçon d'écriture tandis qu'autour de moi, le moment de stupeur passé, s'élevaient des murmures.

– Silence! s'écria Cécile.

Elle frappa le bureau de sa règle et s'en tint à cet avertissement. Ce n'est que le soir qu'elle découvrit la supercherie. Elle parcourut le feuillet du regard et je crus qu'elle allait me réprimander mais elle se contenta de sourire et de hausser les épaules.

– Tu verras, ma petite Malvina, me dit-elle, bientôt tu pourras en écrire, de vraies lettres, et tu en recevras, et tu sentiras comme c'est bon, parfois. Cette première lettre, tu me la donnes ?

Elle l'a gardée précieusement. Aujourd'hui encore elle ne s'en est pas séparée. Elle me la montre parfois, et nous rions ensemble mais avec une larme au coin de l'œil. « Ton Fred... » Pauvre Fred qui n'est plus de ce monde.

Cécile me fit comprendre que je devais renoncer à mes cachettes, à ces alvéoles où j'effectuais des retraites quasi quotidiennes, où je retrouvais une dangereuse quiétude fœtale qui me coupait du monde. Elle répétait que ce n'était plus de mon âge ni de ma condition d'écolière, qu'il me fallait définitivement briser ma coquille de solitude, m'ouvrir aux autres, les écouter, les comprendre, leur parler.

— Tu ne parles pas assez, me disait-elle. A présent que tu as appris à t'exprimer et à articuler à peu près correctement, tu *dois* parler.

J'en avais conscience : ma langue s'était déliée ; j'avais appris des mots nouveaux ; je pouvais aligner des phrases cohérentes bien que parsemées encore d'expressions en patois du pays ; j'avais appris à raisonner en termes abstraits mais je m'arrachais avec peine aux notions concrètes. Cécile m'aidait patiemment ; elle ne me lâchait plus, éliminait inlassablement les déchets de langage, me disait :

— Fais-moi plaisir. Ne dis plus « clédou » pour le portillon de l'école, « cacal » pour noix, « rabe » pour rave. Je ne te demande pas d'oublier ta langue mais d'en apprendre une autre. Le patois peut d'ailleurs t'aider pour le français, mais, lorsque tu passeras ton certificat, personne ne t'interrogera en patois.

Durant les récréations, nous continuions à danser la ronde en chantant une comptine vieille comme le village, en patois. La demoiselle ne s'offusquait pas de cette liberté. Le jeune maître qui l'avait précédée n'avait pas son esprit de tolérance. Lorsqu'un élève disait « J'ai *bouté* mes *socques* pour aller *quère* les vaches près du *gode* à cause qu'y a de la *broude* », il lui donnait trois coups de règle de fer : deux sur les doigts, un sur la tête et lui faisait écrire dix fois : « J'ai chaussé mes sabots pour aller chercher mes vaches près du réservoir, à cause de la boue. » Il redoutait qu'une visite de l'inspecteur mit M. Arsène Pintaut en présence de cette résurgence inadmissible d'un idiome barbare.

La deuxième lettre que je reçus était de Fred Moreau. « La Jeunesse » me la porta à la fin du mois de novembre. Pour moi, ce fut un événement. A l'instigation de Cécile, Fred m'avait écrit trois lignes pour me dire le plaisir que lui procuraient mes progrès et m'annonçait un cadeau pour sa prochaine venue, le dimanche suivant, en me demandant de garder le secret de ses visites.

Les jours passaient trop lentement à mon gré. Après l'été de la Saint-Martin, toujours resplendissant sur nos pays, l'hiver nous était arrivé brutalement, amenant dans le ciel des charrois de nuages qui dégorgeaient des pluies glacées mêlées de neige. Les corbeaux tournoyaient inlassablement autour du Puy-Faure et au-dessus des marais et des labours. Le pays s'engluait dans un froid cotonneux et mou. Cécile avait fait tricoter par sa mère un gilet de laine, « couleur de la bête », qu'elle m'offrit et que je portai sous mon gros tablier de droguet gris confectionné par ma sœur. Cécile m'offrit également une paire de chaussettes et un bonnet. Elle supportait mal de m'entendre tousser et guettait sur mon front le moindre symptôme de fièvre. Lorsque je manquais l'école pour aider Pierre et la Maïré à des travaux urgents, elle me recommandait de ne pas me découvrir, de ne pas boire glacé et d'éviter toute fatigue inutile.

Elle m'avait pomponnée pour la visite de Fred. La chambre était tiède, propre, bien ordonnée. Nous avions confectionné une flognarde aux pommes qui embaumait, disposé sur sa petite table ronde recouverte d'une nappe brodée trois couverts d'assiettes décorées de portraits d'hommes de la Révolution, les dernières figues dans un compotier d'opale et, dans un bol, mélangées à du vin de paille, des fraises des bois que j'avais cueillies quelques jours auparavant, au dernier soleil de la Saint-Martin, dans un nid de roches bien abrité que j'étais seule à connaître.

Avec un air mystérieux, Fred posa son paquet sur le bureau, se planta devant le feu après nous avoir embrassées et frotta l'une dans l'autre ses mains encore tachées

100

d'encre d'imprimerie. Il n'avait rencontré personne sur la route.

– Tu en es sûr ? Je ne vis plus. Si nous étions découverts...

– Certain. Tu ne risques rien.

Il tourna son dos au feu.

– As-tu été sage ? me dit-il. As-tu bien appris tes leçons ? Oui ? Alors tu auras ta récompense. Mais d'abord tu vas me faire une grosse bise, là, sur ma moustache.

Le paquet contenait un Atlas de géographie. Je fus déçue mais ne le montrai pas trop. Ces planches coloriées, ces dessins qui n'avaient aucun sens et rappelaient la grande carte murale boursouflée qui figurait dans la salle de classe, ne me « parlaient pas ». En revanche le livre était d'une singulière beauté et sentait le neuf. Je le respirai longuement. Les odeurs, jalons de mon petit univers d'animal sauvage, gardaient beaucoup d'importance dans ma vie. Fred se mit à rire.

– Ce n'est pas avec le nez qu'il faut lire ! Tu verras comme c'est intéressant, la géographie. Elle nous raconte notre monde, celui où nous vivons, où nous aimons, où nous luttons. Tu veux savoir où nous sommes ? Tiens, regarde !

Il sortit un crayon de sa poche, piqua la pointe sur un relief montagneux qui s'écrasait sur la page comme une crème de lait d'un gris sale. Je crus qu'il se moquait de moi. Mes notions de géographie n'étaient pas suffisantes pour me permettre de transcender l'abstraction, pour imaginer sous le schéma des réalités vivantes et concrètes.

– Je t'avais prévenu, dit Cécile. Ce cadeau est prématuré. Tu aurais dû lui apporter un livre d'images, un cahier à colorier, quelque chose qui la touche directement.

Fred tenait à son idée. La géographie et l'histoire étaient ses matières de prédilection. Ils se querellèrent, se réconcilièrent, s'embrassèrent et m'embrassèrent en riant comme des enfants. Ces alternances d'humeur me déconcertaient et leurs motifs m'échappaient. Cécile laissa éclater sa colère en ouvrant le dernier numéro de l'*Insurgé* que Fred venait de lui apporter (elle avait refusé de le recevoir par la poste pour éviter les ennuis). Le journal sentait encore l'encre, Cécile sursauta en tombant sur un article qui réclamait le droit à la violence et protestait contre les méthodes de la police :

— C'est toi qui as écrit ça! « En ce moment où la flicaille devient de plus en plus brutale et dégoûtante, il est indispensable d'être armé pour se défendre contre des brutes malfaisantes... Nous attirons donc l'attention des copains sur de nouveaux revolvers de sûreté... » Et cet appel à la désertion : « Soldats, si vous vous sentez menacés, guettés par Biribi, n'hésitez pas : désertez! » Et cet appel à l'avortement. Et cette dénonciation du parlementarisme, du patriotisme! « Nous travaillons à l'avènement d'une société nouvelle, sans dieu ni maître... »

Elle tournait et retournait les pages, fiévreusement.

— Qu'est-ce qui te prend? Tu deviens fou? Tu as envie d'aller en prison, de jouer les martyrs? Mon pauvre Fred... Tu feins d'ignorer que la police a un œil sur toi, que tu risques un procès et la suspension de ton journal.

Il s'allongea sur le lit, les mains sous la nuque, le regard perdu dans les sombres perspectives du plafond.

— Tu crois que je ne sais pas ce qui m'attend? L'Insurgé a peu de temps à vivre. Peut-être quelques semaines. Peut-être est-ce le dernier numéro. Si je n'en profite pas pour crier la vérité, qui le fera après moi? La Semaine religieuse? Le Réveil paroissial? Mes camarades sont d'accord. Nous devons nous battre tant qu'on ne nous a pas ligotés, hurler nos opinions le plus fort possible tant qu'on ne nous a pas bâillonnés. Tu en penseras ce que tu voudras, ça ne m'empêchera pas de continuer mon action.

— Alors je t'interdirai de me revoir. C'est peut-être ce que tu cherches?

— Sottise! Je suis ici parce que je t'aime. Je regretterais de devoir renoncer à toi mais ne me demande pas de trahir mes camarades et notre cause. C'est ma raison de vivre. Ce n'est pas pour moi que je lutte, tu le sais, mais pour toi, pour elle (il me montra d'un mouvement du menton), pour tous ceux qui refusent de fermer les yeux devant la

102

lumière de l'évidence. Est-ce que je t'interdis d'aller écouter les sermons du curé avec les autres moutons de Saint-Roch, de te saouler avec Isabelle de Bonneuil, de recevoir des cadeaux de la religieuse défroquée dont tu t'es fait une amie ? Tu as une manière singulière de pratiquer la laïcité !

– La laïcité, c'est la liberté ! Alors, laisse-moi libre de croire, de pratiquer, de fréquenter qui me plaît.

– Soit ! Mais je ne te pardonne pas de t'exhiber avec mes adversaires, alors que tu me reçois comme si j'étais un bandit. Veux-tu que je parte, là, tout de suite ?

– Ne crie pas si fort ! On risque de nous entendre de la route.

Elle jeta un coup d'œil par la fente des contrevents, revint vers lui.

– Je te reçois comme je *dois* te recevoir. Tu feins d'ignorer les risques que ta présence ici me fait courir. Je ne crains pas Pintaut ; il a les idées larges : c'est un franc-maçon convaincu. Mais que l'inspecteur d'Académie et le préfet apprennent que je reçois mon amant dans un logement de fonction et c'est la révocation pure et simple. Et je ne veux pas être *cassée*. J'aime mon métier et il me permet de vivre.

Elle s'approcha du lit, embrassa Fred longuement.

– Malgré ça, je suis heureuse que tu sois là. Reste. Reviens quand tu voudras. Sans toi, mon Fred, je...

Je me demandais avec impatience si leur manège allait bientôt finir. La flognarde qu'elle venait de retirer de la cheminée où elle la gardait au chaud sous un linge embaumait. Je protestais : « J'ai faim, moi! ».

Ils éclatèrent de rire et nous passâmes à table.

Comme je commençais à m'imprégner des convenances, je m'éclipsai tout de suite après la collation afin de les laisser seuls. Cécile me tendit une seconde tranche de flognarde enveloppée dans du papier sulfurisé, mon Atlas, un livre d'arithmétique et un cahier. Elle m'indiqua la leçon que je devais apprendre chez moi et me donna rendez-vous pour le lundi matin. Elle me fit comprendre que le « cousin » Fred passerait la nuit avec elle et ne retournerait à Brive que le lendemain.

Ce dimanche-là, ce n'est pas chez moi que je me rendis, ni dans ma cellule du château mais chez Alice Bernède.

La fille du meunier de Fonfrèje était devenue ma meilleure camarade de classe, celle du moins qui tolérait avec le moins de rancœur le traitement de faveur dont je jouissais auprès de la demoiselle. Les autres me qualifiaient de « chouchoute » et ne manquaient aucune occasion de laisser percer leur jalousie, de se moquer de mes insuffisances et de mes bourdes.

Alice était seule dans la sombre cuisine du moulin. Ses frères : Jouannet et Jeantounet, leurs devoirs terminés, étaient allés aider leur père à achever l'aménagement du fournil. Le silence me parut inhabituel. Depuis près d'un mois déjà la grande roue du moulin avait cessé de tourner et le père Bernède avait pleuré, là, sur la table, dans ses bras croisés.

Le maire lui avait dit :

— Tu fais ce que tu veux, Jules : boulanger, rempailleur de chaises ou *peilharot* [1]. Ça te regarde, mais je t'en prie : ne touche pas aux œuvres vives de ton moulin. Nous en aurons peut-être besoin sans tarder. Tu vois comment tournent les événements dans le monde. Si la guerre nous tombe dessus, quelques moulins devront s'arrêter dans la région par manque de meuniers. Toi qui n'est pas immédiatement mobilisable, tu devras remettre le tien en activité. Alors cuis ton pain en attendant les événements, mets ton moulin à la cape mais ne touche à rien.

C'était drôle, ce moulin immobile, figé dans ses odeurs vivantes avec ses toiles d'araignées, sa poudre de farine, ses meules mortes, ses courroies pendantes, ses entassements de sacs vides, ce parquet qui ne vibrait plus mais sous lequel on entendait encore le grondement léger de l'eau. Le Jules Bernède n'y mettait plus les pieds car chaque fois les larmes lui venaient aux yeux. Il avait gardé

_____

1. Chiffonnier.

son commis qui s'était transformé en maçon pour l'aider à construire le fournil.

– Pourquoi que tu vas pas chez toi ? demanda Alice.

Je haussai les épaules, m'installai sur le banc et partageai avec elle ma part de flognarde. La lumière du dimanche, grise et froide, entrait par le battant supérieur de la porte. On y voyait à peine mais suffisamment pour écraser notre grosse écriture à l'encre violette sur le papier quadrillé.

Pourquoi je n'allais pas chez moi ? Elle le savait bien, Alice. Pierre était de mauvaise humeur ; il se tuait au travail et l'argent rentrait mal, Flavie ayant été congédiée par sa patronne qui avait tout juste assez d'ouvrage pour elle. La Maïré semblait parfois s'en prendre à moi de tous les maux qui accablaient la famille ; elle ne manquait aucune occasion de me charger des tâches les plus pénibles et les plus rebutantes comme aller couper les orties pour les oies et les canards, égrener le maïs ou *baquer* les *gagnous* [1], sous prétexte qu'à mon âge, et bien avant, elle s'activait elle-même aux travaux de la ferme. Mes frères passaient leur temps à se chamailler et à se battre, Flavie à tricoter et à tenir le ménage. Quant à Pierre il ne disait rien ou presque mais je l'entendais parfois maugréer dans son assiette :

– Putain de putain ! J'en ai plein le cul de travailler comme un nègre pour nourrir des feignants !

Il attendait son « service » avec une sourde impatience. Ou la mobilisation et la guerre. On en parlait de plus en plus dans le bourg et dans les journaux. Un jour Guillaume prendrait la mouche et nous aurions ses divisions à nos frontières. Pierre avait parlé de vendre la ferme, d'aller travailler aux chemins de fer ou dans les mines de Chanac, ou encore à Brive, dans la saboterie. Sans la Maïré qui s'opposait de toutes ses forces à ces utopies, il aurait déjà tout bazardé et nous aurait abandonnés. Elle protestait, bardée de sa cuirasse d'autorité :

– Tu crois que tu serais plus tranquille ? Ici tu es ton maître. Tu fais ce que tu veux.

---

1. Donner leur pâtée aux porcs.

105

Il piquait du nez dans son assiette, aspirait sa soupe à grand bruit, lampait son *chabrol*, torchait l'assiette avec une mie de pain et la retournait pour y déposer la cuillerée de *cailladou* qu'il assaisonnait d'ail, de sel et de poivre, se versait du vin – il lui fallait son litre à chaque repas.

La Maïré me considérait avec une pitié agressive. Je faisais des manières à table, comme la demoiselle. Avant les repas, je me lavais les mains à la *couade*, me curais les ongles, mangeais ma soupe bien droite sur le banc, sans mettre les coudes sur la table et sans faire de bruits de bouche, demandais poliment du pain et du vin. La gifle que je reçus le jour où je fis des façons pour aller faire mes besoins dans le *coudert* « comme tout le monde » me brûle encore la joue.

– *Aquela puta de drolla !* s'était écrié la Maïré, il lui faut des « vaterclosettes » comme aux riches.

Chez Jules Bernède, il y avait des cabinets. De vrais cabinets. Une adorable cabane de planches peintes en vert et coiffée de tuiles sous un laurier-sauce plein d'oiseaux et de mouches, entre cour et jardin. Je m'y rendais pour le plaisir autant que pour la nécessité. Accroupie sur la planche trouée, les fesses caressées par un vent coulis, je regardais le moulin par l'ouverture en forme de cœur. Je m'y plaisais surtout à la belle saison. Le bourdonnement des mouches bleues, les querelles et les amours des moineaux et des sittelles, l'odeur forte mais pas désagréable des matières, la chaleur légère m'endormaient. Des vols de pigeons tournoyaient dans le bleu au-dessus du Puy-Faure d'où ruisselait un fleuve de cigales. Sur les feuilles de la *Dépêche* découpées en petits carrés je découvrais des images de voitures automobiles, de dames en corset, d'aéroplanes et de messieurs portant la canne et le chapeau comme le maire les jours de cérémonie.

– On y voit guère, dit Alice en tirant un trait avec sa règle, le nez sur la feuille. La maîtresse t'a donné des devoirs ?

– *Voï !* Des opérations. J'y arriverai jamais. Aide-moi.

– Non ! Tu dois les faire toute seule. La maîtresse a défendu qu'on t'aide.

106

Je bâillai en ouvrant mon cahier et mon livre d'arithmétique. C'était facile mais cela m'ennuyait. J'imaginai
Cécile et Fred dans le grand lit Louis-Philippe, enlacés, en
train de...

– Ce livre, qui te l'a donné ?

– La maîtresse. C'est une « atlasse ».

– Un atlas de géographie ? Montre. Il est tout neuf !
Attends, je vais t'expliquer.

Elle tenta une démonstration que je suivis bouche
bée.

– Écoute bien ! Tu es dans la cour.

– Voï !

– Je monte sur le toit de la grange. Je te vois plus petite.
Je grimpe au bout du *piboul*. Je te vois plus petite encore.
Tu comprends?

– Voï !

– Si je vais jusqu'au château, en haut d'une tour, je te
vois comme un point. Si je monte dans une aéroplane, je te
vois à peine, et si l'aéroplane monte jusqu'aux nuages, je te
vois plus du tout, mais je vois mieux ce qu'y a autour : la
Gane, le bourg, le Puy-Faure, et jusqu'à Marcillac et
Meyssac.

– *Bestiasse !* Tu monteras jamais dans une aéroplane.

– Non ! mais je fais comme si. Et si je monte plus haut
que les nuages, je vois comme une carte. Celle-ci, par
exemple, qui représente le Limousin. Mais faut monter
haut, à des millions de millions, des milliards de milliards
de kilomètres.

Je répétai avec ravissement :

– Des milliards de milliards de milliards de kilomètres...

Le monde prenait soudain une dimension fabuleuse
mais suspecte. Personne n'était jamais monté au-dessus
des nuages. Personne ne pouvait savoir comment on
voyait Saint-Roch de là-haut. Et si ça ressemblait à cette
crème de lait c'était bien triste. Je préférais ma dimension
naturelle. A quoi pouvait servir de monter si haut si c'était
pour ne rien voir ?

A bout d'arguments, Alice soupira, pointa le bout de son

crayon sur la carte, montra l'emplacement de Saint-Roch, à peu de distance de l'endroit que m'avait indiqué Fred.

– Non, dis-je fièrement. Tu te trompes. C'est ici.

– Tu as raison, dit Alice, admirative.

J'allai faire pipi sans besoin mais ne m'attardai pas car il faisait froid dans les cabinets. Lorsque je revins, Alice avait allumé la lampe à pétrole et la mère, qui revenait de fermer les poules pour la nuit, remuait ses casseroles. La marmite était déjà suspendue à la crémaillère.

– Tu restes manger la soupe avec nous, Malvina ? demanda la mère.

– Voui, madame, si ça doit pas vous déranger.

– Elle est bien polie, cette petite. On voit que la demoiselle lui a appris les bonnes manières. On portera pas peine chez toi ?

– Non, madame, on a l'habitude.

Je m'appliquai à aligner des chiffres sur une feuille de brouillon, au crayon, et à les recopier au propre, avec l'encre et le porte-plume de ma compagne qui avait tout « trouvé juste ».

– Tu vois, Malvina, quand tu veux bien...

Il faisait une nuit claire et froide avec de petites bourrasques qui arrachaient aux chênes leurs dernières feuilles. J'avais refusé poliment l'invitation d'Alice de me raccompagner avec le commis. Depuis ma fugue, on se souciait de ma sécurité et, quand on me voyait traîner dans le village, on me jetait : « Retourne chez ta mère, *vaï*, *baraquaine !* » J'allais où je voulais. Le temps que je ne donnais pas à Cécile, je m'attachais à en faire un champ inviolable de liberté et d'observation.

Il y avait encore de la lumière chez Cécile. Je ne pus résister au désir de grimper dans le tilleul. Un des volets avait été poussé par le vent. Ils étaient debout tous deux, l'un en face de l'autre près du lit défait. Des éclats de voix venaient jusqu'à moi mais je n'y attachais guère d'importance, persuadée qu'ils se seraient réconciliés une heure ou deux plus tard.

Cécile me dit le lendemain :

– Tu comprends, j'aime Fred et je ne veux pas qu'il lui arrive malheur. Si la guerre éclate et qu'il déserte, on le retrouvera et on l'enverra sur le front, en première ligne, si on ne le fusille pas. J'ai peur, Malvina. J'ai très peur.

Décembre

La langue tirée en coin, j'écris. J'écris interminablement. Le poêle Godin ronfle, rouge à éclater et sa chaleur
me brûle la joue gauche. La voix monocorde de Cécile
dicte une récitation pour les grands :

« La grande plaine est morne, immobile et sans voix
Pas un bruit, pas un son, toute vie est éteinte
Et l'on entend parfois comme une morne plainte
Quelque chien sans abri qui hurle au coin d'un bois... »

Les sabots ferrés raclent les dalles. Au-dessus de ma tête
chuinte la lampe à carbure. J'entends le Jeantounet
Bernède qui s'en prend à mon frère André :
– Pousse pas, con!
– Eh bien! proteste Cécile.
Elle reprend : « Au coin d'un bois... A la ligne... » Une
rafale de pluie fouette les fenêtres dont Bécharel a
récemment remplacé les vitres manquantes brisées par
des fêtards éméchés au retour d'un bal du samedi soir. à
Marcillac.
J'écris. C'est ma première rédaction. Sujet : « Racontez
les dernières vendanges. » Je ferme un instant les yeux. Le
sécateur blesse les doigts qui deviennent rouges et se
couvrent d'ampoules. On trébuche sur des mottes grasses.
On choisit les grains les plus gros pour les gober. Cécile

110

soupire en soulevant son panier, crie : « Pierre, vous pouvez venir ! » Le retour dans la petite pluie du soir, Cécile et moi, juchées dans la charrette, appuyées aux ridelles, ivres de fatigue et de jus, les mains poisseuses, les reins douloureux. La voix de Pierre, assis sur le timon : « Vous avez bien travaillé, les filles ! Ce soir, vous aurez double ration de pinard... » L'air tiède et humide me colle à la peau. Je fais mine de dormir, ma tête contre la poitrine de Cécile qui me caresse les cheveux dans le bourdonnement des voix. Le soir, dans la grange, ce vieux, le père Selves, notre voisin, qui chante le *Vin de Marsala*, et cette femme qui se met à pleurer. « *Ah ! que maudite soit la guerre !* »

J'écris : « *Je me souviendré toujour du temp des vendanges. Moi et Cécile on a été heureuse ensemble. Je voudré bien que l'anée prochainne elle soye encore la...* »

Deux pages. Je viens d'écrire deux pages d'une traite et je reste là, éblouie, suçant mon porte-plume. Qui donc a rédigé ce texte ? Moi ? Ce n'est pas possible. Quelqu'un a dû guider ma main. Je regarde autour de moi. Joséphine Escaravage examine l'image de la grotte de Massabielle dans son porte-plume de corne tarabiscoté. Camille Blavignac taille consciencieusement son crayon. Un rire me secoue. La voix de Cécile :

– Malvina ! Tu rêves ?

– J'ai fini, mademoiselle.

Elle achève de dicter sa récitation : « *...attendant jusqu'au jour la nuit qui ne vient pas.* Point à la ligne. Guy de Maupassant. J'épelle... » Elle referme le livre, le pose sur son bureau, vient prendre mon devoir.

– Montre un peu.

Elle prend mon cahier, se promène dans les rangs, s'arrête sous la lampe à carbure en jouant avec sa mèche de cheveux, songeuse. Elle me regarde d'un œil soupçonneux, revient à mon texte.

– Camille... Joséphine... qui de vous a aidé Malvina à faire cette rédaction ?

Elles se regardent, secouent la tête négativement.

– Malvina, lève-toi et viens près de moi. C'est bien toi, toute seule, qui as fait ce devoir ?

– Oui, mademoiselle.

– Mes enfants, dit solennellement Cécile, vous êtes témoins que Malvina Delpeuch a rédigé ce texte sans le secours d'aucun d'entre vous. Je vais vous le lire. *« C'était au mois d'octobre dernier, dans notre vigne des Bories-Hautes... »*

J'écoute, rougissante, debout contre le tableau, les mains dans mon dos, jouant avec le nœud de mon tablier. Mon texte, c'est à peine si je le reconnais. Mes propres mots, embellis par la voix de Cécile, pénètrent en moi, font bouger des images, des impressions, des sensations d'une qualité nouvelle comme si la lectrice leur donnait une densité et une chaleur de vie exceptionnelles. C'est moi et ce n'est plus moi. Elle s'arrête, pose le cahier sur son bureau, dit avec un brin d'ostentation :

– Mes enfants, j'avais raison de faire confiance à Malvina. Votre camarade est très douée. Je lui donnerais volontiers neuf sur dix. Qu'en pensez-vous ?

Elle fouille dans sa poche, en retire un petit bout de carton saupoudré de poussière de craie et me le tend. La tête me tourne un peu. Je dois être très rouge. Elle m'embrasse.

Cécile n'attendit pas le lendemain pour divulguer sa découverte. Elle alla montrer mon devoir à Emma Berthier, en attendant que la nuit fût tombée pour éviter toute rencontre dangereuse. « Positivement étonnant ! » dit Mlle Emma. Cécile alla ensuite frapper à la porte du maire ; il n'était pas encore revenu de la foire de Meyssac. Puis, en ma compagnie, elle monta aux Bories-Hautes. Pierre était occupé à traire ; il la pria d'attendre puis, laissant à la Maïré le soin de *passer* le lait, fit entrer Cécile. Engoncé dans le pardessus du pépé, un chapeau d'un vert pisseux sur la nuque, il ressemblait à un *baboui*, cet épouvantail à corbeaux que l'on place dans les champs.

Il sortit deux verres et la bouteille de ratafia, puis il alla se laver les mains à la *couade*.

– Qu'est-ce qu'elle a fait encore comme bêtise ?

– Aucune. Au contraire. Je vous apporte une bonne nouvelle.

– Alors, ça nous changera.

– Il faut que vous lisiez ça, dit Cécile en s'asseyant. C'est un devoir de Malvina. Paul et André sont témoins qu'elle l'a fait toute seule. Ça parle des vendanges.

Pierre parcourut les deux feuillets en s'appliquant car il ne lisait pour ainsi dire plus depuis sa sortie de l'école et écrivait moins encore. Il frotta sa joue envahie par une barbe de trois ou quatre jours.

– Ouais... Et alors?

– Voyons! protesta Cécile, vous ne comprenez pas? C'est Malvina qui a écrit ça. Toute seule.

– C'est bien. C'est très bien. Elle sait lire et écrire à présent. Je vous remercie de le lui avoir appris.

– C'est tout ce que vous trouvez à dire?

Flavie sortit de la chambre et vint vers nous en croquant une pomme pour tromper sa faim. Elle salua Cécile du bout des lèvres et lut le devoir.

– C'est pas possible, dit-elle. Il y a trois mois, Malvina savait à peine compter jusqu'à dix et elle connaissait aucune lettre.

– Eh bien, aujourd'hui, dit joyeusement Cécile, elle sait lire, écrire, compter, faire des opérations. Ce devoir... ce devoir est plein de sensibilité, de poésie même. J'étais loin d'attendre un tel résultat.

– C'est grâce à vous, dit Flavie en se servant un verre de ratafia. Vous croyez qu'elle pourra réussir dans la vie?

– Si je le crois! C'est décidé : je vais la présenter au certificat d'études. Ça vaut la peine d'essayer.

Un bruit de bidons annonça le retour de la Maïré.

– Toi, Flavie, dit-elle, mêle-toi de ce qui te regarde. Le certificat... Et pourquoi pas le brevet? Vous rêvez, ma parole! Qu'est-ce que c'est que cette histoire?

Elle prit le cahier posé sur la table, y jeta un regard.

– Des gribouillages...

– Comment tu peux dire ça! protesta Flavie. Elle a eu neuf sur dix et un bon point. Ça mérite bien un compliment, non!

– T'en voilà un, de compliment, feignasse! Tout ça te regarde pas. Va fermer les vaches!

Ébranlée par la gifle sèche de la Maïré, Flavie faillit tomber du banc.

– Maïré, dit Pierre, tu as tort de frapper Flavie. C'est plus une gamine. Elle gagne son manger. Et comment tu peux dire que c'est du gribouillage, le devoir de Malvina, puisque tu sais ni lire ni écrire?

– Et je m'en porte pas plus mal! Tu crois que je vois pas son manège, à la demoiselle? Elle veut garder Malvina parce que ça lui fait une élève de plus, et trois avec Paul et André. Elle en fera un singe savant de Malvina, mais ce sera toujours un singe. Pour garder les vaches et préparer la *bacade* elle en sait bien assez! A la Noël, on la lui retire.

– Vous n'avez pas le droit! s'écria Cécile.

– Tu l'entends, Pierre! On est plus maîtres chez soi à présent. On n'a « pas le droit »! Elle se prend pour qui, la demoiselle? Pour le juge de paix?

Cécile se leva brusquement :

– Madame Delpeuch, ayez au moins le courage de vous adresser à moi et de me regarder en face. Je parlais d'un droit moral. Malvina est très douée. En moins de trois mois, elle a presque rattrapé les élèves de son âge. Et vous voudriez me l'enlever? C'est une folie! Pierre, dites quelque chose!

Pierre eut un geste d'impuissance. La Maïré était très fatiguée, ses varices la faisaient souffrir et elle avait le ventre malade. Maintenant que Malvina était un peu moins « sauvage », elle pourrait rendre des services à la ferme. C'était vrai qu'on la « trouvait de manque », des fois...

La Maïré était revenue à ses bidons. On l'entendait bougonner contre ces filles qui se lavent l'intimité, qui fument, qui boivent le coup chez la Jeanne et font du scandale à l'église. On avait eu moins d'ennuis avec ceux et celles qui l'avaient précédée. J'étais atterrée, comme à l'épicentre d'un cataclysme contre lequel j'étais impuissante. J'aurais aimé prendre la défense de Cécile, me battre pour elle, mais les mots ne venaient pas. Lorsque

114

Flavie fut de retour, je constatai qu'elle avait pleuré. J'allai vers elle et la pris dans mes bras. Elle aussi était fatiguée, malade de trop de travail et de privations et j'en avais un peu honte, moi qui me portais comme un charme à grapiller ma subsistance chez les uns et les autres, à voler le lait et les œufs.

– Restons-en là! dit Pierre en frappant du plat de la main sur la table. Maïré, il se peut que tu commandes ici, mais c'est moi qui fais le plus gros du travail!

– Tu crois que je fais pas ma part?

– Je dis que tu fais ta part et moi la mienne et que chacun fait ce qu'il peut. Faut réfléchir sans se monter les uns contre les autres. *Milhard de Dieus!* On peut parler sans se fâcher, non? Excusez-la, mademoiselle Brunie, mais vous savez ce que c'est. La petite nous fait besoin. Si la guerre éclate et que je sois mobilisé, faudra bien qu'elle fasse sa part, elle aussi.

– Je comprends, soupira Cécile. Pour Malvina, libre à vous de refuser qu'elle sorte de sa condition, qu'elle aspire à une vie meilleure. Moi, j'ai fait ce que je devais faire, et davantage même. Si elle ne revient pas à l'école demain, je saurai à quoi m'en tenir.

Elle m'embrassa les cheveux, me pressa contre elle et s'éloigna sans un mot.

– Putain de putain! grogna Pierre. Tu vois ce qui arrive à cause de toi, Malvina!

Il finit son verre, avala celui de la demoiselle, auquel elle n'avait pas touché. Quant à celui que Flavie n'avait pas eu le temps de finir, la Maïré le reversa dans la bouteille.

– Quand je pense que tu as sorti notre meilleur ratafia pour cette « sans Dieu », cette traînée!

La nuit qui suivit, je la passai à pleurer dans l'épaule de Flavie. Elle me répétait :

– Ça s'arrangera, *vaï*! Demain matin, tu fais comme si rien s'était passé. Faut pas te décourager. Moi, si j'avais pu continuer...

Flavie... Je la revois, cette petite couturière de treize ans, le dos arrondi dans la lumière avare qui filtrait des vitres de l'hiver, suçant le bout de son fil, s'y reprenant à plusieurs fois pour le passer dans le chas tant ses mains tremblaient de froid, toussant sur son ouvrage et s'attirant des soupçons de la part des employeuses : « Tu serais pas poitrinaire, des fois? On n'a pas beaucoup de santé dans ta famille. Si tu continues à tousser, tu pourras rester chez toi!» Quand la faim la tenaillait, elle réclamait discrètement à manger et, dans les bonnes maisons, on lui donnait une pomme ou une tranche de pain. Mais c'est du froid qu'elle souffrait le plus.

Elle me disait souvent :
– Tu as de la chance, toi, de continuer à aller à l'école. J'aurais bien aimé, moi aussi...

A la veillée, tandis que la Maïré filait le chanvre ou égrenait le maïs, que Pierre tressait des paniers de vimes et de ronces, elle rouvrait parfois ses livres et ses cahiers. Elle avait été une élève moyenne mais studieuse et appliquée, avec de bonnes notes en calcul, en chant, en discipline, mais très mauvaises en rédaction et en orthographe; pour les autres matières, elle se cantonnait dans une médiocrité sans recours. Elle avait échoué au certificat d'études. De ces années d'école, il lui restait une nostalgie passionnée. Il avait fallu l'arracher à ses études – elle voulait redoubler et tenter de nouveau sa chance – pour la placer chez Mme de Bonneuil comme lingère chargée des grosses lessives, mais elle était de santé fragile et la châtelaine ne tenait pas à l'employer à d'autres ouvrages parce qu'elle toussait et que le reste du personnel « se craignait » d'elle. Jeanne Sauvezie, la couturière du bourg, l'avait prise à l'essai et l'avait gardée parce qu'elle était habile, dévouée, peu exigeante. Et puis le travail était venu à manquer...

Le lendemain, Pierre vint nous réveiller comme si rien ne s'était passé.

Je me souviens qu'il faisait un temps dur et froid comme du roc. Un nuage de neige, couleur d'ardoise, montait derrière le Puy-Faure.

116

– Il doit neiger sur la Dordogne, du côté de Carennac, dit Pierre. Je sens la neige. Habillez-vous bien, toi et tes frères, si vous voulez pas « attraper la crève ».

Il paraissait avoir retrouvé son calme et même une pointe de jovialité perçait dans ses propos. La Maïré venait de descendre le lait au chemin et nous l'entendions discuter avec le laitier.

Flavie ôta la marmite du feu, la posa sur la table, versa une partie du contenu sur un linge blanc très épais. Je regardai sans appétit fumer les châtaignes blanchies que nous avions ramassées un mois auparavant dans un bout de châtaigneraie que nous avions vers Bel-Air, et épluchées au *débouéradour*. La Maïré nous servit un verre de lait. D'ordinaire, je me gavais de ces fruits savoureux qui constituaient notre petit déjeuner d'hiver. Je laissais la buée me baigner le visage, me pénétrer lentement les narines, descendre jusqu'à mon estomac qui se contractait de plaisir. J'avançais ma main. « Attends un peu! me disait Flavie. Tu vas te brûler. » Elle en prenait une, la jetait dans son bol de lait où elle la repêchait du bout des ongles, m'en tendait la moitié, avalait l'autre avec de drôles de mouvements des lèvres, disait en aspirant les consonnes : « e ho! » pour « c'est chaud ». Nous riions, nous agitions nos mains, doigts écartés, et même la Maïré, lorsqu'elle ne souffrait pas trop du ventre ou de ses varices, riait de nous voir faire.

Ce matin, nous attendions patiemment que les châtaignes refroidissent, tristement répandues sur leur linge, comme des pierres.

– Eh bien, dit Flavie, tu manges pas?

– Pas faim.

– Il faut manger. Si la Maïré arrive et qu'elle te voie *pimpigner*, elle va gueuler. Allez, *vaï*, mange. Tout s'arrangera. Tu vois bien que Pierre est pour nous. S'il décide que tu resteras avec mademoiselle Brunie, t'as pas de souci à te faire. Mais *tâche moyen* de tenir le coup et de travailler dur.

Je hochai la tête, mangeai une châtaigne, puis une autre. Elles me restaient collées au palais, me plâtraient la langue, résistaient à la déglutition.

– Bois un peu de lait, ça les fera descendre.

Je me sentais écrasée de lassitude, des flocons de mauvais sommeil dans la tête, des frissons de froid par tout le corps. Près de moi Paul et André avalaient goulûment, avec de petits gémissements de plaisir. Ils avaient bien de la chance, eux. Ce n'étaient pas des phénomènes. Ils resteraient à la « communale » jusqu'au certificat et, qu'ils réussissent ou échouent, ils reviendraient à la ferme pour travailler. Que pourraient-ils faire d'autre, d'ailleurs? C'étaient des élèves médiocres. Entre eux et moi, il n'y eut jamais d'affection véritable. Ils ont vécu de leur côté, moi du mien, sans même que nous échangions de cartes pour le premier de l'an, simplement un baiser sans chaleur devant la tombe des nôtres le jour de la Toussaint; ils ne manquent jamais ce rendez-vous, avec leur épouse et leur couvée.

Lorsque la Maïré remonta du chemin en se tenant le flanc, je sentis la panique monter en moi et m'attachai à observer une contenance naturelle. Elle resta quelques instants sur le seuil comme si elle passait une revue d'effectifs, sans dire un mot. Après avoir suspendu le grand chaudron au-dessus du feu pour faire chauffer l'eau de la *bacade*, elle se dirigea vers le lit pour préparer le lever du pépé. Soudain une énorme pitié monta en moi pour cette femme qui peinait et souffrait sans la moindre joie, sans la plus modeste satisfaction. Et si elle avait raison? Si l'école, le certificat, toutes ces notions de réussite ne faisaient que dénaturer ma vocation naturelle qui pouvait être de soulager les miens dans leurs tâches quotidiennes?

– Ne te laisse pas aller! me souffla la Flavie, sinon tout est perdu. Tiens bon!

– Qu'est-ce que vous marmonnez encore toutes les deux? demanda la Maïré en se retournant.

Flavie garda le silence. C'est André qui répondit à sa place.

– Elle dit à Malvina de tenir le coup.

– Toi, Flavie, dit la Maïré, je t'ai déjà dit de t'occuper de tes affaires. Si je te reprends à lui monter le coup, *drolla*, tu auras affaire à moi.

118

La Maïré ne plaisantait pas. Elle avait la main dure. Deux ans auparavant, elle avait corrigé Pierre parce qu'il avait laissé une vache renverser un bidon de lait pendant la traite. Elle n'avait pas recommencé depuis, car il l'avait prévenue : « N'y *tourne* pas, sinon je prends la porte et tu me revois plus ! » Elle n'était tendre et indulgente qu'avec le pépé, cette pauvre chose dont la vie ne tenait qu'à un réseau d'habitudes. Elle ne le laissait manquer de rien ; il avait son paquet de caporal tous les dimanches et une pipe neuve tous les ans. Elle le faisait pisser, le déculottait, le torchait comme un enfant, avec toute une roucoulade de mots tendres. Elle avait pour son père des attentions et des délicatesses qu'elle n'avait jamais témoignées à son mari et à ses enfants.

Durant les jours et les semaines qui suivirent, la demoiselle garnit d'abondance son registre d'appel : un grand cahier recouvert de bleu où elle mentionnait l'absence de ses élèves en précisant les motifs invoqués : « Malade »... « Occupée à dévider... » « Utile à sa mère... » « Pour chercher son pain... » Durant cette période où le froid fit des ravages, elle indiquait souvent : « Pas de vêtements ». Elle gémissait en voyant des élèves arriver des lointains hameaux vêtus simplement d'une chemise de droguet et de leur tablier, grelottants, les ongles bleus, le bout du nez rouge, avec de la morve qui leur descendait au menton sans qu'ils s'en rendent compte. Elle les laissait entrer sans attendre l'heure, s'installer près du poêle pour faire sécher leurs vêtements, leur servait un bol de tisane au miel, les regardait fumer comme des soupes et dégager cette odeur de vieux vêtements trop portés, de crasse, de misère qui m'est restée collée aux narines.

La plus à plaindre était la petite Rachel Morange.

Elle arrivait seule et par tous les temps d'un hameau de trois feux perché dans les termes de Malevergne, à cinq kilomètres au moins de l'école communale, au milieu des forêts et des vignes mortes où l'on ne pouvait accéder qu'à pied ou avec des chars à bancs. Elle vivait seule avec sa mère et un frère un peu *nèci* [1], tout juste bon à garder les

___
1. Simple.

vaches. Son père avait quitté la maison peu après sa naissance pour aller travailler « sur la voie », près de Brive ; il n'était jamais revenu et n'avait jamais donné de nouvelles.

Rachel faisait seule le chemin, chaussée de socques trop grands pour elle, rafistolés avec des morceaux de boîtes à conserve et qui prenaient eau de toute part. Ses chaussettes en laine brute lui montaient aux cuisses mais, imprégnées d'eau, elles séchaient très lentement et gerçaient la peau.

Je la regardais arriver dans la neige par le chemin qui descend du bourg, enfouie dans l'ombre de son grand parapluie bleu alourdi par l'eau dont il était saturé. Elle tenait le manche appuyé à son épaule comme on porte un manche de faux ou de pelle, son cabas au bras gauche, fiérote malgré la fatigue, le froid, la faim. Une buée flottait autour de son visage rose de poupée toujours souriant et encadré d'un bonnet ayant appartenu à sa mère, sous lequel disparaissait la plus belle chevelure que j'aie jamais connue à mes compagnes. Rachel ne se plaignait jamais. Pour rien au monde elle n'eût manqué l'école, bien que ce fût une élève moyenne. Elle voulait devenir institutrice ; c'était son idée fixe. Au bout de la longue et pénible route sur laquelle elle s'était engagée avec tant d'espérance et de naïveté, il y avait cet avenir sur lequel, une fois pour toutes, elle avait fixé son regard et son ambition.

De retour à Malevergne, d'autres travaux et d'autres soucis l'attendaient, qu'elle assumait sans faillir et sans se plaindre, en souriant même, comme si elle était habitée par une puissance invisible. En vérité, elle allait constamment jusqu'au bout de sa résistance et mettait un point d'honneur à ne jamais laisser apparaître sa fatigue ou son découragement. Elle me fascinait. J'avais tenté de m'en faire une amie, d'autant que nous étions semblables sur de nombreux points sauf que, contrairement à moi, elle ne jouait pas et ne rêvait pas.

La première fois que j'ai vu Rachel Morange privée de son sourire, c'était à quelques jours de son départ de Sainte-Thérèse, dont sa mère l'avait retirée, dans l'impossibilité où elle était de régler les redevances. Un matin, nous la vîmes arriver avec un gros bandeau autour de la tête.

– Qu'as-tu, Rachel? demanda Cécile.

– Mal aux dents, mademoiselle.

– Montre!

Le bandeau défait, Cécile eut un hoquet de stupeur : un emplâtre de bouse de vache fraîche recouvrait la joue tuméfiée.

– Qui est-ce qui te soigne ainsi?

– Le sorcier de Végennes, mademoiselle. Il a donné la recette à ma mère.

Cécile nettoya la joue, examina la dentition. Rachel couvait un abcès.

– Tu vas filer à Meyssac tout de suite. C'est jour de foire. Si Bécharel n'est pas encore parti, il t'emmènera dans sa voiture. Te voilà de quoi payer. Jouannet Bernède t'accompagnera, avec la permission de ses parents.

– Mais je ne peux pas, mademoiselle. Il y a composition de géographie cet après-midi, protesta Rachel.

– C'est sans importance.

Au retour, Jouannet nous avait tout raconté : le tumulte de la foire, le berlingot qu'il s'était acheté, le grand chariot bâché du charlatan debout sur cette estrade improvisée, un collier de dents autour du cou comme les sauvages, et, à ses pieds, un éventaire garni de boîtes contenant des crocs sanguinolents. Un garçon jouait du tambour pour étouffer les plaintes et les hurlements des patients lorsqu'il criait : « Allez, roulez! ». Rachel n'avait pas bronché lorsque le charlatan, dans le roulement du tambour, avait introduit dans sa bouche ses pinces de crabe et fouillé pour saisir la dent gâtée sous la boursouflure des chairs. Il avait dû s'y prendre à deux fois ou trois fois; il jurait, s'essuyait le front en transpirant tandis que Jouannet, blême de peur, tenait ferme les bras de sa compagne. Le charlatan était ressorti face aux badauds en brandissant la molaire à la pointe de sa tenaille, s'écriant : « Sans douleur, messieurs et dames! » C'était une sorte de Parisien. Pour ranimer sa patiente, il lui avait fait avaler une gorgée de gnole et l'avait fait sortir par derrière.

Nous avions déjà préparé nos cahiers pour la composition de géographie et la classe de l'après-midi commençait, lorsque nous avons vu apparaître Rachel, titubante et livide.

– Toi! s'écria Cécile. Déjà? Et Jouannet?

Jouannet était resté à Meyssac. Il s'était refusé à couvrir à pied les dix kilomètres du retour et d'ailleurs il souhaitait profiter jusqu'au bout de cette aubaine inespérée : une journée de congé à titre exceptionnel. Rachel avait donc décidé de repartir seule; il fallait qu'elle soit présente pour la « compo ». Elle s'en tira d'ailleurs avec une bonne note à laquelle la bienveillance de la maîtresse ne devait pas être étrangère.

Nous avions beau bourrer le poêle jusqu'à la gueule au point qu'il devenait rouge et semblait prêt d'exploser, nous n'arrivions pas à maintenir dans la classe une température supportable. De plus, nous devions laisser les lampes à carbure allumées toute la journée; leur odeur âcre, leur sifflement inquiétant dans l'ambiance crépusculaire qui baignait la grande salle suscitaient un malaise que Cécile tentait de dissiper par des salves de bonne humeur.

Nous n'avons jamais autant chanté, ri, plaisanté que durant ce mois-là. Nous entonnions des couplets de Maurice Bouchor :

> « *Les Alpes dans l'espace*
> *Dressent leurs purs sommets*
> *La splendeur et la grâce*
> *Les parent à jamais...* »

Nous respirions un air d'été. Nous regardions le sommet du Puy-Faure, d'où des torrents d'edelweiss, de neige et de violettes allaient peut-être ruisseler, comme dans l'image de cette « Mer de Glace à Chamonix » qui ornait un mur de la classe. Cécile ouvrait son recueil de « Chants populaires pour les écoles » qui ne quittait jamais son bureau, écrivait le texte au tableau de sa belle écriture lente et souple qui ne manquait aucun plein et aucun délié. Après la « Chanson des Alpes » elle choisissait celle des Pyrénées :

> *« Ah ! que vous êtes belles*
> *Cimes du Canigou*
> *L'or de vos fleurs nouvelles*
> *Brille comme un bijou... »*

De préférence aux chants patriotiques qui nous ennuyaient, elle préférait ceux qui suscitaient en nous – et en elle – des images d'été, d'altitude, d'espace, d'azur, de chaleur. En chantant, nous entrions de plain-pied dans la magie du monde. Il suffisait de suivre le chemin de la musique et des mots et un autre univers était à notre portée.

Je me souviens particulièrement d'une chanson que la maîtresse nous apprit au temps de Noël. Elle s'intitulait : « Noël aux champs » et se chantait sur un air de « pastourelle béarnaise » :

> *« Bergers et bergères*
> *Il faut ouvrir vos yeux.*
> *Le son des harpes claires*
> *Emplit les vastes cieux... »*

Cette chanson, je ne la fredonnais jamais sans que les larmes me vinssent aux yeux. Le mystère de Noël était pour moi doublement opaque : j'avais du mal à comprendre pourquoi l'on attachait autant d'importance à une naissance qui remontait à une époque où le père de mon père n'était pas né et à admettre qu'un enfant ait pu naître d'une Vierge mais j'étais sensible jusqu'aux larmes à ce mouvement de caravane sous les étoiles de l'hiver, à cette étable où pointait une aube de Genèse, à cette femme et à ce charpentier (il s'appelait Joseph comme mon pépé : nous prononçions « Jaujeu ») qui paraissaient entraînés sur les chemins du désert et de la nuit par une puissance vertigineuse. Les images que Cécile faisait circuler parmi nous, les nativités d'un album qu'elle avait ramené de la ville exprès pour nous les montrer, je les accaparais, les appropriais, rêvant des heures sur ces personnages et ces paysages qui ne ressemblaient à rien de ce que je connaissais.

A l'approche de Noël, l'angoisse me tenaillait. La Maïré, je le savais, tiendrait parole et me retirerait de l'école.

Pour conjurer cette menace, je m'appliquais de mon mieux, lisant, écrivant en dehors des heures de classe jusqu'à sentir ma tête s'alourdir et ma vue se brouiller. Pour coordonner mes pensées et me délier la langue comme l'avait prescrit Cécile, je profitais de mes rares promenades solitaires pour parler à voix haute en articulant. On m'eût prise pour une folle, comme le Babeu, le pauvre idiot des Escrozes qui courait après les corbeaux et bavait dans sa barbe en poussant des cris de chien. Je parlais maintenant sans trop d'hésitation et d'erreurs dans le choix des mots. Le plus difficile avait été d'éliminer les termes de patois et les idiotismes pour les remplacer par leurs équivalents en français.

– Parle-moi! disait Cécile. Tu as bien quelque chose à raconter?

Elle faisait semblant, pour ne pas paraître me contraindre, de ne me prêter qu'une attention distraite mais, lorsque je dérivais dans mes « imaginations » comme elle disait, elle intervenait discrètement pour me ramener à des notions concrètes.

Mes repas de midi, je les prenais souvent avec mes camarades des villages lointains, dans la classe elle-même. Certains se rendaient au bourg où, pour quelques centimes, Agathe Laspoumadère leur trempait la soupe. Ceux-là, c'étaient les « riches » et nous en comptions seulement deux ou trois. Les autres réchauffaient leur gamelle sur le poêle ou contre les parois de fonte, attachée à un fil de fer. Nous apportions un boudin, un peu de charcuterie, des pommes de terre, un œuf dur, de la soupe et un *fiolou* de vin ou de cidre. C'était une petite fête quotidienne. Notre repas achevé, pour nous dégourdir les jambes et nous réchauffer, nous dansions la bourrée ou la *Valsovienne*, nous galopions en chaussettes autour des bancs.

Moi, je préférais parler. Assise au bureau de la maîtresse, je parodiais ses leçons, ses mimiques, son accent, mélangeant les genres, introduisant le lyrisme de Sully Prudhomme dans les plates démonstrations arithmétiques d'Arsène Pintaut, survolant des géographies démentielles au milieu desquelles s'affrontaient les héros de l'histoire de France de Lavisse ou de Calvet. J'avais en Rachel Morange un public en or, elle écoutait bouche bée en grignotant nos restes car elle n'avait dans son cabas qu'une pomme ou un quignon de pain dur. Cécile n'était pas là pour m'imposer une logique du raisonnement et j'en profitais. Pas un instant je ne laissais en repos ma mémoire et mon intelligence, ces instruments que j'avais découverts tout au fond de moi, enfouis sous des montagnes d'indifférence, j'en faisais un usage dévoyé. Cécile me le reprochait souvent et tentait vainement de m'imposer une discipline, mais l'intelligence et la mémoire éclataient en moi comme les sèves du printemps.

Avant la venue de Cécile, Noël était la fête des autres et j'en étais exclue.

Aussi loin que je remonte dans mes souvenirs en amont de cette période, je ne retrouve que des joies étrangères à moi et non partagées. Notre famille était trop pauvre, accablée de soucis, désorganisée, pour que cette fête s'y marquât par des cadeaux, des agapes, des embrassades. La messe de minuit était notre seule réjouissance mais je m'y endormais, la tête enfouie dans le giron de la Maïré, bercée par les cantiques en langue du pays chantés par Mlle Berthier. Ce « divin enfant » qui venait de naître m'importait peu, d'autant qu'il n'était présent qu'en effigie à cette sorte de baptême.

De retour aux Bories-Hautes, trébuchant dans les mauvais *rapétous* d'entre les vignes, guidés par la lanterne que Pierre portait devant nous en compagnie du père Selves, nous nous endormions aussitôt. Le matin, sans connaître les raisons de ce cadeau, nous trouvions dans nos socques disposés devant le cantou une pomme que nous croquions sans un mot de remerciement et sans chercher dans ce don la moindre référence symbolique. Certain Noël du temps de mon père, j'avais trouvé une poupée de chiffons, Pierre une petite charrette de bois blanc et Flavie un Jésus en sucre.

Le mystère de cette nuit m'atteignait par des voies détournées sans susciter autre chose qu'une simple curiosité. Ces lumières au château et dans quelques maisons du village, ces chants du réveillon, ce tumulte de l'auberge, ce calme étrange d'une matinée longue à s'éveiller dans l'engourdissement du froid, de la pluie ou de la neige, se présentaient comme une singularité sans signification particulière.

Lorsque Cécile m'interrogea sur la façon dont nous célébrions cette fête de famille, elle ne s'étonna qu'à demi de m'entendre répondre qu'il ne se passait pour ainsi dire rien et que j'ignorais ce qu'on pouvait bien célébrer.

– Après Noël, dit-elle, je t'enverrai au catéchisme avec les autres. Il est grand temps.

– Non. J'irai pas.

– Et pourquoi donc?

Il faisait froid dans l'église, on s'y ennuyait et je ne comprenais rien à ce qu'on y enseignait. Deux ou trois fois, par curiosité, j'y étais allée. J'aimais bien entendre la voix de Mlle Berthier, la façon dont elle évoquait des personnages aux noms bizarres qui vivaient au milieu des nuages ou sur une terre qui n'était pas la nôtre, où ne poussaient que des buissons et des oliviers. Elle était assise dans un grand fauteuil capitonné, celui que l'on réservait aux rares visites de l'évêque – don de Mme de Bonneuil – emmitouflée dans sa grande pèlerine de laine noire qui ne laissait apparaître que son visage de madone chlorotique et ses longues mains émaciées. Ses pieds reposaient sur une chaufferette et ça sentait le roussi lorsqu'elle laissait trop longtemps ses pantoufles au-dessus de la braise.

– Désormais, dit Cécile, je veux que Noël soit une fête pour toi et que tu reçoives des cadeaux.

Depuis trois semaines Fred n'était pas revenu à Saint-Roch. Comme Cécile l'avait prédit, l'*Insurgé* avait été interdit, Fred avait des ennuis avec la justice et on le surveillait de près. Ce n'est pas sur lui que Cécile pouvait compter pour garnir ses souliers.

– J'aurai quoi comme cadeau?

– Ce sera une surprise. Il y aura aussi un cadeau pour Rachel, mais ne le lui répète pas et n'en dis rien aux autres : ils seraient jaloux.

Son premier cadeau, Cécile le reçut quelques jours avant Noël. Un jeudi matin, alors qu'elle me faisait travailler le calcul, nous entendîmes la voix de Jules Bernède dans la cour. Il poussait devant lui un petit charretou recouvert d'une touaille blanche.

– Holà! la compagnie... Il y a du monde?

– Monsieur Bernède, qu'est-ce qui vous amène?

Intriguées, nous descendîmes. Le père Bernède tenait son béret à la main. Il ôta sa pipe de sa bouche, s'essuya les moustaches d'un revers de poignet.

– C'est rien de bien « riche », dit-il.

Le charretou contenait une énorme tourte encore chaude, blonde comme une éteule d'août et si odorante que la salive me vint à la bouche. A côté de ce soleil opulent, il avait placé une petite lune de *millassou* d'un blond roux qui paraissait bien *moufle*[1].

– C'est ma première cuisson. J'ai chauffé le four avec du genévrier. Ça donne un goût spécial au pain, vous verrez. Alors j'ai pensé que ça vous ferait plaisir d'étrenner mon fournil. Ça vous aidera à passer Noël et à penser un peu à nous comme j'ai pensé à vous pour cette première fournée.

– Mais je n'en viendrai jamais à bout! s'exclama joyeusement Cécile. Cette tourte pèse au moins dix livres!

– Tout juste! Mais elle vous fera la quinzaine si vous la tenez au frais. Le *millassou*, c'est ma femme qui l'a fait pour vous, avec notre maïs. Maintenant il faut que je m'en retourne.

– Vous remercierez Mme Bernède, ainsi qu'Alice. Quant à vous, monsieur Bernède, permettez que je vous embrasse.

---

1. Moelleuse.

La grosse moustache trembla d'émotion lorsque les lèvres de Cécile la frôlèrent.

– Vous savez, dit le bonhomme en se retirant, toutes les misères qu'on vous fait dans le village, ça me peine et ma femme aussi. Tant qu'on sera pas débarrassés de ce curé, il y aura des histoires. C'est pas vous qui divisez la commune, mademoiselle Brunie, c'est lui. Des fois j'ai envie de prendre mon fusil et, *milhard de Dieus!*...

– Voulez-vous vous taire, monsieur Bernède! Laissez faire. Tant que des gens comme vous prendront mon parti, je n'aurai rien à craindre.

– Il a encore dit du mal de vous en chaire, dimanche. Il sait bien que vous pouvez pas vous défendre, ce jean-foutre, et il en profite.

Il accrocha sa pipe à ses dents, ajusta en deux coups très vifs son béret sur sa tête et repartit entre les mancherons de son charretou.

Durant les journées qui précédèrent Noël, Cécile changea beaucoup. Je la trouvais irritable, tendue, taciturne. Elle ne supportait plus ces regards qui l'épiaient, ces visages qui se détournaient, ces silences dès qu'elle approchait, ces signes de croix que l'on faisait sur son passage, ces rires et ces cris des filles de Sainte-Thérèse qui lui lançaient, dès qu'elle avait le dos tourné : « Laïque, bourrique! Couvent, savant! » Elle se hérissait devant le mauvais vouloir des commerçantes qui la servaient avec des airs pincés, sans proférer d'autre parole que l'annonce du prix, ces vieux qui se poussaient du coude en regardant passer cette belle fille qui « recevait-des-hommes-chez-elle ». Comme moi, jadis, au seuil de cette fête qui est celle du grand partage de la joie et de l'espoir, elle se sentait bannie.

Ces derniers jours de classe avant les vacances lui semblaient interminables. Ils se traînaient dans la neige et la boue de l'aube au couchant. Cécile guettait « La Jeunesse » mais notre facteur n'apportait plus de lettres de Fred. En revanche, elle reçut deux courriers d'Allemagne : des pacifistes avec lesquels Fred l'avait mise en rapport et qui lui écrivaient dans un mauvais français des missives de plusieurs pages. Elle les pria de renoncer à cette correspondance qui pouvait être dangereuse pour elle et pour eux. Puis elle s'accusa de lâcheté, mais trop tard.

– Je vais partir, me dit-elle un soir. Il le faut. Passer Noël dans ce trou, c'est au-dessus de mes forces. A part les enfants, je n'ai vu personne aujourd'hui. Emma Berthier a dû se faire sermonner. Quant à la belle amitié d'Isabelle de Bonneuil, ce n'était peut-être qu'une provocation destinée à me compromettre. Quand je pense qu'elle m'a contrainte à m'exhiber dans ce bouge seule avec elle!

La colère la rendait injuste. J'aurais aimé le lui faire comprendre, mais comment trouver les mots qui convenaient?

– Je vais aller passer quelques jours chez mes parents. Je ne sais pas si j'aurai le courage de reprendre mon poste. Pourquoi ne m'a-t-on pas prévenue de ce que j'allais trouver ici? Quel jeu est-on en train de jouer à l'Académie, dont je suis la victime? Pourquoi m'a-t-on choisie, moi, pour tenir tête à cette brute de curé, à cette population qui mène encore sa guerre de religion et m'a prise pour cible alors que je suis innocente et que je n'ai pas demandé à venir? Non et non! Je ne reviendrai pas!

Brusquement, elle sembla prendre conscience du mal que ses propos me faisaient. Elle vit mes yeux pleins d'eau, mes lèvres serrées, et me prit dans ses bras.

– Pardonne-moi, Malvina! Mais tu vois bien que j'étouffe, que personne n'est venu m'inviter pour le réveillon ou le repas de Noël. On désapprouve le curé mais on le craint. Tous! tous! même les Blavignac, ces socialistes. Même Isabelle qui se dit « libérée ».

Elle allait d'une fenêtre à l'autre, les bras croisés sur sa poitrine bardée de sa grosse pèlerine noire, les frottant pour les réchauffer. Elle regardait du côté du marais puis du village, et c'est la même solitude, la même grisaille, la même immobilité lunaire qu'elle retrouvait.

– Ce *millassou*, me dit-elle brusquement, nous allons le manger ensemble. Mets-le à réchauffer. Je vais voir ce qui reste de vin dans la grange.

Je plaçai le gâteau sur un trépied, près des flammes. Elle remonta en brandissant d'un air triomphant une bouteille étiquetée : « Meymac près Bordeaux » que son père lui avait donnée lors de son départ. Elle ne voulait pas attendre Noël pour la boire. Noël, on le fêterait là, tout de suite. Les cadeaux viendraient plus tard.

– Mets la table. Nous allons faire la dînette. N'oublie pas la nappe blanche, celle qui a des broderies bleues, que je mettais en l'honneur de Fred. Et les belles assiettes, celles de la « Révolution ». Je mets la bouteille à chambrer.

– Et mon problème ?

– Quel problème ? Ah, oui... Nous verrons plus tard.

Elle ajouta une bûche, tisonna nerveusement. De l'armoire elle sortit quelques bijoux de pacotille, deux chapeaux dont elle nous affubla, ceux qui portaient des violettes, des roses et des cerises. Devant le troisième couvert qu'elle venait d'ajouter, elle posa le portrait de Fred dans un cadre en faux ivoire tarabiscoté : une belle photo d'adolescent dans un décor de colonnades en carton-pâte, portant une signature : « Beynié, Brive ».

Ce soir-là, nous avons ri comme des folles, et parlé, et chanté. J'avais permission de dire tout ce qui me passait par la tête et je ne m'en privais pas. Avec nos chapeaux et nos bijoux nous jouions aux dames. Le pain de Bernède, avec les rillettes d'Agathe Laspoumadère, c'était un régal. Le vin sentait un peu le bouchon mais il était chaleureux à souhait. Cécile couronna le *millassou* d'une prune à l'eau de vie. Brusquement, elle se leva, la main sur le cœur, dans une attitude de diva.

– Ça y est, dit-elle, ça tourne. Je ne sens plus le plancher sous mes pieds.

Elle ouvrit la fenêtre qui donnait sur le marécage et vomit son repas. La nuit était claire. La lune couvait comme une grosse poule blanche dans un nid de nuages d'argent posé sur le Puy-Faure dont on distinguait la masse lourde, recouverte d'une chape de vieille neige à demi gelée. J'aidai Cécile à gagner son lit et la débarrassai de son chapeau et de ses bijoux. Elle était glacée ; des frissons la secouaient par intermittence.

– Les briques... dans la cheminée...

Après l'avoir aidée à se déshabiller j'enveloppai les briques dans de vieux linges, les glissai à ses pieds et de chaque côté de son ventre. Moi aussi j'avais bu du vin, mais juste ce qu'il fallait pour me faire tourner la tête sans la perdre.

– Viens! dit Cécile. Viens te coucher près de moi. Je ne veux pas dormir seule, cette nuit.

Quand je constatai qu'elle ne frissonnait plus et commençait à somnoler, je baissai la lumière de la lampe que je posai sur le bureau. Mon cahier, mon encrier, mon porte-plume étaient en place. La pèlerine de Cécile sur mes épaules, baignée dans son odeur, je commençai à déchiffrer le problème : « *Deux machines à coudre marchant d'une manière continue et régulière consomment l'une 7 bobines de fil...* » J'imaginai Flavie dans le froid d'une grande pièce noire, penchée sur la machine, l'animant de ses jambes maigres, poussant l'étoffe à deux mains; j'entendais le ronron métallique et la voix de la petite couturière qui chantait : « *Rossignolet des bois, rossignolet sauvage...* » Le problème était trop difficile pour moi. Sans l'aide de Cécile, sans ses explications inlassables, je ne pourrais trouver la solution. Les lettres, les chiffres, les signes dansaient devant mes yeux. Je luttais contre le sommeil et je me disais : « Un cadeau... Il faut que je fasse un cadeau à Cécile, sinon elle partira et ne reviendra plus... »

Offrir un cadeau à Cécile? Ce n'était pas seulement affaire d'imagination mais de possibilités. J'étais totalement démunie d'argent et de tout bien. Sauf peut-être Rachel Morange, il n'y avait pas plus pauvre que moi à l'école. Je n'allais tout de même pas lui offrir une pomme ou un dessin de ma main!

Il me restait un recours : voler, mais on se méfiait de moi. Les épicières m'accueillaient sans aménité lorsque je venais faire une course pour la Maïré ou simplement me mettre au chaud et renifler l'odeur enivrante et composite des boutiques. On m'apostrophait sans ménagement :

– Qu'est-ce que tu veux la *baraquaine?* Rien? Alors, ouste!

J'entrai chez Agathe Laspoumadère en même temps que la Julie Ponchet, du moulin de Bernes, qui me dissimulait involontairement derrière son ample robe en mérinos sur laquelle tombait un grand châle noir. Tandis que l'épicière servait sa cliente, je tentai de faire main basse sur une bouteille de « Charmoise ». La Julie surprit mon geste et glapit :

– Eh bien! Qu'est-ce que je vois? Tu voles à présent?

– Elle vole pas, dit Agathe, mais il faut qu'elle tripote tout.

Non! décidément, je ne pouvais voler cette brave femme qui m'aimait bien. En revanche, il m'aurait été agréable de tromper la surveillance de cette garce d'Eugénie Saulière, cul béni et langue de vipère, mais elle n'était pas facile à berner, toujours sur le qui-vive, en train de faire sa caisse et son inventaire.

Et entendant tinter les sonnailles de la porte, je me précipitai et entrai en profitant de ce que la Jeanne Sauvezie, ancienne patronne de Flavie, et sa grande fillasse montée en graine, décrottaient leurs socques sur le racloir. Il me suffisait de tendre la main pour dérober un paquet d'oignons ou une salade et, ni vu ni connu, je repartais les mains pleines, mais ce n'était pas ce que je voulais. J'étais fascinée par la colonnade mordorée des liqueurs et des apéritifs qui s'alignaient dans une lumière de paradis sur une étagère avec leurs étiquettes imagées et coloriées : « Lilet... Picon... Suze... Bénédictine... Charmoise... » La puissance de la tentation était telle qu'elle eût désamorcé toute velléité de remords. Je me glissai entre la Jeanne Sauvezie et sa fillasse d'une part, l'étagère aux merveilles de l'autre, de manière à passer inaperçue. Tandis que l'épicière tournait et virait en dispersant des éclats de voix aigre qui se brisaient contre les quincailleries suspendues au plafond, je tendis la main vers une bouteille de « Charmoise ».

Mon geste resta en suspens.

– Dis donc, toi la *baraquaine*, voilà que tu te mets à voler à présent? Et une bouteille de « Charmoise » encore! Attends un peu, ma *drolla!*

132

Je restai ancrée sur place, les mains dans le dos, bien décidée à jouer mon rôle d'idiote du village. La Jeanne Sauvezie tomba dans le piège.

– Faut pas lui en vouloir, allez, Eugénie! Elle est un peu *nèci* vous savez bien! Elle fait pas ça méchamment. Allez, pardonnez-lui pour cette fois. C'est la Semaine de Bonté.

– Je t'en foutrai des Semaines de Bonté, graine de laïque! C'est à voler qu'on t'apprend dans ton école sans Dieu? Ma bonne Jeanne, ça n'a pas de religion, comment voulez-vous que ça puisse avoir de la morale? Je vais le dire à ta mère. Tu vas voir la *rouste* qu'elle va te passer!

D'un geste impérieux elle me montra la porte et je m'éclipsai dans un ruissellement de sonnailles. A quelques pas de là, une voix m'interpella. Je me retournai. La fille de Jeanne s'avançait vers moi avec une grâce de percheron, son visage couleur de tourteau de son ouvert d'un sourire. Elle me glissa une pièce dans la main.

– Tiens! De la part de ma mère. Jésus a dit qu'il faut donner aux pauvres.

Sans le savoir, la Jeanne Sauvezie venait de me donner une idée.

Le lendemain, qui était un dimanche, je m'habillai du plus mal que je pus et pris la route de La Chapelle-aux-Saints avant l'heure de la messe. Il faisait un froid sec et âpre; le soleil tardait à se montrer derrière un rideau de brume rose sale tiré sur l'horizon. J'arrivai à l'église alors que les fidèles franchissaient le portail. Après avoir ôté mes socques et mes chaussettes que je dissimulai derrière un contrefort, je m'installai près de la porte, pieds nus, enveloppée d'une mauvaise toile à sac et je tendis la main. Les gens se regardaient, interloqués.

– *La coneisses, tu?*

– *Non. Es pas d'aici. Probablament une barraquina.*

On se penchait vers moi. On me questionnait. Je montrais ma bouche muette. On me donnait quelques centimes, parfois un sou. Ce maigre pactole me chauffait le creux de la main et le cœur et, comme je n'étais connue de personne, je n'avais ni scrupule ni remords, simplement très froid aux jambes dont je ne sentais plus les extrémités. Je devais être très pâle car des femmes me touchaient la joue du revers de la main, hochaient tristement la tête et me proposaient d'entrer à l'église, mais je m'y refusais sans trop savoir pourquoi, peut-être parce que je craignais d'offenser le Seigneur par mon imposture. Extérieurement, mon acte ne constituait qu'une bénigne malhonnêteté; intérieurement, c'eût été un sacrilège.

Les portes de l'église refermées sur les premiers chants, je remis mes chaussettes, rechaussai mes socques et marchai d'un pas rapide vers l'église de Végennes située à quelques kilomètres de distance.

J'arrivai alors que les fidèles commençaient à se répandre hors du sanctuaire dans la sonnerie des cloches. De nouveau on s'apitoya sur ma tenue misérable, ma pâleur, mes pieds nus et, de nouveau, la source du pactole ruissela et ma paume se remplit de piécettes.

Ma quête terminée, la poche de ma vieille blouse bourrée, pendante comme le goitre de la Marie Belette, du moulin de la Tournadre, je repris le chemin de Saint-Roch, un peu ivre de cette petite fortune si facilement acquise, moi qui n'avais jamais possédé en propre de quoi m'acheter un bâton de « bois doux ». Mon plaisir ne comptait pas – c'était une satisfaction très ordinaire, celle d'une facétie bien menée – mais je songeais surtout à la joie de Cécile lorsque je déposerais sur sa table la bouteille de « Charmoise » ou de « Bénédictine ». Je ne souhaitais pas d'autre cadeau que cette joie.

Mon premier soin en arrivant à Saint-Roch fut de me rendre chez Eugénie Saulière, la tête haute, le visage arrogant. La boutique, à la sortie de la messe, bourdonnait d'un tumulte de conversations suraiguës. On commentait le sermon du curé, la présence ou l'absence de tel ou telle dans les rangs des paroissiens. Isabelle de Bonneuil était en train de choisir des gâteaux secs. Elle me frotta amicalement la tête, me demanda distraitement des nouvelles de « Mlle Cécile ».

– Pourquoi tu viens plus la voir? dis-je.

– J'ai eu beaucoup de travail ces temps derniers.

Lorsque Eugénie Saulière m'eut repérée, je crus qu'elle allait sauter par-dessus son comptoir.

– Toi encore! Voleuse! Fous-moi le camp et en vitesse!

Je laissai passer l'orage et dis poliment :

– Je voudrais une bouteille d'apéritif ou de digestif, madame, s'il vous plaît. J'ai des sous.

Jouant du coude dans le groupe des clientes, je déposai sur le comptoir deux poignées de pièces. Eugénie Saulière les examina comme s'il s'agissait de fausse monnaie et dit en fronçant les sourcils :

– Où tu as pris cet argent?

– Je l'ai pas volé. On me l'a donné.

– Ça, ma *drolla*, c'est louche.

Isabelle intervint avec fermeté. Je n'étais pas une voleuse. Je venais en cliente; qu'on me serve puisque j'avais de quoi payer.

– Montrez-lui donc ce que vous avez, dit Isabelle que le jeu paraissait divertir.

Je voulais voir les bouteilles de plus près, connaître les prix. De mauvaise grâce, l'épicière en disposa une demi-douzaine sur le comptoir, m'intima l'ordre de choisir rapidement car elle avait d'autres clientes à servir. Je pris le temps de réfléchir, puis je dis posément :

– Vous avez pas ce que je veux.

– Et qu'est-ce que tu veux?

– De la « Chartreuse de Parme ».

Elle se fit répéter le nom de la liqueur, secoua la tête. Elle n'avait jamais entendu parler de cette liqueur. Je repris mon argent.

– Alors tant pis. J'irai voir chez Agathe.

Isabelle me rejoignit sur le pas de la porte.

– Toi, dit-elle, tu es rudement futée. Qu'est-ce que c'est que cette histoire de « Chartreuse de Parme »?

Je lui avouai que l'idée m'était venue soudain en me souvenant d'un livre que Cécile avait lu et qui portait ce nom suggérant l'idée d'une liqueur. Elle éclata de rire. Un nom de liqueur! C'était le roman d'un nommé « Stindalle », mais la confusion était toute à mon honneur. Un nom de liqueur qui sentirait la violette...

– Tu as voulu lui donner une leçon, à cette pimbêche?
Elle t'avait mal reçue tout à l'heure à ce qu'on m'a dit.
– Elle m'a traitée de « voleuse » et de « baraquaine ».
Isabelle me prit par la main malgré mes nippes
crasseuses pour m'accompagner chez Agathe Laspoumadère. En chemin, elle m'aida à compter ma fortune. J'avais
« de quoi » et même un peu plus sans doute. En me
poussant du coude, elle me demanda si j'avais pillé le
tronc de l'église et je répétai que, cet argent, je ne l'avais
pas volé, qu'on me l'avait donné.

En plus de la bouteille de « Charmoise » de Clermont-
Ferrand, je pris une boîte de gâteaux « Lu » pour Rachel
Morange. Il manquait quelques centimes. Isabelle fit
l'appoint. Pour la remercier je l'embrassai et lui expliquai
à qui je destinais ces cadeaux. Elle fit faire deux beaux
paquets par Agathe, avec du papier doré et des rubans de
ficelle rouge.

– Tu ne sais pas à qui tu me fais penser? dit-elle. A un
petit roi mage en haillons.

Cécile était restée au lit toute la matinée. Je la retrouvai
telle que je l'avais quittée, tournée contre le mur, jouant à
écailler de l'ongle le vieux plâtre, un livre à côté d'elle, qui
devait l'ennuyer. Elle avait pleuré.

– Tu veux que je te prépare une tisane? Elle secoua la
tête : elle était simplement fatiguée et avait le ventre
dérangé. Elle me regarda avec dégoût. D'où est-ce que je
sortais ainsi fagotée pour un dimanche? Je fis un mensonge : Pierre m'avait demandé de l'aider à nettoyer le
hangar et à faire du bois.

– Tu es sale et tu sens mauvais, dit-elle. Cet après-midi,
nous prendrons un bain toutes les deux. On a dû
remarquer mon absence à la messe.

Je n'avais entendu parler de rien. En revanche, Isabelle... Cécile me coupa vivement la parole.

– Ne me parle pas de cette fille! Elle se moque bien de
moi.

Je m'installai au bureau pour reprendre mon problème
de la veille. Cécile avait jeté un coup d'œil sur mon

brouillon. Je n'avais rien compris! Je ne comprenais jamais rien! C'était pourtant simple...

– Et puis j'en ai assez de cette école, de toi, de tout!

Je ne pris pas cette réaction au tragique. Cécile avait souvent de ces accès de mauvaise humeur, le dimanche surtout, quand elle savait que Fred ne viendrait pas, qu'elle était condamnée à cette solitude qui était sa plaie secrète. Fred ne viendrait pas. Fred ne viendrait plus. Elle avait appris la veille, par la lettre d'une amie, ancienne normalienne comme elle, en poste à Brive, qu'il avait brusquement disparu après avoir reçu les papiers d'inscription précédant sa feuille de route. Il avait toujours dit qu'il n'accepterait pas de sacrifier trois ans de sa jeunesse dans une ville de garnison et moins encore à la guerre qu'il haïssait sous toutes ses formes et quelles qu'en soient les motivations. Ce n'est que quelques jours plus tard qu'elle me confia la nouvelle en me demandant de ne rien répéter. Elle savait que je tiendrais parole.

– Tu ne veux pas m'aider?

– Non, pas aujourd'hui. Il vaut mieux que tu partes. Retourne chez toi. Tu connais la décision de ta mère? Tu iras t'installer dans la classe de Mlle Emma. On verra bien si elle réussira mieux que moi. Allez, va-t'en!

Je restai. Après avoir déjeuné en silence d'un morceau de pain de Bernède et de rillettes, je m'obligeai à lire dans mon *Premier livre de lecture* des textes que je connaissais par cœur et dont le sens commençait à me pénétrer et à m'émouvoir dans leur naïveté. Pour ne pas troubler Cécile qui somnolait, gémissait, pleurait, frappait du poing son traversin, je bougeai le moins possible et me retins de faire du bruit. Le temps paraissait s'engluer dans une matière grise et froide. A quatre heures, il faisait presque nuit. Profitant de ce que Cécile s'était levée pour aller sur le pot, je préparai une bassine d'eau et la mis à chauffer. D'ordinaire cette toilette commune était une fête : nous nous amusions comme des folles, emmêlées l'une à l'autre dans le vaste baquet qui avait remplacé le cuveau du début. Qu'en serait-il ce jour-là?

Cécile se déshabilla, se plongea dans le bain.

– Frotte-moi, ça me fait du bien. Et ne plains pas le savon. Plus fort. Là... C'est bien.

137

Elle dormait à moitié, la tête renversée en arrière, respirant lourdement.

– A toi, maintenant, dit-elle. Ton dos! Où est le gant de crin?

– Pas si fort! Tu me fais mal.

– Tu seras bien, après, tu verras. Tourne-toi à présent. Tu sais que « ça » pousse! Tu as des seins presque aussi gros que les miens. Si tu sais te tenir, tu seras belle d'ici deux ou trois ans et les garçons commenceront à te regarder. Il faudra plus tard faire soigner tes dents. Celle qui manque devant, ça ne fait pas beau.

Je restai encore un peu, après que Cécile fut sortie, dans l'eau grise de savon qui avait gardé son odeur. Soudain je poussai un cri en me levant, accrochée aux bords du baquet.

– Tu t'es blessée? dit Cécile. Une écharde peut-être.

Elle se mit à rire en me voyant sortir du bain. Du sang mêlé d'eau coulait entre mes cuisses.

– Rassure-toi, dit-elle. Ce n'est rien. Je t'avais prévenue. Tu ne souffres pas? Bien. C'est l'essentiel. Eh bien, en voilà un événement! Malvina, tu es une femme à présent. Tu entends? Une femme. Attends! je vais te donner ce qu'il faut.

Elle sortit de l'armoire un morceau d'étoffe grand comme un mouchoir, m'indiqua la façon de le poser et de le faire tenir avec des épingles à nourrice de chaque côté de la culotte. Elle me fit cette dernière recommandation :

– Que je ne te voie plus sortir sans culotte, surtout lorsque tu seras indisposée. Ne fais pas comme cette sotte de Joséphine Escaravage qui avait l'autre jour du sang jusqu'aux genoux. Et ne fais pas cette tête! J'y suis passée avant toi, sauf que j'ai souffert. Tu ne vas pas pleurer parce que tu as tes règles! J'en connais deux ou trois de tes camarades qui t'envieraient.

C'est vrai : j'étais prévenue. Non seulement par Cécile qui m'en avait parlé sur un ton très naturel, comme d'un rhume de cerveau, mais encore par les autres élèves, Anna Blavignac surtout, qui était « réglée » depuis un an déjà et considérait cet inconvénient comme une promotion. Elle exhibait ses linges avec une certaine fierté, ajoutant pour se rendre intéressante qu'elle souffrait le martyre. C'était laid, ça sentait mauvais, ce gros tampon de linge souillé devait gêner le mouvement des jambes, et pourtant Anna en tirait une certaine fierté. Joséphine Escaravage elle aussi « voyait », comme on disait alors, mais elle se montrait plus discrète – nous devinions ses périodes à l'odeur saumâtre qu'elle répandait.

Cécile m'observait du coin de l'œil avec une curiosité amusée et tendre à la fois. Je n'étais pas très fière de moi, troublée, inquiète de ce mouvement intérieur de mon corps qui avait amené ce flux de sang, cette fièvre légère qui n'était peut-être due qu'à la chaleur du bain ou à l'étrillage au gant de crin. Au propre, je me sentais dénaturée. Je me surprenais à surveiller mes gestes, ma voix, mon comportement pour savoir ce qui avait bien pu changer maintenant que j'étais femme. Je muais. Un espoir insensé se faisait jour en moi. Si ce changement physique allait s'accompagner d'une amélioration de mes qualités intellectuelles ?

Tandis que j'aidais Cécile à vider l'eau du bain par la fenêtre donnant sur le marais, quelqu'un frappa à la porte. Il était cinq heures du soir et il faisait déjà nuit. Emma Berthier portait au bras un cabas plein de noix et de pommes.

– Pardonnez-moi de venir si tard mais j'ai préféré attendre la nuit, vous savez pourquoi. Voici mon présent de Noël. C'est peu de chose, mais je ne puis faire plus.

Emma vivait misérablement. Les cinq cents francs de traitement qu'elle touchait annuellement ne lui suffisaient pas pour sa nourriture. Elle vivait en partie, comme on disait, « sur les parents ». Les moins démunis lui apportaient de la viande à l'occasion d'un abattage ; les autres ce qu'ils pouvaient : des fruits, des légumes... Le traitement de Cécile était supérieur mais elle n'était pas autorisée, du moins dans le principe, à recevoir des présents en nature de la part des familles, ce qui eût pu dégénérer en favoritisme vis-à-vis des enfants. Elle joignait à peine les deux bouts, obligée souvent de se priver de viande pour acheter un livre ou pour venir en aide à une élève, comme elle l'avait fait pour moi et, récemment, pour Rachel Morange. Elle priait Dieu qu'il ne se produisît pas d'accident à l'intérieur de son école, car elle aurait été tenue de rembourser de sa poche les frais de médecin.

– On ne vous a pas vue à la messe ce matin, dit Emma. J'ai craint que vous soyez malade.

– Rien de grave et ça va beaucoup mieux. Je suppose que le curé a mis à profit mon absence pour me prendre à partie, courageusement, selon son habitude.

Emma hocha la tête. L'abbé Brissaud ne s'en était pas privé, bien qu'on fût dans le temps de Noël.

D'une indiscrétion de la postière, cette teigne de Mélanie Puyjalon, il avait appris que l'institutrice recevait des courriers d'Allemagne. En chaire il s'en était pris à ces « faux patriotes qui font mine d'enseigner aux enfants l'amour de la France et entretiennent en secret des liens de complicité avec ceux qui occupent l'Alsace et la Lorraine et menacent nos frontières ». Il avait attaqué ouvertement « les hommes politiques et les écrivains qui, comme Romain Rolland, flattent notre ennemi héréditaire au lieu de se montrer vigilants et de rester l'arme au pied ». La disparition de l'*Insurgé* le comblait d'aise. Les « folliculaires patentés de l'anarchie » étaient « enfin bâillonnés »! « Qu'on les jette en prison, qu'on débarrasse enfin le pays de cette mauvaise herbe qui pousse jusqu'au seuil de nos fermes! »

– Le salaud! gémit Cécile. Le Tartuffe! L'ignoble personnage!

– Méfiez-vous plus que jamais, Cécile. La population est de plus en plus montée contre vous par la faute du curé. Même ceux qui vous soutenaient commencent à s'interroger. On vous appelle « Guillaumette » parce que, dit-on, vous avez de la sympathie pour l'empereur d'Allemagne. C'est l'abbé qui a lancé le mot au cours d'un conseil paroissial. Il vous attaquera sûrement dans son prochain bulletin. L'évêque de Tulle, monseigneur Botreau, a été informé. C'est un ami du préfet. Cette affaire peut aller très loin, surtout depuis que votre ami a déserté. Vous n'aurez bientôt plus d'autre soutien que moi dans le village, et vous savez que je ne peux rien faire pour vous.

140

– Il ne respecte rien, ce curé, pas même la trêve de Noël!

– Je le lui ai fait observer et il s'est contenté de rire, puis de me menacer d'une sanction. Il ne transige pas avec ce qui lui semble d'essence diabolique. Et pour lui vous êtes le diable en jupons. Au début, il s'est montré relativement modéré parce que vous êtes une femme et que votre apparente fragilité le désarmait. Depuis le « scandale », comme il dit, il vous considère comme un adversaire irréconciliable.

– Il faut que je le rencontre, que j'aie avec lui une explication franche.

– Je vous le déconseille. Vous ne feriez qu'aggraver la haine qu'il vous porte.

Cécile me confia les noix et les pommes en me recommandant de les placer dans la grange, avec les châtaignes, et de bien refermer le couvercle du coffre de manière que les rats ne les volent pas. Je descendis, remontai à pas de loup pour écouter la suite de leur conversation, l'oreille collée à la porte, certaine qu'elles allaient parler de moi.

– Malvina, dit Emma Berthier, je crois que vous la garderez. La famille n'a pas de quoi payer la redevance à Sainte-Thérèse. La Maïré est venue me trouver pour que je la prenne gratuitement. J'ai refusé pour ne pas aggraver votre situation. Fait-elle des progrès?

– J'ai cru au miracle, mais je commence à déchanter. Elle a appris très vite les notions de base. Maintenant, elle plafonne. Elle sait compter, effectuer quelques opérations simples mais elle se montre réfractaire à la règle de trois et le moindre problème la paralyse.

– Vous l'avez éveillée. C'est déjà presque un miracle. Mais ne comptez pas trop l'amener au niveau du certificat. Si vous la présentez elle échouera. Continuez malgré tout. C'est important pour vous comme pour elle.

– C'est important, répéta Cécile en écho. Je la tiens et je ne la lâcherai plus, sauf si on me l'arrache. Et alors c'est à vous qu'incombera le soin de poursuivre son éducation et son enseignement.

– Oh! moi... J'ai perdu beaucoup de mes illusions et je

n'ai pas votre enthousiasme. Dès votre première rencontre, vous avez décelé la terre vierge et riche. Je souhaite que vous soyez là pour la moisson.

Elle se leva pour partir.

– Ces lettres que je recevais d'Allemagne, dit Cécile, ne contenaient que des témoignages d'amitié de gens qui veulent vivre en paix avec tous.

– Vous croyez que je ne le sais pas! dit Emma en riant. Je ne vous ai jamais prise pour une espionne, mais vous avez eu raison d'arrêter cette correspondance. Dans le pays, si la situation s'aggrave on verra des espions derrière chaque buisson.

– Merci de m'avoir rendu visite, mais tâchez de ne pas faire d'imprudence.

– Si j'osais...

– Dites!

– Je vous demanderais d'accepter de venir réveillonner avec moi pour Noël. Ce ne sera pas un festin. J'ai reçu la moitié d'une dinde ce matin. Je la ferai cuire avec des marrons.

– Je comptais passer Noël à Brive, mais je resterai pour vous. J'aime bien cette complicité entre nous, ces allures de conspirateurs que nous nous donnons.

J'ouvris la porte, tendis à Emma son cabas vide.

– Travaille bien, Malvina, me dit-elle. On regrette souvent les moments perdus à paresser mais rarement ceux où l'on a travaillé.

– Eh bien, quoi! Tu n'as jamais vu d'orange? Tu en fais une tête? Ça ne te fait pas plaisir?

J'ai posé le fruit sur la table, devant moi, entre l'énorme *Dictionnaire de Pédagogie* qui sert à Cécile pour préparer ses leçons et les *Chefs-d'œuvre de la Peinture*, de Max Rooses, avec des reproductions en couleurs, qu'elle vient de recevoir d'une amie fortunée. L'orange est énorme; elle tient à peine entre mes deux mains réunies. Sa peau est à la fois lisse et granuleuse, avec un vernis que je ne connais à aucun autre fruit, sans un défaut si ce n'est la trace verte du pétiole et, à l'opposé, une boursouflure délicate qui ressemble à un nombril. Je la regarde; je la respire, mais j'hésite à la toucher de crainte qu'elle m'éclate au visage comme un ballon et me laisse entre les mains une peau vide et dérisoire. Je la pousse de la pointe de l'ongle; elle roule et s'arrête contre ma règle. La lumière de l'hiver glisse sur cette rotondité parfaite, accroche à ses sinuosités des éclats de perle.

– Eh bien, petit singe! Qu'attends-tu pour la manger?

La manger... la détruire... Cette idée ne m'est pas venue et pourtant j'imagine ce fruit gorgé de suc, fontaine de sensations subtiles et enivrantes. Mon soleil à moi. Ma petite merveille. Je voudrais la garder. J'aimerais qu'elle reste toujours ainsi avec cette promesse de jouissance. Je l'enfermerai dans une boîte de verre et je la cacherai dans ma cellule du château pour que personne ne puisse me la voler. S'il le faut, je l'enterrerai.

– Tu ne veux pas la manger? Alors je la reprends.

– Non!

Je lui fais une ceinture de mes bras, ma joue contre cette grosse joue fraîche et odorante. Mon orange. Ma première orange. J'en ai vu un cageot, l'an dernier, chez Agathe Laspoumadère; elles étaient ratatinées, grises, comme fanées et avaient à peine retenu ma curiosité et pas suscité la moindre convoitise. Certains parents en achetaient et, le matin de Noël, les enfants en trouvaient une dans leur sabot. Moi, je n'ai jamais découvert qu'une pomme, mais c'était une présence tellement inhabituelle dans ce matin de Noël, devant les braises de la nuit, que nous lui trouvions un goût particulier. Une orange, je n'avais jamais espéré en trouver une, comme tombée de la hotte du Père Noël ou de ses grandes mains de vieillard. Et voilà que Cécile vient de déposer devant moi ce don merveilleux. Mon orange. Mon fruit de soleil et de givre. Ma pomme de chair vivante.

– Tu vois, m'a dit Cécile, la terre ressemble à cette orange et la lampe serait le soleil. Je prends la terre, je la fais tourner sur elle-même, comme ça, et tantôt elle est dans la lumière et tantôt dans la nuit. Et si je la promène autour de la lampe, c'est tantôt l'hiver et tantôt l'été selon l'inclinaison de l'axe de rotation. Tu comprends, Malvina?

Elle tourne en riant autour de la table en donnant de petits coups de pouce à la terre pour la faire pivoter, déplace de grandes draperies d'ombre et de lumière, des mouvements d'étoffe et des rires en cristaux d'étoiles. Elle brasse le cosmos comme l'eau de son bain et secoue ses cheveux dénoués qui se perdent derrière elle dans une pénombre d'infini. Elle tourne, tourne, et, prise de vertige, je crie :

– Arrête! Rends-la-moi!

– La leçon de cosmographie n'est pas terminée. Ce que je viens de faire devant toi, c'est une série de révolutions dont chacune dure une année. Maintenant, regarde! Là, tu vois, où c'est encore un peu taché de vert, c'est le pôle Nord. Et là où c'est un peu creux, c'est le pôle Sud. Je trace une ligne tout autour avec mon ongle, et c'est l'équateur...

Elle me parle latitudes, longitudes, tropiques. Excédée, je lui arrache le fruit. Il est à moi. Il est ma merveille tombée du ciel, le gros soleil rouge des aubes d'hiver ou des soirs de septembre, la lune rousse, énorme, juteuse qui émerge des brumes de printemps. Cette orange est ma richesse. Elle vient d'ailleurs, de très loin, de terres situées à des milliards de milliards de milliards de kilomètres de Saint-Roch, où je n'irai jamais. Elle m'arrive chargée des sucs et des merveilles de l'univers. Crever cette peau légèrement grenue, y coller mes lèvres, laisser l'élixir de la connaissance me couler dans la gorge comme le canon de la fontaine Saint-Roch, m'inonder, me transformer...

– Et tes autres cadeaux? dit Cécile. Tu les as à peine regardés.

Des crayons de couleurs dans une grande boîte, pareils à une flûte de Pan : douze crayons, une gamme éblouissante. Un album à colorier. Dans ce paquet mal ficelé, une pèlerine. Un livre tout neuf, à couverture jaune, le *Tour de France de deux enfants*.

– ...ci, Cécile. Moi aussi j'ai un cadeau pour toi.

Je cours à la grange, en ramène la bouteille de

« Charmoise » de Clermont-Ferrand. Cécile ouvre le paquet avec un air de mystère, s'exclame :
- Ma liqueur préférée!
Elle m'embrasse puis fronce les sourcils.
- Tu ne l'as pas volée, au moins?
Je secoue énergiquement la tête.
- Écoute, Malvina, je veux savoir comment tu t'es procuré cette liqueur. C'est très cher, je le sais. Où as-tu pris l'argent?
- Je l'ai pas pris. On me l'a donné.
Je reviens à mon orange et, sans cesser de la regarder, de la toucher, de la respirer, je raconte mon exploit du dimanche précédent, sans oublier mon retour chez Eugénie Saulière et la rencontre d'Isabelle. Cécile me regarde fixement, recule de quelques pas, met ses mains devant sa bouche comme si elle allait crier, éclate de rire, pliée en deux, s'appuie au montant du lit comme pour retrouver son souffle.
- J'ai acheté aussi une boîte de gâteaux pour Rachel. Je la lui porterai cet après-midi.
- C'est bien. Ce sera sûrement son seul cadeau de Noël avec une orange : la même que la tienne.
Elle ajoute :
- Je partirai demain et pour quelques jours, jusqu'au premier janvier. C'est la première fois que nous nous séparons si longtemps, toi et moi. Je te laisserai ma clé. Tu seras ici chez toi. Fais bonne garde, car je redoute une visite des gars du pays. Quand ils ont bu un coup de trop ils font n'importe quoi et pourraient bien ne pas se contenter d'envoyer des pierres dans mes contrevents, comme d'habitude, ou de faire leurs besoins dans la cour de récréation. Reste un peu avec les tiens. Tu as tendance à les négliger. Je te laisserai des devoirs à faire. Tâche de t'appliquer et de raisonner, surtout pour le calcul. C'est ton point faible. Je choisirai les problèmes les plus simples. Au besoin, fais-toi aider par Alice Bernède. A la rentrée, maintenant que tu sais lire et écrire, nous aborderons sérieusement l'histoire et la géographie.
Elle ajouta en peignant ma frange :

145

– Je veux que, lorsque l'inspecteur viendra nous voir, tu le surprennes.

Cécile m'avait demandé de la laisser seule. Elle allait déjeuner légèrement et se reposer avant de prendre le train au Bosplot.

Elle s'était couchée tard. Nous étions allées ensemble à la messe de minuit. Avant de quitter l'école, nous avions regardé les paysans descendre vers Saint-Roch du haut de leurs collines ou y monter des hameaux et des moulins de la plaine. Ils se signalaient par des lumières dansantes de lucioles et des chants lointains. Il restait un peu de neige par franges en lisière des forêts et des taillis de châtaigniers. La nuit était froide mais claire et les fidèles étaient venus nombreux, si bien que l'église était comble. Assise à l'harmonium, la tête enveloppée d'une mante noire, entourée de quelques filles de Sainte-Thérèse, Emma Berthier sondait du regard l'assistance dans l'espoir de nous voir paraître. Elle nous sourit discrètement et entonna un cantique en langue du pays.

Durant les trois messes nous restâmes debout sous la chaire, en face de l'harmonium. J'apercevais au premier rang les mantilles pailletées d'Isabelle de Bonneuil et de sa mère, non loin de Joffre, le maire, qui passait de temps à autre l'index dans son col cassé qui le gênait, entre sa femme et son neveu, le secrétaire de mairie.

– Va rejoindre ta famille, dit Cécile. Ce n'est pas avec moi que tu dois rester, ce soir.

Je refusai. Elle insista, décrocha autoritairement mes doigts de son bras avec un regard sévère. J'obéis, mais, de l'endroit où je me retrouvais, entre Flavie et mes frères, derrière la Maïré qui avait revêtu son caraco de mérinos avec les petites basques froncées et Pierre dans son costume des dimanches, je ne la quittai pas des yeux. De temps en temps elle se tournait vers moi et clignait des paupières en souriant.

Je touchai le coude de Flavie.

– La maîtresse m'a donné une orange. Elle est grosse comme ça!

146

– Une orange! Seigneur... Tu me la montreras?

– Je t'en ferai goûter un morceau, mais pas tout de suite. Je veux la garder un peu.

– *Barra la, drollas* [1]! dit la Maïré en se retournant.

Le bonnet blanc attaché de deux rubans sous le cou lui faisait une tête grosse comme les deux poings. Paul et André dormaient, assis contre une base de colonne, dans la chapelle latérale.

– Tu sais, me souffla la Flavie à l'oreille, la Maïré t'enlèvera de chez la demoiselle. Tu l'as échappé belle.

Elle ajouta en pouffant :

– Tu te souviens, l'année dernière?

J'étais entrée dans l'église au début de la messe de minuit après avoir dormi dans une grange abandonnée, aux Ardaillasses. Des paysans qui passaient avec leurs lanternes en chantant m'avaient éveillée et je m'étais extraite de la vieille *juque* [2] dans laquelle j'étais enfouie, pour les suivre, enveloppée de ma toile à sac, des brins de paille dans les cheveux, dansant derrière eux pour faire l'intéressante, pauvre *nèci* que j'étais. Pendant l'office, je m'étais aventurée jusqu'aux marches de l'autel pour assister à la remise des présents par les rois mages et les bergers. Le curé avait roulé des yeux furibonds et le bedeau – Valette, le tisserand – m'avait jetée dehors. C'était moi et ce n'était pas moi : un être perdu dans le désert et la nuit, qui revenait de temps en temps me faire la grimace, de très loin, pour marquer nos distances qui s'élargissaient de jour en jour.

La messe terminée, je sortis la première et montai jusqu'à Sainte-Thérèse. De derrière le puits où je me dissimulai, je vis surgir la lanterne de Mlle Emma. Une chandelle s'alluma peu après à l'étage, dans sa chambre, puis j'aperçus la grande clarté du feu que l'on ranimait. Quelques minutes plus tard je vis apparaître, marchant seule dans l'ombre, Cécile dont j'avais du mal à distinguer la silhouette longeant les murs.

Je restai là une heure, peut-être deux, appuyée à la

---

1. Taisez-vous! les filles...
2. Grenier à foin.

margelle, à regarder cette lumière de Noël qui dansait aux vitres, à écouter ce murmure de voix, là-haut, dans la grande chambre noire, autour d'une moitié de dinde aux marrons. Je n'étais pas malheureuse. Pas triste non plus. Et je n'en voulais pas à Cécile de m'avoir, pour une nuit, un peu oubliée. Je la devinais heureuse et cela me suffisait.

Janvier 1914

Les gendarmes sont venus. Cécile était chez ses parents, à Brive. Quand j'ai ouvert la porte et que j'ai vu ces deux ombres noires, ces bicornes mouillés de pluie, ces buffleteries, j'ai cru que la maison me tombait sur la tête. Ils ont trouvé bizarre que je reste seule dans cette grande demeure. Celui qui paraissait être le brigadier a murmuré quelques mots à l'oreille de son subordonné en me regardant avec insistance et j'ai cru l'espace d'un instant qu'ils allaient m'emmener sur leurs grands chevaux noirs que j'entendais piaffer dans la cour. Ils ont annoncé qu'ils reviendraient.

Ils sont revenus.

– Ils voulaient, dit Cécile, me faire avouer où se trouve Fred. Je n'en sais rien, et j'aimerais bien qu'on me le dise. A Brive, personne n'a pu ou n'a voulu me renseigner.

Elle a ajouté en m'attirant vers elle :

– J'ai le sentiment que je n'achèverai pas mon année scolaire à Saint-Roch. Des lettres anonymes sont parvenues au préfet et à l'Inspection académique. J'ignore ce dont on m'accuse et quels en sont les auteurs mais je ne me laisserai pas faire. Fred avait de nombreux amis dans la presse. Ils me défendront au besoin.

Les gendarmes sont revenus. Plus guindés, cérémonieux et sévères que la première fois.

– Toi, dit le brigadier en me montrant du doigt, va voir dans la cour si j'y suis !

En présence de Cécile, ils ont fouillé toute la maison, sans oublier le cellier et la grange, remuant de vieilles poutres, des tas de chaume pourris où nichaient les rats, pestant et jurant. En se lavant les mains dans le baquet de la cour, ils avaient l'air grognon. Sans cesser de les observer, je jouais à la marelle sous le préau. Ils sont repartis sans un mot, bredouilles.

— Ils devaient s'imaginer, dit Cécile, que je cachais Fred sous mon lit ou dans mon armoire, qu'ils découvriraient des vêtements, des objets lui appartenant. Je me suis moquée d'eux. Je leur ai dit : « Je vous en prie, prévenez-moi le jour où vous le retrouverez. Je n'ai plus de nouvelles depuis si longtemps... » Ils se sont regardés sans rien répondre. Ce sont de braves bougres. Le brigadier m'a dit en partant : « Vous savez, mademoiselle, nous sommes les gendarmes de tout le monde... »

Ils reviendront. Ils savent qu'un jour ou l'autre Fred se montrera chez Cécile, que peut-être des gens de Saint-Roch leur signaleront sa visite.

Pour manger mon orange j'ai attendu que Cécile soit de retour. Je l'avais enveloppée dans un mouchoir et placée dans l'armoire, au fond d'une boîte à chapeau pour éviter que les rats ne l'entament.

L'épluchage a fait l'objet de tout un cérémonial. Je voulais la couper sans enlever la peau. Cécile m'en dissuada et me montra comment il fallait s'y prendre. Elle découpa la peau avec un couteau, en spirale régulière, sans entamer la pulpe, d'une seule pièce que je recueillis précieusement pour la placer dans une boîte de Cruogénol (pour femmes anémiques) où je plaçais d'ordinaire mes billes : elle garderait ainsi son odeur des semaines, des mois peut-être.

La saveur du fruit m'a un peu déçue, peut-être parce qu'elle était nouvelle pour moi et quelque peu insolite, qu'elle ne s'insérait pas dans le répertoire sensoriel élémentaire et limité qui était le mien.

— Eh bien, dit Cécile, tu en fais une tête! Ça ne te plaît pas? Qu'est-ce que tu imaginais?

Ce que j'imaginais, Dieu seul le sait : peut-être un brusque phénomène de transsubstantiation qui allait me rendre plus forte, plus intelligente, plus belle. Peut-être une sorte d'ivresse qui allait m'entraîner dans des visions oniriques ineffables. La magie envolée, j'ai mâchonné sans plaisir deux autres tranches et décidé de porter le reste en cachette à Flavie qui me réclamait chaque jour la part promise. Elle a d'abord fait la grimace puis elle a eu un dandinement de tête et a fini par m'avouer son plaisir. Elle a même avalé les pépins, sauf un qu'elle a enterré dans un pot d'où rien n'est jamais sorti.

– Il ne faut jamais trop attendre des plaisirs de la vie, me dit plus tard Cécile, mais les prendre comme ils se présentent, sans en écarter aucun. Ton orange – qui était excellente – tu en as fait je ne sais quel objet magique et tu as eu tort. La magie nous est donnée en plus, parfois, mais elle vient de nous-mêmes, si nous savons la susciter.

« La calomnie, monsieur, vous ne savez pas ce que vous dédaignez... »

Les grands de la « communale » apprirent par cœur la tirade de Basile, dans le *Barbier de Séville*, de Beaumarchais, qui fut d'abord l'objet d'une dictée. C'était un texte trop fort et subtil pour eux, mais qui les amusait, lorsqu'ils le déclamaient, par son lyrisme, son mouvement, ses contrastes : « ...*Vous voyez Calomnie se dresser...* » et ils se hissaient sur la pointe de leurs socques, les bras levés, pareils à des couleuvres en colère, devant la classe qui éclatait de rire.

C'est l'inspecteur primaire, M. Arsène Pintaut, qui étrenna la tirade au cours de sa première visite.

Il arriva un mercredi du début de janvier, en compagnie du délégué cantonal, adjoint au maire d'une commune voisine. C'était un petit homme blême, sans épaules, taillé en sifflet, qui semblait dépenser le gros de son énergie en tics et en mouvements imprévisibles, mais avec un œil vif et ironique derrière ses lorgnons à bords dorés qu'il laissait s'échapper à tout bout de champ et une barbe en filasse de chanvre où disparaissaient ses lèvres jaunes de tabac.

151

Il invita le délégué cantonal, qui n'avait pas le droit d'assister à l'inspection, à aller l'attendre dans la cour. Cécile libéra le bureau à son intention. Galamment, il refusa. Qu'elle reste à sa place! Pour lui, une chaise suffirait. Cécile m'envoya en chercher une dans sa chambre.

Il tripotait sans relâche des paperasses sur la serviette noire et rigide posée sur ses genoux qu'il croisait et décroisait sans arrêt. Les feuillets s'envolaient et, lorsqu'il se baissait pour les ramasser, son lorgnon tombait dans sa barbe. Nous avions du mal à garder notre sérieux et Cécile devait nous rappeler à l'ordre par de petits coups de règle sur l'arête du bureau.

Contrairement aux apparences, M. Arsène Pintaut ne perdait rien de la leçon. Il le montra à plusieurs reprises en rectifiant l'exposé d'un élève; il se lança même soudain dans une démonstration acrobatique au tableau noir, jetant son bras à droite et à gauche, dansant d'un pied sur l'autre, troussant un problème de train extrait de son manuel en vrai virtuose de l'arithmétique. Satisfait de sa démonstration, il gloussa avec une pointe de vanité avant de se retirer sur sa chaise comme un perroquet sur son perchoir. Il semblait attendre des applaudissements.

Il fallut passer à d'autres exercices. A la demande de Cécile, je récitai un texte de Romain Rolland, extrait de *Jean-Christophe* où il était question d'une cavalcade de nuages derrière laquelle courait un enfant. M. Pintaut hochait la tête. Glacée, figée sur place, j'avais débité mon texte sans une nuance, sans un frémissement d'émotion. M. Pintaut sembla pourtant assez satisfait.

– Approche! me dit-il. Ainsi, c'est toi, Malvina Delpeuch, le petit phénomène? Tu sais, je pense, qui étaient Romain Rolland et Jean-Christophe? De quelle nationalité était ce dernier. Il était... Il était...

Éperdue, j'attendais de Cécile une aide qui ne vint pas. M. Pintaut me posa deux questions de calcul élémentaire sur lesquelles j'achoppai misérablement.

– Elle est très émotive, dit Cécile.

– Cela se soigne, mademoiselle. Si vous voulez présenter cette enfant au certificat d'études, il est nécessaire de la débarrasser de ses complexes, sinon elle échouera et ce serait dommage car elle ne semble pas sotte. Quelle est sa matière favorite?

– Le français, monsieur l'inspecteur. Elle fait de très belles rédactions.

– Cela ne me surprend pas, mais il faut qu'elle apprenne sérieusement l'arithmétique. Est-il exact qu'il y a trois mois elle ne savait ni lire, ni écrire ni compter?

– C'est exact, monsieur l'inspecteur. Elle a dû tout apprendre.

– Étonnant... Étonnant... Vous me montrerez ses devoirs, je vous prie.

C'est à un grand, Eugène Simbille, que Cécile demanda de réciter la tirade de la *Calomnie*. Il y mit tant de feu que nous crûmes que M. Pintaut allait se lever pour applaudir.

– Bien! dit-il. Très bien! Je n'aurai pas la candeur, mademoiselle, de vous demander les raisons qui vous ont fait choisir ce texte un peu difficile pour des enfants de cet âge.

Le regard pétilla derrière les lorgnons. Monsieur l'inspecteur paraissait enchanté.

– Ce doit être l'heure de la récréation, mademoiselle, dit-il. Je ne voudrais pas en priver ces enfants.

Il se leva en répandant autour de lui des feuillets que les élèves s'empressèrent de ramasser. Il rejoignit le délégué cantonal qui attendait dans la cour glacée et, tandis que nous sortions en ordre et en silence, il eut avec lui une discussion assez vive sur les conditions de travail des enfants. Penaud, le délégué écartait les bras et je n'avais aucune peine à imaginer ses arguments : cette commune était pauvre et la municipalité avait déjà fait beaucoup pour les enfants.

M. Pintaut retourna dans la classe où il resta seul avec Cécile, tandis qu'Eugène Simbille était chargé de la surveillance. La maîtresse lui montra quelques cahiers, dont les miens. Renonçant à partager les jeux de mes camarades, je m'assis sur le mur bordant la route pour mieux voir ce qui se passait dans la classe. Cécile et M. Pintaut paraissaient discuter avec animation : elle, immobile, lui, tournant autour d'elle comme un papillon de nuit avec des mouvements vifs et brefs des bras.

Cécile garda le silence toute la journée sur cette dernière entrevue. Lorsque je la rejoignis dans sa chambre, après les répétitions du soir, je constatai qu'elle avait pleuré. Je lui pris la main et l'embrassai. Elle me caressa les cheveux.

– C'est à cause de moi que tu as du chagrin?

– Pas seulement à cause de toi, Malvina. Il paraît que tout ce qui arrive dans ce village est ma faute, que je me suis montrée trop intransigeante avec la population, pas assez « ouverte », c'est le mot qu'il a employé. Sans doute aurais-je dû aller trouver le curé, lui dire : « Monsieur l'abbé, vous voulez ma tête? Je vous l'apporte. Vous m'injuriez, me ridiculisez, me calomniez devant tous vos fidèles et dans votre bulletin paroissial? Je n'ai que ce que je mérite. Vous souffletez ma joue droite? Voici ma joue gauche. » Non! non! non! Je ne veux plus rester ici. Je vais demander mon changement. J'étouffe, je suis malheureuse et je n'ai pour ainsi dire personne à qui je puisse me confier.

Je retirai brusquement ma main de son épaule. Elle me prit dans ses bras.

– Pardon, Malvina. Tu es mon amie, ma petite sœur, mais tu es aussi désarmée que moi, sinon plus.

Elle ajouta :

– Monsieur Pintaut m'a parlé de toi. Ton cas est connu à l'Académie et même à la Préfecture où le préfet, M. Vergé, me juge immodérée dans mes ambitions. Mais moi, je sais que j'ai raison de te faire confiance. Alors, écoute-moi bien : il faut leur montrer à tous que nous avons eu raison, toi et moi. Tu devras redoubler d'efforts, essayer de comprendre ce que je t'enseigne et ne plus te contenter de le répéter « comme un perroquet » (c'est le terme qu'a employé Monsieur Pintaut). *Comprendre*, Malvina. Nous avons parlé de Romain Rolland; il a été étonné que tu n'aies rien su répondre lorsqu'il t'a interrogée. Il était tout prêt à nous donner raison, à nous encourager, à nous protéger, et toi tu es restée là, muette comme une bûche. Pourquoi?

154

Je haussai les épaules. Tout se brouillait dans ma tête et j'avais un nœud dans la gorge. Pourtant je savais que Jean-Christophe était allemand, qu'il aimait la nature, la musique, l'humanité tout entière, qu'il était contre la guerre. J'aurais pu parler de l'oncle Gotfried et de son crâne nu comme un œuf, mais j'étais paralysée.

— C'est ce que j'ai pensé, Malvina. Je l'ai expliqué à l'inspecteur. Il ne demande qu'à me croire mais il lui faut des certitudes.

Elle m'embrassa sur les deux joues, me fixa intensément.

— Ma petite fille, promets-moi, si je dois quitter Saint-Roch, de continuer à t'instruire avec qui que ce soit ou *malgré* qui que ce soit. Si tu le veux, tu le peux. Il ne faut pas que nos efforts, à toi et à moi, aient été inutiles. Prends exemple sur Rachel Morange. Elle veut être institutrice et elle le deviendra. Toi, tu auras plus de mérite encore qu'elle parce que tu reviens de plus loin, que tu dois aller plus vite et que ta route est plus difficile.

Contrairement aux prévisions pessimistes de Cécile, nos effectifs augmentèrent au début de ce mois de janvier. Il nous arriva deux nouveaux : une fille transfuge de Sainte-Thérèse et un garçon renvoyé pour « mauvais exemple » de l'école des « Frères » de Beaulieu. Des recrues de mauvais aloi.

Julia Fabry n'était pas une inconnue pour moi. Elle habitait avec ses parents une maison du bourg, assise à moitié sur le rocher, présentant sur la rue une façade grise, maussade, toujours close, portes et fenêtres, avec un couloir de jardin d'iris à l'abandon courant tout au long. Cette demeure ne respirait et ne vivait que par la façade opposée, mais on n'en distinguait rien, cachée qu'elle était par une haie de lauriers.

On ne voyait pour ainsi dire jamais les parents de Julia, si ce n'est pour la messe dominicale, et encore n'arrivaient-ils les derniers que pour repartir les premiers, comme des lépreux, s'arrêtant à l'épicerie d'Eugénie Saulière le temps d'acheter la *Croix de la Corrèze*, le *Pèlerin* et de faire quelques emplettes.

Fabry était militaire de carrière à la retraite, marié à une demoiselle de la ville, plus jeune que lui et parfaitement effacée. Ils avaient eu Julia sur le tard. Elle était née et avait vécu dans une ambiance de presbytère et de caserne, sans affection, retenue au milieu familial par une propension naturelle à la sédentarité et par tout un réseau secret mais solide de conventions dans lequel ses premiers pas s'étaient englués.

Mes dons de passe-muraille m'avaient valu ce rare privilège : pénétrer dans cette forteresse réputée inviolable.

En me glissant à travers les laurières, un dimanche matin, à l'heure de la messe il y avait trois étés de cela, j'avais pu parcourir la terrasse dallée donnant sur la vallée de la Gane, verte et bleue sous le soleil de juillet. Je m'étais prélassée dans les fauteuils et les chaises longues, avais avalé ce qui restait d'absinthe au fond d'un verre et, stimulée par ma propre audace, j'avais glissé un regard à l'intérieur. Une fenêtre étant entrebâillée, je l'escaladai et m'avançai à pas de loup. Ça sentait des odeurs de sacristie : vieux bois, encens et cire fraîche. A travers l'obscurité, dans la pénombre où vivaient seulement deux gros chats et une pendule comtoise, je distinguais des meubles à incrustation, d'origine chinoise, animés de petits personnages de nacre dans des paysages de fantaisie, des tapis épais où s'enfonçaient mes pieds nus, une panoplie d'armes barbares... Des potiches paraissaient me faire signe dans l'antichambre où veillait une sorte de monstre de faïence bleue qui me figea de terreur. J'attendis. Il ne bougea pas et je montai sans crainte à l'étage.

Une odeur lourde, étrange, flottait dans une chambre aux dimensions d'un cabinet, occupée par un lit bas envahi de coussins à décor chinois. Des fleurs et de longues pipes de bambou étaient disposées sur de petits guéridons de bois noir laqué. Sur l'un d'eux, près d'une de ces curieuses pipes, un adorable petit pot de porcelaine contenait une confiture noirâtre à l'odeur singulière.

En entendant les cloches sonner la sortie de la messe, je m'empressai de redescendre, sans rien emporter qu'une poignée de bonbons. La tête me tournait un peu comme si j'avais pénétré par effraction dans un monde interdit, totalement clos dans sa carapace de silence et d'oubli, en marge du village.

Le soir, je parlai de ma découverte à Flavie qui en ce temps-là allait encore à l'école. Elle me traita de folle. Elle n'accordait jamais le moindre crédit à mes imaginations et ne prenait aucun plaisir à me les entendre raconter

Aucun mystère, en revanche, n'entourait la vie d'Eugène Caze. En apparence, du moins.

L'année passée, il s'était fait renvoyer de l'école communale de Saint-Roch après avoir tenté à deux reprises et sans succès le certificat d'études. Il n'était pas foncièrement sot mais buté et inapte à l'étude. Les « répétitions » n'y faisaient rien et son esprit répugnait à certaines disciplines : en français notamment, il était incapable, par paresse ou impuissance, d'aligner trois phrases cohérentes pour raconter les fenaisons et moins encore pour commenter une maxime de morale.

La ferme de Combe-Rigal que tenaient ses parents, anciens domestiques du château, devenus métayers, était une belle construction barlongue flanquée de deux tours rondes et d'une chapelle qui servait d'étable.

Au temps où mon père vivait, on m'y emmenait aux veillées et nous passions nos soirées à tresser des paniers, écaler des châtaignes et des noix, dévider le chanvre, égrener le maïs, chanter, danser, raconter des histoires et boire la piquette et le cidre.

Eugène était un enfant taciturne et sournois, toujours à l'affût d'un mauvais coup. Des lunettes de fer achetées à un marchand ambulant abritaient son regard derrière des verres graisseux. Flavie l'avait giflé un jour où elle l'avait surpris en train de la guetter derrière la haie où elle allait faire ses besoins. C'était un *eirand*, comme on dit chez nous, de ceux qui « ne profitent que lorsqu'ils font du mal ». Lui, il était monté en graine. La fascination qu'il exerçait sur les garçons de son âge qu'il initiait à des jeux pervers tenait à ce sadisme sans joie qu'il exerçait de même sur les animaux. Quant on découvrait un chat martyrisé, un chien assommé à coups de bâton ou empoisonné, des volailles plumées vives, il ne fallait pas chercher bien loin : il y avait de l'Eugène là-dessous. Et pas question d'aller se plaindre aux parents : Le père sortait le fusil dès qu'on mettait en doute l'honorabilité de la famille.

Cécile inscrivit Julia Fabry et Eugène Caze sur son grand registre. Avec ces « acquisitions », comme elle disait, l'effectif de la « communale » réparti dans les trois divisions : grands, moyens et petits, comptait dix-sept élèves avec moi qui ne me situais dans aucune section bien définie, évoluant entre les trois divisions, prenant ma pâture ici et là. C'était une petite classe mais sur laquelle Cécile veillait avec une attention constante, heureuse de constater que, malgré l'hostilité qui se manifestait dans la population à l'instigation du curé, on ne lui eût pas enlevé d'élèves – au contraire.

Je n'avais pas revu Eugène Caze depuis deux mois au moins. Il n'avait guère changé. C'était une sorte de *drollard* sans épaules, long et mince comme un échalas, tondu ras et coiffé d'un béret de chasseur alpin à la pliure mangée aux mites. Ses lunettes étaient toujours aussi grasses et son regard aussi fuyant.

Julia ressemblait à une princesse dont elle avait le port et les manières. Elle portait un tablier propre chaque jour, un cartable de cuir et des bottines qu'elle évitait de promener dans les flaques et que les garçons prenaient un malin plaisir à éclabousser au passage. Ses cheveux étaient noués en catogan sur la nuque avec un gros ruban rose. Elle nous déplut tout de suite. Nous l'appelâmes la *fachounaïre* (celle qui faisait des façons : la pimbêche). Cécile partageait notre réserve mais ne le montrait pas. Car pour elle tous les élèves étaient égaux.

Julia avait été renvoyée de Sainte-Thérèse pour « insolence envers la maîtresse ».

– Je ne comprends pas, devait confier Emma à Cécile. Julia était une élève tranquille, rangée, polie, et voilà qu'elle se met à m'injurier devant toute la classe pour une mauvaise note en français qu'elle avait amplement méritée. Quelle mouche l'a piquée ? Et pourquoi a-t-elle refusé

158

de me présenter ses excuses? Cécile, je ne vous ai pas fait un riche cadeau. Surveillez son comportement. Il y a quelque chose de louche et j'aimerais en avoir le cœur net. Il est vrai qu'elle est à l'âge ingrat...

Ce mois de janvier fut pénible pour moi. Cécile m'accablait de travail, me forçait aux limites de mes possibilités, me démontrait que je pouvais toujours aller plus loin et faire mieux encore. Elle m'assiégeait en permanence, m'obligeant à déployer toutes mes facultés, éveillant celles qui sommeillaient en moi, me poussant à en faire usage, sans se soucier de ma résistance physique et mentale.

– Ce problème est faux. Recommence-le! Je te répète que le prix d'achat doit être égal à la différence entre le prix de vente et le bénéfice. C'est simple, non? Hier, tu as résolu un problème plus difficile. Qu'as-tu aujourd'hui? Où es-tu encore allée traîner cette nuit? J'aurais dû te garder près de moi. Dès que je te lâche la bride, tu perds le fil, tu n'es plus la même. Que faut-il faire? T'enfermer dans une pièce, avec une chaîne aux pieds?

– Je suis fatiguée.

Je l'étais vraiment. Un méchant rhume que je contractai à la mi-janvier après avoir aidé la Maïré à préparer des raves pour la *bacade*, dans la grange, m'obligea à garder le lit quelques jours. Cécile vint me rendre visite à plusieurs reprises; elle m'apportait des cachets d'aspirine, des bonbons pour la gorge, du miel pour mélanger à mes tisanes. Je me faisais plus malade que je n'étais pour le plaisir de voir sa mine changer, l'inquiétude percer sous sa fausse jovialité. Lorsqu'elle parla de faire venir le médecin, la Maïré le prit de haut :

– Déplacer le docteur Farge pour un rhume? Manquerait plus que ça! Les médecins, c'est bon pour les riches.

– Je paierai sa visite.

– On veut pas de votre argent. C'est pas le premier rhume qu'elle me fait, à traîner par tous les temps par le pays. Quelques cataplasmes de farine de moutarde et ça aura passé en trois jours.

Je me contractais dans mon lit devant le cataplasme. Le remède était pire que le mal. Cette bouillie brûlante que la Maïré m'appliquait autoritairement sur la poitrine, sans un mot de consolation, me faisait hurler. Elle n'y allait pas de main morte. Ma poitrine était rouge et des cloques commençaient à se former. Je la montrai à Cécile.

– Mais cette petite est brûlée!
– Mêlez-vous de ce qui vous regarde! répliqua la Maïré. Si elle est brûlée, on la guérira avec quelques feuilles de *casse-diable*. J'en ai là, qui trempe dans de l'huile de noix.

Cécile repartait, la mort dans l'âme, avec les livres qu'elle m'avait apportés à tout hasard. Un jour, je lui avouai que je rêvais sans cesse d'oranges. A travers mon sommeil ou ma fièvre, elles surgissaient, points minuscules qui grossissaient, devenaient énormes comme des melons, comme des nuages, et elles s'ouvraient, et je pénétrais en elles, m'y lovais, baignée dans un amnios de sucre et de jus parfumé, et je m'en gavais par tous les pores de ma peau, et je devenais orange. Elle demanda à Bécharel de m'en ramener de Meyssac et les déposa le dimanche suivant à mon chevet.

La reprise s'effectua sans heurts. J'étais faible encore et parvenais mal à assimiler les données les plus élémentaires, comme si mon savoir et mes capacités s'étaient diluées dans la fièvre. Cécile se contentait de soupirer et de reprendre inlassablement ses démonstrations.

Lorsque je sus lire et écrire à peu près couramment, je m'initiai à l'histoire.

L'album illustré que je feuilletai m'amusa comme les images d'un défilé de Carnaval que mon père, jadis, nous avait amenés voir à Beaulieu ou comme ces bals costumés que l'on donnait parfois au château et que je contemplais du haut d'un mur dominant les terrasses et les jardins.

Quand j'ouvris le premier livre d'histoire de France de Claude Augé et Maxime Petit, je compris que ce que je prenais pour une aimable réjouissance était une tâche d'une extrême complexité. Dénuée de la moindre notion de durée historique, je dérivais dans des époques lointaines, sans attaches avec le monde présent et dont l'intérêt me paraissait discutable. Ma mémoire enregistrait des faits, des noms, des dates, nouait des filiations qu'une nuit suffisait à dénouer. Je me retrouvais le lendemain avec un fatras d'impédiments qui seraient balayés par leur propre insignifiance.

– Écoute bien, insistait Cécile. Tous ces événements qui ont eu lieu avant nous, tu ne serais pas là s'ils ne s'étaient pas produits, et moi non plus. Le monde n'a pas commencé à ta naissance. Avant toi, il y avait ton père et avant ton père, ton grand-père, et ainsi de suite. Un homme, un lointain ancêtre, était peut-être à Tolbiac et un autre peut-être à Poitiers avec Charles Martel. L'un d'eux, sûrement, a participé aux croisades. Il devait y en avoir un à Marignan et un, beaucoup plus tard, à Valmy, dans les armées de la Révolution que tu vois là, autour de ces moulins. Ton grand-père était en Crimée, ça, c'est certain, et Pierre, d'ici peu, ira peut-être se battre contre les Allemands. Tu comprends? Est-ce que tu comprends?

Autant que les notions de distance terrestres et cosmiques, celles de la durée historique m'étourdissaient, m'emportaient dans un tourbillon d'où les premières cohérences ne se dégageaient qu'avec peine. Par éclairs je devinais le rythme sourd et puissant de ces profondeurs humaines, cette palpitation qui est celle de la vie, ces tempêtes qui propulsaient l'humanité à travers des murs de brume qu'elle perçait d'éclats de foudre et d'incendie.

– Tu comprends, Malvina? Est-ce que tu comprends?

Je remontais l'échelle des siècles en compagnie des rois, des empereurs, des tyrans, des généraux, des hommes de science. Quand je tenais le fil, je ne le lâchais plus, je m'y cramponnais la nuit, me hissais péniblement, comme à la cordée, d'Azincourt en Formigny, de Fontenoy en Waterloo, aidée par la puissance suggestive des images qui défilaient dans ma tête. Je dormais, rêvais, m'agitais.

– Tu as encore de la fièvre, me disait Flavie lorsque nous déjeunions de châtaignes blanchies et de lait. Tu t'es agitée toute la nuit. Si tu es malade...

— Ne dis rien à la Maïré, surtout. Ça passera.

Tout allait très vite à présent parce qu'une lumière nouvelle éclairait le monde de l'histoire. En regardant une image, et un visage en particulier parmi ceux qui grouillaient dans les assemblées et les batailles, je me disais : « Celui-ci doit être un Delpeuch. Je lui ressemble ». Je ne pouvais faire un plus beau cadeau à Cécile. Nous échangions nos fièvres, nos inquiétudes, nos espoirs. Elle devait maintenant freiner mon enthousiasme et ma soif de connaissance.

L'argent qu'elle était parvenue, à force de privations, à économiser sur son maigre traitement, elle en employa une partie à commander chez Eyboulet, à Ussel, une « sphère » toute neuve. Aux plongées dans le temps se superposèrent des voyages dans l'espace. Il fallut des prodiges de patience à Cécile pour me faire admettre la réalité de la rotondité terrestre et des lois de la pesanteur qui faisaient que les gens qui habitaient les régions antarctiques n'avaient pas forcément la tête en bas. Une fois acquise cette donnée élémentaire, tous les voyages devenaient possibles, et je ne m'en privais pas. Je me grisais de noms et d'images de terres lointaines. Les frontières de Saint-Roch, celles de la Corrèze, distendues, éclataient. L'univers ne se bornait pas à Beaulieu d'une part et Brive de l'autre. Les océans demeuraient un mystère dont Cécile m'entretenait intarissablement; alors qu'elle était encore normalienne, elle avait visité Arcachon et les plages sauvages de l'Atlantique; elle m'expliquait le jeu des marées et des vagues en mêlant à ses démonstrations quelques éclairs de poésie.

Un jour elle me ramena un coquillage fossile, sorte d'énorme escargot de pierre, qu'elle avait découvert au cours d'une promenade aux Ardaillasses. Elle m'expliqua :

— C'est un nautilus que la mer a laissé là en se retirant, il y a des millions d'années. Cette pointe, c'est un rostre de bélemnite. Tous ces animaux vivaient avant la venue de l'homme sur la terre.

— Avant Adam et Ève, dis-je, me souvenant de mes premières leçons de catéchisme.

– Oui, bien avant.

– Il y a des millions de millions de millions d'années?

– Sans doute. La mer était ici, où nous sommes, et il y avait à Saint-Roch des animaux plus gros que toi et moi réunies.

– Gros comment : comme mes vaches?

– Oui, et plus gros encore.

J'imaginais la Brune ou la Rousselle en train de batifoler dans les vagues antédiluviennes, broutant des herbes hautes comme des peupliers, et rentrant chaque soir dans une étable en forme de coquillage. Je divaguais plusieurs nuits dans des fonds marins hantés de monstres. Cette impression de ne plus se sentir isolée dans un monde de ténèbres, d'être rattachée par des liens invisibles mais évidents à une chaîne de création et de préparer son propre maillon pour les générations futures, d'être un élément actif de l'élaboration de l'avenir, me fascinait.

Cette fin de janvier nous l'avons vécue, Cécile et moi, dans une sorte d'exaltation permanente qui confinait à l'ivresse.

Et puis un soir, très tard, un caillou a heurté le volet de sa chambre.

Février

Il paraissait revenir du bout du monde. La vase du marécage collait à ses souliers éculés et ses vêtements semblaient avoir été prélevés sur un de ces *babouis* que nos paysans plantent en plein champs pour effrayer les corbeaux. Sa barbe avait poussé et ses cheveux lui descendaient dans le cou. Rien ne le distinguait de ces vagabonds qui venaient parfois cogner à la porte, que la Maïré renvoyait en leur montrant le fusil et que Cécile accueillait par une collation et quelques sous.

— Mon Dieu! gémissait Cécile, d'où sors-tu? Tu es fou de revenir? Tu sais pourtant qu'on te surveille, et moi aussi.

— Pas à cette heure-ci.

— Je n'en suis pas certaine. Pourquoi reviens-tu?

— Depuis que j'ai déserté je ne reste pas au même endroit plus d'une journée. Hier, j'ai passé la nuit dans une grange près de Chauffour. Ce matin, en m'éveillant, je me suis dit que j'étais trop près de toi pour ne pas essayer de te revoir. J'en avais envie à crever. Mais je ne reviendrai plus, c'est trop dangereux.

Il avoua qu'il était à bout de ressources, qu'il avait froid, faim, sommeil. D'ici quelques jours, il prendrait le train pour Paris. Là-bas, il se débrouillerait mieux. Il avait des amis par les pacifistes, des gens originaires de la Corrèze, notamment Henri Fabre, le directeur des *Hommes du Jour* et du *Journal du Peuple,* qui pourraient l'aider à passer à l'étranger : en Suisse ou en Espagne. Il parlait avec fièvre et précipitation car il n'avait adressé la parole à personne depuis des jours, peut-être des semaines. Il le reconnut d'ailleurs en riant et en s'excusant tandis que je sortais de l'armoire le pain et les rillettes et que je faisais réchauffer sur le potager un fond de soupe. Il but un verre de vin, s'endormit sur la table et ne se réveilla que pour manger sa soupe, noyer le fond de bouillon d'un large *chabrol* et attaquer le chanteau de pain et les rillettes.

Quand il eut achevé, il replia son couteau et se leva pour partir.

– Reste, dit Cécile. Tu dors debout et la nuit est trop froide pour coucher dans une grange. Tu partiras à l'aube. Enlève tes vêtements.

Il se dévêtit, gardant seulement un vieux caleçon fatigué pour se coucher dans le lit que j'avais garni de briques chaudes. Il gémissait de plaisir, éclatait de rire, continuait à parler en dormant à moitié et finit par s'endormir tout à fait en racontant ce qu'il allait faire à Paris avec ses amis qui ne l'abandonneraient pas.

– Eh bien, me dit Cécile en me montrant les vêtements en tas, c'est une rude nuit qui se prépare.

Elle fit chauffer de l'eau dans la grande bassine, y plongea les vêtements de Fred, m'envoya à plusieurs reprises remplir le seau à la pompe. Brisée de fatigue et de sommeil, j'obéissais passivement. Les derniers seaux me pesèrent tant que je devais m'arrêter à chaque marche. Cette lessive sommaire achevée, Cécile disposa les vêtements essorés sur le dos des chaises après avoir ranimé le feu. Il était minuit passé ; nous avions rarement veillé aussi tard.

– J'avais pensé dormir dans le rocking-chair, dit-elle, mais je crains de prendre froid. Alors nous allons coucher tous les trois ensemble. Nous nous réchaufferons mutuellement.

L'idée m'amusait. Revêtues de nos chemises de nuit, nous allâmes rejoindre Fred qui dormait déjà et dont le visage hirsute faisait une tache sale sur le traversin. Il fallut se serrer un peu. Cécile s'allongea sur le bord et s'obligea à ne pas s'endormir tout à fait car la nuit serait longue pour elle. De temps à autre, elle se levait dans la lueur du foyer, allait ranimer les flammes et changer les vêtements de place pour qu'ils sèchent plus uniment. Un bras de Fred passé autour de ma taille, son haleine qui sentait fort dans mon cou, je regardais la longue silhouette blanche de Cécile aller et venir, le mouvement des jambes visibles en contre-jour à travers l'étoffe. Lorsque la chemise de Fred fut sèche, elle revêtit sa robe de chambre et se mit à repriser dans la lumière de veilleuse de la lampe. Moi, je ne bougeais pas de peur d'éveiller Fred, malgré le poids de son bras sur ma hanche, et je me disais : « Tu es en train de dormir avec un déserteur, un homme dangereux que les gendarmes recherchent... » et je n'aurais voulu céder ma place pour rien au monde.

Je m'endormais pour de bon et m'éveillais en sursaut. Tantôt Cécile se tenait près de moi et nos mains se serraient pour sceller notre complicité ardente ; tantôt je la regardais aller et venir en silence, repriser, repasser, préparer des vivres qu'elle plaçait dans le rücksack qu'elle emportait pour les promenades de la classe, rester assise à regarder le feu en pleurant. Elle devait se dire qu'ils ne se reverraient plus, que cette nuit était la dernière, que la solitude allait retomber plus lourdement sur ses épaules.

Cécile était encore debout lorsque l'aube pointa au-dessus du château et colora de rose le Puy-Faure.

L'eau était chaude pour la toilette de Fred. Cécile avait préparé du café au lait dont l'odeur baignait la pièce. Le pain et le beurre étaient sur la table, les vêtements propres et reprisés sur une chaise. Fred fit sa toilette, se tailla la barbe, s'habilla et déjeuna le dos au feu sans dire un mot. Il ne se décidait pas à partir. Son regard s'attachait aux objets, à Cécile, à moi, comme s'il souhaitait emporter le plus possible de nous dans sa mémoire.

– Il est temps, dit Cécile. Bientôt il fera plein jour et tu risques de rencontrer le courrier de Vayrac. Prends ma bicyclette et laisse-la près de la gare. Malvina ira la chercher dans la journée, avec le retour du courrier.

Elle lui tendit une enveloppe contenant toutes ses

166

économies : environ cinquante francs, ne gardant que le minimum nécessaire pour tenir jusqu'au prochain règlement de sa mensualité, et le pécule destiné aux éventuels accidents des élèves. De toute manière, Agathe Laspoumadère et Jules Bernède lui feraient crédit. Elle devrait se préparer à ne manger que du pain et des noix.

– C'est trop, dit Fred. Et ces vivres...

– Tu auras besoin d'argent à Paris. Surtout ne m'écris pas. Mon courrier est surveillé. Ma dernière lettre, envoyée par une collègue normalienne, a été ouverte. On m'espionne. Ce sera une chance si ta présence passe inaperçue. Maintenant, va-t'en !

– Je te rembourserai dès que possible, car nous nous reverrons. Je ne sais pas où je vais aller, ce que je vais devenir, mais quelque chose me dit que nous vivrons un jour ensemble. Il faut y croire. Promets-toi de ne jamais en douter.

Cécile ne parut pas entendre. Elle se tourna vers moi.

– Malvina, va préparer la bicyclette et fais attention que personne ne te voie. Il faudra sans doute regonfler les pneus.

Je les laissai seuls. Il restait encore un peu de nuit gelée dans un silence de banquise à peine troublé par le chant des coqs et les aboiements des chiens. Des fumées traînaient dans l'air rose en strates délicates. J'avais froid mais je me disais que je ne devais pas remonter dans la chambre avant qu'on m'y invite, que ces quelques instants leur appartenaient, et à eux seuls.

– Merci, dit Fred. Tu es une bonne petite. Ne dis rien à personne de ma présence. Jure-le moi sur la tête de Cécile.

Au bord des larmes, je jurai. Il me caressa la tête, me serra fort dans ses bras, m'embrassa éperdument et me dit avec des sanglots dans la voix :

– Je t'aime, Malvina. Je ne t'oublierai jamais. Si tu veux être une femme libre, il faut continuer à travailler comme tu le fais. Cécile m'a parlé de toi et de tes progrès. Tu réussiras et tu seras heureuse Adieu, ma petite fille. Veille sur Cécile comme elle veille sur toi.

Il attacha sur le porte-bagages la vieille serviette de normalienne que Cécile avait garnie de nourriture, serra ses fonds de pantalons avec des épingles à linge et me fit un salut de la main.

Il était temps. Les enfants du hameau de Branes, chargés ce jour-là de l'entretien de la classe et de l'allumage du poêle, venaient d'apparaître à cent mètres de là, au carrefour, dans la direction opposée à celle qu'il venait de prendre.

– Qui a écrit ça?

Silence dans la classe. Eugène Caze se moucha bruyamment. Rachel laissa tomber son ardoise ce qui fit un bruit de tonnerre.

– Il faut avoir le courage de ses actes, mes enfants, poursuivit Cécile. Je ne vous demande pas de dénoncer celui qui a écrit cette infamie, mais j'exige que l'auteur, s'il n'est pas un lâche, se dénonce lui-même.

Elle pointait sa règle sur le tableau noir où une main malhabile avait tracé à la craie, d'une écriture qui aurait pu être celle de n'importe lequel d'entre nous : « GUIL-LAUMETTE ». Elle ne paraissait pas émue outre mesure. Depuis le début du mois de février, elle avait reçu trois lettres anonymes l'accusant d'être l'amie des Allemands et l'ennemie de la France, de pactiser avec le diable, de donner le mauvais exemple aux enfants. Loin de dissimuler ces ignominies, elle avait demandé au maire la permission de les afficher derrière le treillage de fer du panneau municipal et de les faire lire le dimanche à la sortie de la messe par le tambour de ville. Joffre avait refusé poliment « pour ne pas troubler l'ordre public déjà bien compromis ». Elle les avait placardées à la porte de l'école d'où des mains mystérieuses les avaient enlevées. Cécile était plus affectée par cette atmosphère de suspicion qu'il n'y paraissait. Elle avait même demandé par lettre son changement à l'inspecteur qui lui avait répondu : « Nous ne prenons pas ces calomnies au sérieux. Tâchez de faire de même et patientez. » Elle serrait les dents et feignait l'indifférence.

– C'est peut-être le *Drac*, dit innocemment Joséphine Escaravage.

Cécile ne daigna ni sourire ni se fâcher. Elle remonta à son bureau, annonça une dictée commune à toute la classe, exception faite des petits qui commençaient tout juste à déchiffrer leur Mironneau. Nous échangeâmes des regards surpris car il était inhabituel d'ouvrir une journée de classe par une dictée; nous attendions la leçon de morale et d'instruction civique. C'était une petite révolution.

– Je sais ce que vous pensez, dit Cécile, mais cette dictée sera également une leçon de morale.

Elle se recueillit quelques instants, tournée vers la fenêtre qui donnait sur le marécage en tapotant sa lèvre inférieure avec un bâton de craie. Puis elle dit :

– Écrivez!... Titre : « Les ennuis de Guillaumette... »

Elle improvisa un texte racontant l'histoire d'une fillette que ses parents avaient eu l'idée saugrenue d'appeler Guillaumette et qui devait subir l'ironie et la méchanceté de ses camarades.

– Eugène Caze, ramasse les devoirs et mets-les sur mon bureau. Les grands, ouvrez votre livre de calcul, page soixante-dix, au chapitre « Mesures de longueur », soixante et unième leçon. Vous y êtes? Les moyens révisez votre géographie : Foncin, page quatorze, chapitre « Les cinq parties du monde ». Lisez ce qui concerne l'Asie. Je vous interrogerai tout à l'heure. Toi, Malvina, surveille la leçon d'écriture des petits et aide Maria à préparer son encre et à mettre une plume neuve.

L'heure de la récréation venue, Cécile me retint dans la classe. Elle se tenait debout devant le tableau noir, une dictée à la main.

– Je crois que je tiens le coupable, dit-elle. Regarde ce devoir et dis-moi si cette écriture n'est pas la même que celle du tableau.

J'inspectai l'une et l'autre sans remarquer la moindre analogie.

– Un détail m'a frappée, ajouta Cécile. Cette façon de lier les « e » aux voyelles et cette petite queue à la barre des « t ». Tu le remarques maintenant?

Peu sensibles lors d'un premier examen, ces particularités s'imposaient à la longue par leur répétition. Cécile tenait le nom de son auteur dissimulé par un pli en haut de la feuille.

– Tu ne devines pas qui a pu écrire ce nom au tableau?

J'avançai quelques noms, dont celui de Julia Fabry. Elle déplia la feuille et je lus celui d'Eugène Caze. Elle n'en était pas autrement surprise. Emma Berthier l'avait mise en garde contre ce garnement et contre Julia Fabry. Cécile aurait plutôt pensé à Julia.

– Tu vas le punir?

– A ma manière, oui, mais ne dis rien encore à personne.

J'allai me joindre à une partie de barres en surveillant Eugène du coin de l'œil. Il était en train de galoper derrière cette dinde d'Anna Blavignac qui gloussait chaque fois qu'il attrapait ses nattes ou soulevait ses jupes. En me délectant à l'avance, je l'imaginai à genoux sur une règle, les mains tendues de chaque côté du corps supportant ses sabots, sa dictée épinglée dans son dos, dans une attitude de martyr chrétien dans l'arène, mais Cécile lui réservait un châtiment beaucoup plus subtil.

Lorsque nous fûmes rentrés, elle pointa sa règle vers Eugène Caze.

– Passe au tableau. Écris : « Moi, Eugène Caze, j'avoue (avec un « e » à la fin) être un lâche. Je n'ai pas le courage de mes actes. Profitant de l'absence de la maîtresse et de mes camarades, j'ai écrit des insanités... j'épelle... au tableau. Je n'ai pas eu non plus le courage de me dénoncer. Je regrette cet acte infâme et je promets de ne plus recommencer. »

Un murmure de réprobation monta contre le coupable. Eugène, sans se démonter ni manifester la moindre émotion, signa comme on le lui demandait, posa la craie dans la rainure du tableau et regagna sa place avec un mince sourire.

– Ce n'est pas tout, dit Cécile. Tu vas recopier sur une feuille de cahier ce que je viens de te dicter. Tu la remettras à tes parents et demain tu me la rapporteras

170

signée de la main de ton père. De plus tu copieras dix fois la tirade de Beaumarchais sur la calomnie.

Là, je crus qu'Eugène Caze allait protester, ce qui n'était guère dans sa manière car il était la passivité même. Il se contenta de croiser les bras et de dodeliner de la tête en *roumant*.

Le lendemain matin, Eugène n'était pas seul en arrivant à l'école. Son père l'accompagnait, vêtu d'une peau de bique mitée, reliquat de son séjour au château (il avait conduit la voiture d'Hortense de Bonneuil au temps où la famille fréquentait chez les barons de Jouvenel). Il portait, sans doute pour faire impression, son fusil à la bretelle. C'était un homme long et maigre, plus rude que puissant, affecté d'un léger strabisme dont il devait jouer pour se faire craindre.

Pour pénétrer dans la cour, il attendit que tous les enfants fussent arrivés et les rangs formés dans l'attente du moment où la maîtresse commencerait l'inspection des mains et des cheveux.

J'étais arrivée la première avec une bûche pour le poêle, la réserve de bois de chauffage affectée à la classe étant épuisée par suite des froids très durs de janvier. J'avais balayé la classe et allumé le Godin car c'était mon tour, et je m'étais acquittée en conscience de mon rôle, sans omettre de placer dans le vase installé sur le bureau une branche de forsythia encore en bourgeons dérobée en passant devant le jardin sauvage des Fabry.

Je sortis dans la cour au moment où apparaissait le père Caze qui marchait d'un pas tranquille devant son fils. Lorsque Cécile parut, quelques instants après moi, il l'apostropha sans ôter sa casquette :

— Vous vouliez une réponse à cette lettre, dit-il, je vous l'apporte moi-même.

Il sortit le papier de sa poche, le déchira et en jeta les morceaux par-dessus sa tête.

— Dans notre famille, dit-il, personne n'a jamais été traité de lâche. Vous allez retirer tout de suite cette accusation.

— Je ne retire rien de ce que j'ai dit. Votre fils s'est conduit comme un lâche. Il vous a dit pourquoi, je suppose?

171

– Il m'a tout raconté, mais rien ne prouve qu'il soit fautif. Il vous fallait un coupable et vous l'avez choisi parce qu'il ne se plaint jamais.

– Ce qu'il a écrit est encore au tableau et j'ai sa dictée sur mon bureau. Voulez-vous que nous comparions les deux écritures? Elles sont de la même main. Je puis vous le démontrer devant toute la classe si vous le désirez.

– C'est une machination? Mon fils est incapable d'une mauvaise action.

– Alors pourquoi l'a-t-on renvoyé de chez les « Frères » de Beaulieu? Ça aussi je peux le raconter devant toute la classe si vous y tenez.

– Vous n'avez pas le droit, mais vous en seriez capable! On a raison de dire que vous êtes une mauvaise fille, une « sans Dieu », une traînée, une... Guillaumette! Qu'est-ce que vous attendez pour aller chez les Prussiens après nous avoir espionnés? Ah! *per moun arma...* Si je me retenais pas!

Il ôta son fusil de son épaule et le braqua en direction de la maîtresse. Elle s'écria :

– Mes enfants! Allez sous le préau, vite! Cet homme est fou!

Elle resta seule avec moi qui refusais de partir avec les autres et la tenais par la ceinture de sa blouse.

– Eh bien, dit-elle en croisant les bras, qu'attendez-vous? Sous votre arrogance, seriez-vous un lâche comme votre fils? Si je suis tout ce que vous dites, alors tirez! On vous donnera peut-être la Légion d'honneur et vous ferez figure de héros dans le bulletin paroissial et dans la *Croix de la Corrèze*.

Caze remit son arme à la bretelle, cracha à terre.

– Vous ne valez pas la cartouche que je tirerais. Quant à toi, Malvina, j'irai dire deux mots à la Maïré. Et si je te trouve sur mon chemin je t'écrase comme une vipère!

Il tourna les talons dans un grand élan de colère.

– Vous oubliez Eugène! lui cria Cécile.

– Je vous le laisse parce que je peux guère faire autrement, mais je vous préviens : il lui faut le certificat cette année, sinon vous aurez de mes nouvelles et, cette fois-ci, j'économiserai pas la cartouche! Après tout vous êtes payée pour ça, et bien payée, feignante!

L'affaire avait fait le tour du village dans la journée. Joffre vint le premier, au retour d'une foire des environs, se faire expliquer par Cécile les raisons de cette algarade. Il prit avec feu son parti. Caze était un homme irascible, impulsif et dangereux. De son séjour au château et de sa condition de chauffeur de maître, il avait gardé des idées de supériorité qu'aucune qualité humaine ne venait justifier. Il suggéra à Cécile de porter plainte ; elle refusa : plus vite on oublierait cette affaire et mieux cela vaudrait.

La majeure partie du village prit fait et cause pour Cécile. Groupés autour du curé, les irréductibles firent front. Bien sûr, Caze avait tort, mais la maîtresse n'aurait pas dû traiter un enfant de lâche devant toute la classe, sans preuve formelle. L'Académie en serait informée. Elle le fut et Cécile dut aller s'expliquer à Tulle. Elle en revint la tête haute, forte de la confiance de ses supérieurs et notamment de l'inspecteur primaire qui l'avait bien notée lors de sa dernière visite. On lui avait simplement conseillé d'éviter toute provocation, de ne rien faire qui pût attiser les récriminations dont elle était l'objet. La réputation de cette « petite Vendée » qu'était Saint-Roch, première en Corrèze pour le denier du culte et les pèlerinages à Lourdes, n'était plus à faire. On aviserait d'un changement à la fin de l'année scolaire si les choses ne s'étaient pas arrangées d'ici là.

Eugène se tint tranquille. Cécile ne le traitait ni mieux ni plus mal que les autres élèves. Elle ne faisait d'exception que pour moi (mais j'étais sa créature) et pour Rachel Morange à laquelle elle donnait gratuitement des « répétitions » car elle était comme moi faible en arithmétique.

– Méfie-toi d'Eugène, me dit un jour Alice Bernède. Il se vengera. Il en veut à la maîtresse mais aussi à toi. Tu sais pas ce qu'il est capable de faire pour te nuire, ce grand *banlève!* [1]

---

1. Godiche.

Ce dont Eugène était capable et que Cécile ignorait parce que ce sont des choses qu'on ne va pas raconter aux adultes, je ne le savais que trop bien. Durant les récréations et au cours des promenades que notre classe effectuait les jours de beau temps, sous la direction de la maîtresse, je l'avais vu à l'œuvre.

– Eugène, je parie dix *mèzes* que tu manges pas une limace.

Il fallait lui en apporter une. Il la gobait vivante sans faire la grimace puis il tendait la main et empochait les billes de l'enjeu. Jeantounet Bernède prétendait l'avoir vu un jour en manger une, de limace, coupée sur une tranche de pain. Il pouvait manger n'importe quoi : des mouches qu'il faisait craquer lentement entre ses incisives, des vers de terre, des sauterelles, des grenouilles même. Les jeudis et les dimanches, il organisait des expéditions pour se rendre à Peyridieu, au diable vauvert, voir une grosse fille que l'on appelait « la Treuge » parce qu'elle était laide, sale comme une truie et de plus idiote comme le Babeu. Il l'amenait dans un fournil en ruine, lui faisait soulever ses jupes et montrer son intimité ; on disait même qu'il la « biquait » devant les autres. Il fallait payer pour voir, mais ça valait, disait-on, les quelques centimes qu'il fallait débourser.

Cécile l'avait sermonné à plusieurs reprises après l'avoir découvert en train de regarder pisser les filles dans les cabinets de l'école dotés de portes depuis peu. Faute vénielle. Autrement grave : je l'avais surpris dans la grange, un jour que Cécile avait dû rester dans la classe avec le délégué cantonal en visite, en train d'initier les petits à la masturbation collective et de sodomiser un blondinet un peu niais de la classe des moyens. C'étaient moins ces jeux qui me répugnaient (ils étaient de pratique relativement courante) que cette froideur méthodique d'Eugène, sa morgue, les menaces dont il usait pour parvenir à ses fins. Il exerçait sur ses camarades un chantage que la complicité rendait inavouable.

La mise en garde d'Alice Bernède était superflue. Je me méfiais d'Eugène depuis longtemps ; depuis le jour où je l'avais vu menacer de son couteau, au temps des moissons,

174

une fille de la Fageardie pour qu'elle enlève sa culotte; il voulait voir, simplement voir. Sans mon intervention et ma colère, elle aurait accepté toutes ses conditions. Ce couteau, il le portait toujours sur lui; c'était un cadeau de première communion et il n'avait rien voulu d'autre; il s'en servait pour intimider les faibles et torturer les animaux (Anna Blavignac m'avait raconté qu'elle l'avait vu le planter jusqu'à la garde dans le cul d'un âne). Il n'y avait rien de bon en lui. Il n'était sauvé par aucune qualité, par aucune vertu. Après la guerre, il s'est engagé; on l'a envoyé aux colonies, dans les bataillons d'Afrique, et personne ne l'a jamais revu.

Isabelle est revenue.

Je savais qu'elle se trouvait à Saint-Roch depuis deux jours. Un matin de gel, un jeudi, je l'avais entendue, alors que je revenais de prendre des nouvelles de la petite Maria Selves qui habitait aux Bories-Hautes, à deux pas de chez nous, et qui souffrait d'une angine. Elle chantait :

« *Vive Limoges*
Et ses beaux cavaliers
L'amour y loge
Sous les grands châtaigniers... »

J'ai marché à travers les vignes dans la direction d'où venait la voix. Isabelle était descendue de cheval pour sucer quelques grains de genièvre qu'elle allait chercher délicatement, de la pointe des doigts, dans les branches épineuses. Sa jument *Praline* encensait près d'elle comme après une longue course.

– Tiens! c'est toi? Goûte. C'est amer, mais excellent pour la gorge. Ma mère en fait de la liqueur.

Elle m'invita à monter avec elle, en croupe. Je restai figée sur place, sans un mot. Elle plaisantait sûrement.

– Tu as peur? *Praline* est la placidité même. Tu pourrais tirer un coup de fusil près d'elle, elle ne broncherait pas. Allons, décide-toi! Hop...

Elle sauta en selle, m'aida à monter, me conseilla de la

tenir serrée à la taille. Elle sentait l'iris et une odeur qui n'appartenait qu'à elle et qui devait rendre les hommes fous. J'étais fière comme une petite reine; le pays était à moi. Cette impression de puissance débonnaire que donne le cheval, je l'ai ressentie ce jour-là pleinement et plus fort que jamais. J'aurais pu commander aux hommes et aux choses, affronter mes ennemis, faire rentrer sous terre les démons de la bêtise, de l'ignorance, de la médisance, affronter le curé, Dieu lui-même, ce vieillard solennel et barbu des images du catéchisme. Nous avons traversé ainsi le village. Lavergne, le forgeron, est sorti sur le pas de sa forge, croyant qu'on lui amenait un cheval à ferrer et nous a salués en touchant sa casquette du bout de l'index. Trois pensionnaires d'Emma Berthier, sous la conduite d'une grande, se sont arrêtées devant l'église pour nous regarder passer, bouche bée. Derrière la vitrine du magasin d'Agathe Laspoumadère, j'ai vu trois visages de vieilles se rapprocher pour mieux nous contempler. Noémie Farges, la boulangère, a tourné vers nous son visage fatigué en balayant le pas de sa porte et nous a saluées d'un sourire. Non, je ne voulais affronter personne. Au contraire, j'avais envie de me réconcilier avec le monde et le monde venait à moi. Si le curé était sorti de son presbytère en ce moment précis, peut-être lui aurais-je souri.

— Nous allons rendre visite à Cécile, décréta Isabelle. Je tiens à la féliciter pour la façon dont elle a cloué le bec à cette brute de père Caze. Il paraît qu'il n'ose plus se montrer au village. Nous allons d'abord passer au château. Il faut que j'y prenne quelques livres de Maurice Barrès que je lui ai promis il y a bien longtemps. Tu n'as pas froid, au moins? Tes mains sont glacées...

J'entrai au château pour la première fois par la grande porte, celle dont le fronton s'orne d'un écusson armorié et d'un millésime, et à cheval encore! Le gel avait figé le grand jardin dans un air dur comme du verre. L'eau du bassin était gelée et des bouquets de pendeloques s'épanouissaient au-dessus du jet d'eau.

Isabelle m'aida à descendre de cheval, me prit la main. Je résistai.

176

– Eh bien, quoi? Tu as peur, encore? Rassure-toi : ma mère est à Brive. Il reste seulement les domestiques et, avec ce froid, ils sont fermés chez eux. Le temps que je passe ici, je vis seule dans ma chambre et j'y prends même mes repas. Cette grande baraque est trop difficile à chauffer en hiver. Suis-moi!

D'une des fenêtres de la salle principale – celle des grandes flambées d'automne et de printemps qui éclaboussaient les vitres – je lorgnai vers le donjon. Ma cellule me regardait de son œil noir, comme pour me reprocher ma désertion – je n'y étais pas remontée depuis des semaines. La traversée du vestibule, du salon, de la grande salle me déçut. Malgré les housses qui recouvraient fauteuils et canapés, le cadre était somptueux, comparable à ceux des toiles de maîtres du XVIIIe siècle que Cécile m'avait montrées dans des albums. L'odeur n'était pas celle que j'imaginais – encens, orange chaude, vétiver, glycine en fleur – mais celle d'une cave ou d'une crypte; il y macérait des relents de vieilles étoffes et de chandelle morte.

Quoique sommairement meublée, la chambre d'Isabelle était tiède et confortable. Elle l'avait aménagée dans une tour ronde dont la petite fenêtre à meneaux donnait sur le « barry » des Faures avec, au milieu, la demeure des parents de Julia Fabry. Contrairement aux autres pièces, on y respirait la vie et même un certain air de bonheur.

De part et d'autre du lit à colonnes, de vastes dimensions (« Je les aime grands, me dit Isabelle, parce que je dors souvent en travers »), se déployaient deux volées d'étagères garnies de livres. Isabelle en choisit quelques-uns qu'elle rangea dans un panier d'osier, en prit trois autres pour moi, que je pourrais garder; c'étaient des romans de la comtesse de Ségur. (« Un peu gnangnan mais amusant, tu verras. ») Elle parut chercher ce qu'elle pourrait encore me donner car elle semblait en veine de générosité. Elle prit une grosse orange dans le compotier et la glissa dans ma poche. (« Ne fais pas d'histoire! Tu ne dois pas en manger tous les jours, pas vrai? »)

Isabelle m'amena avec elle dans le réduit voisin, assez

sombre et qui servait à la fois de débarras et de cabinet de toilette, avec au fond une baignoire taillée semblait-il dans du marbre, avec des robinets de cuivre en col de cygne. Fouillant dans une malle, elle en retira une paire de mitaines, une pèlerine, un châle de cachemire, une adorable petite robe verte avec des fronces sur la poitrine et dans le bas, deux paires de chaussettes légères et une de souliers.

— Essaie-les et si c'est ta pointure, tu les gardes. Mais oui, tout ça c'est pour toi. Veux-tu autre chose?

J'avais envie de lui demander la permission de prendre un bain dans la grande baignoire de marbre mais la timidité des pauvres me l'interdisait. Je remerciai, secouai la tête. Il fallait que je reparte porter à Cécile des nouvelles de Maria Selves et étudier un problème que je n'arrivais pas à résoudre correctement.

— Je comprends, dit gravement Isabelle. Alors je vais t'amener à cheval jusqu'à l'école.

— C'est pas la peine. Merci bien, mademoiselle.

Elle posa brusquement ses mains sur mes épaules.

— J'ai une idée! Tu vas dire à Cécile de venir me rejoindre vers midi. Je vais préparer un petit repas pour deux. Dis-lui bien que, si elle refuse, elle perdra une amie et une alliée. Prends ce que je t'ai donné. Cécile emportera le reste. Je lui donnerais bien des affaires que je ne porte plus, mais elle refuserait tant elle est fière. Allez, va!

L'après-midi, je suis remontée dans ma cellule et j'y ai retrouvé mes trésors oubliés : ma boîte de Cruogénol pleine de pelures de ma première orange de Noël, une cinquantaine de billes et d'agates dans une grande boîte de chocolat d'Aiguebelle, un *tessenou*, collier fait de pierres de différentes couleurs comme ceux que le sorcier de Végennes fait porter aux enfants malades, la boîte d'allumettes contenant mes premiers bons points... Par le fenestron donnant sur le château, je pouvais voir la tour ronde d'Isabelle, la petite lumière des chandelles disposées sur le guéridon où elle avait installé le couvert.

Cécile avait paru surprise, puis heureuse de l'invitation. Étonnée aussi que je ne sois pas invitée.

– Oh, moi, ça fait rien. Tu verras, c'est beau mais ça sent de drôles d'odeurs. Isabelle te donnera des livres. Elle aimerait bien te donner aussi des vêtements, mais elle dit que tu es trop fière pour accepter.

– Montre ce qu'elle t'a donné.

Cécile est arrivée à midi par la grand-rue du village, sans se cacher, après être passée chez Agathe Laspoumadère acheter à crédit une bouteille d'eau de noix de Brive, le régal d'Isabelle. Je l'ai vue entrer au château après avoir sonné, longer la grande allée, disparaître derrière les laurières, reparaître devant le perron, l'escalader d'une démarche de reine, sonner de nouveau.

Maintenant, elles sont là, non loin de moi, à portée de voix, mais je ne suis pas de cette fête d'amitié et je sens comme une humeur amère se distiller en moi, semblable à ce « lait de tristesse », le premier que l'on tire d'une vache qui vient de vêler. J'ai emporté avec moi l'orange que m'a donnée Isabelle et l'un des livres de la comtesse de Ségur qu'elle m'a offerts : les *Mémoires d'un âne*. En le feuilletant, je suis tombée sur l'image d'un âne surnommé Cadichon, compagnon des petites filles modèles, qui parlait et semblait prendre plaisir à les promener à travers champs avec leurs petites ombrelles, les franges de dentelles dépassant le fond de leurs jupes, leurs cheveux ondulés sur les épaules. Après avoir lu l'histoire de Cadichon, je me suis souvenue de l'âne martyrisé par Eugène Caze et j'ai réfléchi longuement à ces deux mondes : celui des petites filles modèles et celui des enfants cruels, et j'ai mesuré la profondeur du fossé qui les sépare comme il sépare trop souvent le monde des livres de celui de la vie réelle.

J'ai refermé le livre de la comtesse de Ségur (née Rostopchine) et je ne l'ai plus jamais ouvert. Peut-être est-il encore là-haut, dans ma cellule du château.

Ce mois de février, je l'ai traversé comme un désert, en désespérant de voir jamais le terme du voyage.

Un problème, un exercice résolus, d'autres, plus difficiles encore, se présentaient. Je découvrais un auteur par le biais d'une dictée et je me disais : « En voilà un qui connaît la vie et sait en parler », et d'autres surgissaient qui le bousculaient, le reléguaient aux tréfonds de ma mémoire où reposent encore ces magisters implacables de l'orthographe et de la grammaire : Émile Moselly, Hector Malot, Erckmann-Chatrian, André Lichtenberger... Je découvrais des lois physiques; la chimie me révélait les mystères de ses formules, et ces données nouvelles s'engloutissaient dans le tonneau des Danaïdes de la connaissance. L'histoire n'en finissait plus de faire mourir ses vagues jusqu'aux plages de notre temps, la géographie d'ouvrir des portes sur un monde que personne n'a exploré et n'explorera jamais complètement. Je découvrais chaque jour, au cours des leçons de choses, que les choses ne sont jamais ce qu'elles semblent être, que l'apparence n'est rien en comparaison de la réalité que révèle un télescope ou un microscope. Même la morale, que je croyais immuable comme une stèle, changeait de vérité comme on change de chemise.

Cécile s'inquiétait de mes découragements et de mes doutes.

– Ne sois pas pressée. Tu es trop curieuse de certaines matières et pas suffisamment de quelques autres.

Je courais après des figures de brouillard comme dans les rêves. Lancée à travers un marécage dont la boue collait à mes sabots, je parvenais à rejoindre des images, à les prendre à bras-le-corps mais elles se dédoublaient, reprenaient le fil du vent et la poursuite décevante se poursuivait. J'en venais à me dire que réalité et vérité vues à travers le savoir humain sont des duperies et je me réfugiais à bout de course dans mes émotions comme dans ces cellules auxquelles Cécile souhaitait me voir renoncer. J'apprenais et je constatais que je ne savais rien en regard de tout ce qui restait à apprendre. Et je souffrais de cette soif inextinguible qui, malgré mes déceptions, me possédait.

180

Régulièrement, irrémédiablement, j'achoppais sur certains problèmes. Celui que Cécile me donna à résoudre à la mi-février, alors que mes camarades traversaient le bourg affublés de défroques de Carnaval et allaient quêter de porte en porte, je l'ai gardé en mémoire. Elle prit un air sévère pour me dire :

– Tu as mal travaillé, hier. Aujourd'hui tu es punie. En calcul, tu as un gros retard à rattraper. Le défilé de Carnaval, ce sera pour l'année prochaine. Ouvre ton cahier, écris :

J'ai là, sous les yeux, l'énoncé rédigé d'une main fiévreuse : « *Quel capital représente une rente de 195,50 F en 4,5 % au cours de 92,75 F ? Quelle sera l'augmentation que recevra le capital si le cours de la rente s'élève à 95 % ? En d'autres termes, quel bénéfice réalisera le prêteur s'il vend ses titres de rente au cours de 95 F ?* »

Elle ajouta :

– C'est un problème très simple. Tu dois le résoudre en un quart d'heure. Les règles de trois, je t'ai appris à les faire, non ? Alors, au travail! Pour t'aider, sache que, pour 4,50 F de rente, il faut payer 92,75 F. Pour 1 F, on paiera une somme égale à 92,75 F sur 4,50 F, et, pour 195,50 F, il faudra payer... il faudra payer.. J'attends la suite.

Je détestais l'arithmétique et je haïssais Cécile. Passe encore pour les histoires de trains, de robinets, d'étoffes! J'imaginais des objets précis, des situations, des gestes familiers. Mais une rente! Ces spéculations qui m'étaient totalement étrangères me faisaient perdre pied. Une porte de fer tombait entre moi et le problème et il n'existait pas de Sésame qui pût la faire se relever. Je relisais l'énoncé, le ressassais du bout des lèvres et me heurtais à cette maudite porte de fer, les oreilles bourdonnantes, les mains moites, un vertige d'impuissance dans la tête.

Cécile releva les yeux de son livre.

– Comment! Tu n'as pas écrit une ligne? Tu n'es plus capable de poser et de résoudre une règle de trois? Tu le fais exprès! Allons, bon, voilà que tu pleures à présent... Petite imbécile!

– Je peux pas y arriver! Je peux pas!

– Tu peux si tu veux. J'ai assez perdu de temps avec toi.

Si tu continues, tu iras finir l'année scolaire avec mademoiselle Berthier et on verra bien si tu réussiras à passer ton certificat d'études...

L'encrier partit sans que j'eusse le temps de réfléchir aux conséquences de mon geste. Heurtée de plein fouet au visage, Cécile recula jusqu'à son rocking-chair et s'y laissa tomber. Tout un côté de son visage était souillé d'encre violette. Blême, elle se releva, se regarda dans son miroir et, sans un mot de reproche, entreprit de se débarbouiller dans la cuvette de faïence à décor de grosses fleurs bleues. Elle resta un moment les mains posées sur le rebord de la cuvette, la tête penchée sur l'eau qui avait tourné au violet, les épaules rentrées. Je restai immobile, ébranlée par un gros ressac de colère qui s'échappait de moi pour ne laisser qu'amertume et remords.

– Je t'ai fait mal?

– Ce n'est rien, laisse.

Elle ajouta sans se retourner.

– Je suis trop exigeante et trop sévère avec toi, peut-être parce que j'en attends trop. J'étais folle de croire au miracle. Tu as tes limites comme chacun de nous.

Elle se retourna brusquement, me montra la porte.

– Allez, va-t-en! Va rejoindre tes camarades. C'est jour de fête et ta place n'est pas ici. Je ne veux pas te revoir avant demain.

Certes, je regrettais mon geste mais je crois qu'il était nécessaire pour exorciser certains démons familiers et démythifier les illusions que Cécile nourrissait à mon égard – elle s'imaginait que la pionnière de la laïcité pouvait tout entreprendre, tout réussir et se fortifier dans l'adversité, mais elle avait ses limites, tout comme moi, et elles se confondaient. Paradoxalement, la violence de mon geste détendit nos rapports. Persuadée que j'échouerais (honorablement) au certificat d'études, elle renonça pour un temps à me traquer dans mes limites. Sans renoncer à mes efforts, j'appris à m'accommoder de mes insuffisances et à les corriger plutôt que de les heurter de front.

Dissipés les premiers mouvements de rancœur, nous

avons ri souvent de la scene de l'encrier. Et nous en rions encore aujourd'hui.

De mon propre chef, j'ai repris mon Lemoine (chevalier de la Légion d'honneur et directeur d'école primaire à Paris) et suis remontée aux premières leçons : « *Compter les élèves d'une classe, les plumes contenues dans une boîte, c'est chercher le* nombre *de ces élèves et de ces plumes.* » Je voulais tout réapprendre et rien ne me paraissait trop simple pour moi.

Le pépé mourut à la fin du mois.

Un matin, en voulant se lever comme d'habitude, la Maïré le trouva raide près d'elle, la bouche et les yeux ouverts. Depuis le dimanche précédent, sa santé s'était détériorée. Il se levait encore parce qu'il ne supportait pas de rester au lit plus que son temps de nuit, mais il n'avait pas touché au paquet de caporal que sa fille lui avait rapporté du bourg comme chaque dimanche. De temps en temps il quittait le *cantou*, faisait en chemise le tour de la table en s'appuyant à elle d'une main, à sa canne de l'autre, s'arrêtant pour pousser de longs râles d'emphysème, regarder la pluie noyer le paysage de la vallée et danser en bourrasques sur les vignes. C'était sa manière à lui de dire adieu à son petit univers.

La Maïré fut la seule à le pleurer. Paul et André ne connaissaient même pas son prénom – Joseph – car tous, dans la famille, nous l'appelions « le pépé ». De même, je suis restée des années sans connaître celui de ma mère, que tous appelaient « la Maïré » et non Caroline, un prénom qu'elle-même jugeait ridicule.

A cause de l'enterrement je manquai la composition de calcul et cela m'évita une mauvaise note. Sur son grand registre d'appel, dans la colonne « absences », Cécile écrivit en face de mon nom : « Décès de son grand-père. » Plus tard, je décrochai du mur la gravure représentant la bataille de Sébastopol. C'est, avec une pipe brûlée, le seul souvenir qui me reste de cet homme *effacé*. Je souligne le mot en raison de son double sens : effacé, il le fut toute sa vie et sa mort a effacé les dernières traces qui restaient de cette existence misérable comme on efface d'un revers de manche un schéma inachevé sur une ardoise.

Cette fin de mois fut calme. Le curé paraissait avoir renoncé à ses agressions dominicales contre l' « école sans Dieu » et ceux et celles qui la servaient. Le bulletin paroissial manuscrit de sa propre main et polycopié à Brive jetait plus d'eau bénite que de venin. On trouvait encore le dimanche, à la porte de l'église, les titres des journaux à l'index soulignés à l'encre rouge et parfois une phrase calligraphiée en ronde majestueuse qui stigmatisait en maximes empruntées à Maurice Barrès ou à Charles Maurras les crimes de la laïcité, mais elles n'y restaient pas longtemps car je les arrachais et les déchirais.

– Ce calme ne me dit rien qui vaille, me déclara un jour Cécile. Ce curé n'est pas homme à baisser pavillon et faire amende honorable. J'ai idée que nous ne tarderons pas à avoir de ses nouvelles.

Je la vois encore, debout contre la fenêtre, une cigarette aux doigts, en train de contempler le marécage où barbotaient des porcs venus on ne savait d'où et dont certains ressemblaient à des sangliers.

Soudain, là, à cet instant précis, j'ai ressenti une impression curieuse, comme les effluves d'un orage proche.

Mars

Je la regardais descendre par l'*escourssière*, entre la vigne et le bois, son cabas au bras droit, son vieux parapluie pendant à l'autre. Je l'attendais chaque matin.

Maria Selves était ma nouvelle amie, bien que plus jeune que moi de trois ans. Je me retrouvais en elle, sauf qu'elle n'avait pas vécu son enfance en sauvageonne, que le calcul était son fort et qu'en revanche elle n'arrivait pas à aligner correctement trois phrases en bon français. Le patois lui collait à la langue et, dans sa famille, on ne faisait rien, au contraire, pour le lui faire oublier. Littéralement, elle avait dû apprendre une langue étrangère. Je l'y aidais, moi que Cécile présentait comme un petit prodige en français.

Elle arrivait un quart d'heure avant le catéchisme, alors qu'il faisait à peine jour, s'installait à la table que la Maïré finissait de débarrasser, ouvrait son cahier et son livre : « L'année enfantine de lecture courante », de Guyau, illustré de gravures naïves, et la leçon commençait en forme de litanie monotone : « Uneu voisi neu de Jean a vait un beau per ro quet rou geu et vert qui s'appeu lait Jac quot... »

— Dis, Malvina, *que coï* un perroquet?

Je le savais pour être passée par là et je faisais la savante :

— C'est un gros oiseau de toutes les couleurs, qui vient

des colonies et qui parle. Il dit « Jacquot ». C'est pourquoi il porte ce nom.

– Dis, Malvina, *onte soun* les « colonies » ?

– Là où est ton frère qui est parti soldat en Afrique.

Et la leçon reprenait : « Jac quot pare lait, chan tait, i mi tait tous les cris des a ni maux et mê meu le rou le ment des tambours... » Un perroquet qui imitait Bécharel et son tambour du dimanche, ça, elle ne pouvait pas y croire. La Maïré tournait autour de nous.

– *Ané, drollas* ! Il faut partir à présent.

Depuis la mort du pépé elle paraissait plus détendue, délestée de travaux et de soucis, délivrée. Je la surpris même à chanter alors que nous débitions des raves pour les cochons. Elle me dit, un jour :

– Maintenant que nous avons une bouche de moins à nourrir, on pourra te payer des études chez mademoiselle Berthier.

J'avais pris ces propos pour des paroles en l'air, mais sans les dédaigner tout à fait. Parfois, la nuit, ils me remontaient à la mémoire avec des sueurs froides à l'idée que je pourrais être contrainte de quitter Cécile. J'attendais que la Maïré revînt à la charge. Cela ne tarda guère. Elle avait trouvé du renfort en la personne de Pierre et de Flavie. Une rude offensive se préparait. Elle se déclencha un dimanche après-midi, début mars.

Alors que je revenais de chez Rachel Morange où j'étais invitée à manger une tarte aux pommes, je les trouvai tous trois rassemblés. Ils paraissaient m'attendre.

– On voulait te parler, dit Pierre en roulant une cigarette. Le curé m'a invité à boire un coup, tout à l'heure, au presbytère. C'est un brave homme sous ses airs bourrus. Il ne manque aucune occasion de faire le bien. Depuis l'enterrement du pépé, il voulait me parler, mais il en a pas eu l'occasion. Alors, voilà... Mais reste pas debout, *milladious* ! On dirait que tu es au tribunal !

C'est exactement l'impression que je ressentais : me trouver devant un tribunal dans l'attente d'une sentence et ignorante des faits qu'il allait sanctionner.

– Tout s'arrange pour nous, poursuivit Pierre. Flavie va partir lingère à Meyssac, chez les « Sœurs ». C'est pas bien

186

payé, mais elle sera nourrie et elle aura ses dimanches. Elle doit ça à l'abbé Brissaud qui est intervenu *personnellement* (il répéta le mot en collant sa cigarette). De plus, comme il nous estime, il s'est débrouillé pour que nous puissions vendre notre vin. J'en avais quatre barriques sur les bras. Il a trouvé un marchand de Bretenoux qui me prend la totalité, moins ce qu'il faut garder pour nous.

– Un bien brave homme, ce curé, dit la Maïré.

– C'est pas tout, ajouta Pierre.

Il alla allumer sa cigarette à une braise, revint s'asseoir, poursuivit :

– Tu sais, cette friche, derrière chez Selves, aux Parementeaux, à mi-pente du Puy de la Rebière ? Je la voulais depuis longtemps, mais tu connais Selves : têtu comme une bourrique ! Il voulait pas vendre parce qu'un jour, qu'il disait, ça lui ferait besoin. Eh bien, c'est fait ou tout comme. On passera l'acte pour Pâques et je pourrai défricher et planter de la vigne dès cette année. Ça encore, c'est grâce à l'abbé Brissaud.

– Un saint homme, et *de service*, murmura la Maïré.

Je commençais à subodorer un relent de chantage.

– C'est bien, dis-je. Tu dois être content ?

Il y eut un lourd silence. Je me sentais de glace. A voix basse, Flavie intervint.

– Il y a une condition. Dis-lui, Pierre.

Pierre évacua une épaisse fumée qu'il dissipa de la main.

– Bien sûr, c'est un brave homme de curé et qui demande qu'à rendre service à ses paroissiens quand il le peut et quand ils le méritent. Mais faut comprendre : il donne rien pour rien. Alors, voilà... Il m'a dit : « Pierre, je suis très attaché à ta famille. Vous êtes des gens honnêtes, quoique pauvres et vous manquez jamais une messe. Vous donnez guère au denier du culte, mais c'est pas par avarice comme certains que je connais. Alors, voilà, avant que tu partes pour le service et pour éviter à ta famille de retomber dans la misère, je vais faire quelque chose pour vous. » Il m'a annoncé ce que je viens de te dire et il a ajouté : « Pour ça il faut que Malvina se fasse inscrire à Sainte-Thérèse. C'est à cette seule condition que je peux vous aider. Tu peux pas la laisser entre les mains de cette ennemie de l'Église. » Voilà ce qu'il m'a dit. Faut comprendre, Malvina.

Mon calme les déconcerta et ma réponse les fit sourire d'aise :

– Moi, je veux bien.

– A la bonne heure! s'exclama Pierre. Tu es une bonne fille.

Il alla rallumer sa cigarette. Elle faillit tomber de ses lèvres lorsque j'ajoutai :

– On attendra le certificat. Après, je ferai ce que vous voudrez.

Pierre laissa tomber sa main sur la table.

– C'est tout de suite qu'il faut t'inscrire et pas dans dix ans.

– Et mademoiselle Berthier, elle est d'accord?

Il fit un geste désinvolte de la main : elle en passerait par la volonté du curé.

– T'inquiète pas! Manquerait plus qu'elle soit pas d'accord, *per moun arma*! C'est pour le coup qu'elle aurait des comptes à rendre à l'évêché, déjà qu'on trouve bizarre qu'elle fréquente Guillaumette!

Pierre en avait trop dit. Le calme auquel je m'astreignais fit place à une colère subite et glacée. Je m'arrachai au banc, livide, un nœud dans la gorge, les jambes molles.

– J'irai pas à Sainte-Thérèse, tu peux le dire au curé. Ou alors faudra que tu m'y traînes et qu'on m'y attache avec des chaînes!

La Maïré tenta de m'arrêter comme je me précipitais dehors, en larmes :

– *Onte vas? Demora drolla! Vène aici!*

Elle me parlait avec le ton qu'elle prenait pour appeler ses poules et ses cochons. J'attendais le « Piri... piri... » ou le « Viri... viri... » qui ne vinrent pas. C'était l'épreuve de force, la guerre ouverte. J'aurais dû m'y préparer. A vrai dire, je m'y attendais un peu mais l'offensive se déclenchait avec une telle violence qu'il n'y avait pas à composer. Je battais en retraite mais bien décidée à me replier sur mes positions et à n'en pas bouger. L'énormité du chantage m'exonérait de tout scrupule. Il fallait que je voie Cécile sur-le-champ, que je lui explique, persuadée qu'elle me protégerait, me garderait avec elle. Flavie me rattrapa alors que je m'engageais sur le *sendarel* qui mène au village. Elle me cria :

— Reviens! Écoute-moi! Tu crois que j'ai pas honte!

— Laisse-moi! Tu es avec eux contre moi! Je te déteste. Si tu avais honte, comme tu le dis, tu m'aurais défendue. Tu vois pas que le curé a fait un marché, qu'il veut obliger Pierre à me vendre!

Je l'abandonnai avec son poids de remords mais cela m'importait peu. Elle avait accepté le chantage, elle avait pactisé avec Pierre et la Maïré, contre moi. Je l'entendis encore crier : « Tu me rendras malade, égoïste, mauvaise! » Qui donc, dans cette affaire, faisait preuve d'égoïsme? Qui donc sacrifiait-on au bien-être de la famille?

J'arrivai en larmes chez Cécile, lui racontai tout entre deux hoquets. Elle me prit contre elle, me serra fort, me berça dans ses bras. Je me sentais rassurée. Il ne pouvait rien m'arriver.

— Décidément, dit-elle, il veut la guerre, ce curé.

— Ils peuvent pas m'obliger.

— Si, mais rien n'est encore fait. S'il le faut, j'irai voir le curé, mademoiselle Berthier, je remuerai ciel et terre. Je ne veux pas te perdre, moi non plus. Un tel échec après une telle espérance au début de ma carrière, je ne pourrais jamais m'en remettre.

A la nuit tombée, elle se rendit chez Emma Berthier après m'avoir conseillé de revenir dans ma famille et de ne pas faire d'esclandre :

— Tu n'es pas la plus forte, comprends-tu?

Le repas fut sinistre. J'avalai sans un mot une soupe amère, qui passait mal, puis j'allai me coucher dans la grange, comme jadis, et je dormis mal.

Le lendemain, à la récréation, Cécile confia la surveillance de la cour à une grande et me demanda de la suivre dans sa chambre. Elle avait longuement parlé de moi avec Emma Berthier qui désapprouvait et condamnait l'attitude de l'abbé Brissaud mais ne pouvait s'opposer à sa volonté sans s'exposer à être mutée avec un blâme, sinon renvoyée, ce qui n'aurait rien arrangé.

– Elle m'a déconseillé de rencontrer le curé car elle craint la violence de ses reparties autant que les miennes. Cette démarche compliquerait inutilement une situation déjà difficile. Emma essaiera de lui parler, de le faire revenir sur ses exigences, mais sans beaucoup d'espoir. Tu sais ce qu'elle m'a dit : que, dans la commune, on considérait comme une sorte de miracle que tu sois reçue au certificat d'études. Et ça, il ne le tolérera pas! S'il y a un miracle, il ne faut pas qu'il soit laïc. Son honneur est en jeu et il est d'un orgueil monstrueux.

– Alors il n'y a plus rien à faire?

– Il a mis trop d'enjeux dans la balance, et ils pèsent trop lourd contre ta volonté et la mienne. C'est un chantage bien ficelé.

Elle ajouta en me prenant contre elle :

– Ma petite fille, ce qui compte, c'est que tu sois reçue. Je consens à m'effacer pourvu que tu réussisses. Emma veillera personnellement sur toi. Elle me l'a promis. Moi aussi, je serai là et personne ne pourra nous empêcher de nous revoir, pas même l'évêque de Tulle!

J'étais seule, revenue à la situation qui était la mienne quelques mois auparavant, avec la différence que ma conscience s'était éveillée et avec elle l'orgueil et la fierté. Seule. Abandonnée de tous. Manipulée comme un objet par les mains de cet ignoble curé qui jouait au potentat de paroisse. Le soir venu, je montai dans la chambre de Cécile pour prendre les affaires que j'y avais laissées. C'était ma véritable demeure; j'y avais passé plus de temps qu'à la maison des Bories-Hautes. Mon maigre bien : livres, cahiers, vêtements éparpillés à travers la pièce sur les tables et les étagères, mon gant de toilette et ma brosse à dents avec son petit savon rond et rose (un cadeau de Cécile comme tout le reste) je le rangeai dans un grand cabas.

– Tu oublies ça, me dit Cécile.

Elle me tendait la lettre de Fred, la première que j'aie jamais reçue et que j'avais rangée dans le *Jean-Christophe*,

190

mais je laissai le livre; il me rappellerait trop de souvenirs et d'émotions encore chauds en moi.

– Si tu oublies encore autre chose, me fit Cécile, tu le reprendras à ta prochaine visite.

– Je reviendrai plus jamais.

Elle me regarda d'un air de reproche douloureux et dit d'une voix un peu haute, comme brisée :

– Tu ne m'aimes plus, Malvina? Nous ne nous reverrons plus, c'est sûr?

Je secouai la tête avec l'amère satisfaction de faire de la peine à Cécile. Pour la première fois depuis que nous nous connaissions, je me prenais à la détester. Il y avait eu la scène de l'encrier (elle portait encore à la joue gauche la trace du choc), mais ce n'était qu'une foucade de notre amitié orageuse. Cette fois-ci, la dissension était plus profonde et mieux ancrée en moi. Elle pouvait bien pleurer, je m'en moquais! Je ne pleurais pas, moi. Non, je ne pleurais pas mais j'étais ivre de détresse, avec un poids énorme sur le cœur, malade d'impuissance et des premières atteintes de ma nouvelle solitude. Elle dit pour rompre la gêne :

– N'oublie surtout pas de réviser « ta » Révolution française dans le Calvet, mais fais-le discrètement, chez toi, parce que ce livre est mal vu des autorités ecclésiastiques.

Elle s'épongea les yeux.

– Tu ne veux pas m'embrasser?

Je secouai la tête et m'en fus.

Un manège d'ombres tourne autour de moi. On m'a installée dans le lit du pépé devenu celui de la Maïré puis le mien depuis que j'ai sombré dans cette étrange prostration. Mes paupières sont tellement gonflées par la fièvre qu'une sorte de brume enveloppe des personnages que je ne reconnais pas, qui parlent avec des voix inconnues. J'ignore où je suis; je dois habiter un pays lointain, un de ceux qu'on voit sur la géographie Foncin du cours élémentaire; il fait une chaleur tropicale sous les palmiers; Alger, ville blanche, s'épanouit en cirque sur la mer; les possessions coloniales françaises déploient leur

191

rougeole sur le planisphère; le gros champignon de l'Afrique penche sur sa queue; un petit homme jaune montre son ventre « gonfle » comme celui de la Flavie quand elle a mangé trop de farce dure et ce ventre s'arrondit comme la carte d'Indochine. Je murmure :

– Les Annamites, petits, solides, industrieux, avides d'instruction, sont la race dominante; les Cambodgiens sont analogues aux Hindous; les Laotiens aux Siamois... »

– Qu'est-ce qu'elle dit?

– Rien. Des bêtises, comme d'habitude. Elle délire.

– Donne-lui un peu de tisane.

Je songe que je suis moi aussi *gonfle* comme une *pétairolle* [1], et cette idée m'arrache un rire.

– Elle rit à présent. C'est bon signe.

– Pas forcément. Donne la tisane.

Ça fait plus d'une semaine que je suis alitée avec la fièvre dans le corps et des délires dans la tête. Sur l'insistance de Mlle Berthier qui m'a donné les premiers soins, le docteur Farge est venu m'examiner. Il ne comprenait pas; il disait en lissant ses grosses moustaches : « Enfant hypersensible... émotion trop forte... repos... tisanes... silence... chaleur... » Il est revenu deux fois. Il parlait près de mon visage en me regardant; son haleine sentait l'anis; il avait des mains fortes et douces à la fois pour appuyer sur mon ventre, m'ouvrir la bouche et me regarder tout au fond. J'aurais bien aimé qu'il reste, qu'il s'allonge près de moi, qu'il me prenne dans ses bras comme Cécile quand nous dormions ensemble.

– Tu veux parler? Je t'écoute. Parle.

Le visage d'Emma Berthier se penche vers le mien. Je ne distingue que ses yeux, leur violet profond, leurs cernes délicats, la petite croix d'argent sur le col qui monte jusqu'au menton.

– J'ai chaud... J'ai soif...

On me soulève, on met un oreiller dans mon dos, on me fait boire de la tisane de bourrache. Mauvais... Ma chemise me colle à la peau comme au temps des fenaisons et des battages quand je portais des seaux d'eau aux hommes

---

1. Vessie de porc.

192

dans le soleil et la poussière de blé. Sous moi, les draps gluants sentent la farine de moutarde.

– Bois encore un peu, insiste Flavie. C'est bon pour la fièvre. Après on te donnera un cachet du *medesi*. Tu nous as fait une de ces peurs...

– Ça va mieux, dit Emma Berthier. Dans quelques jours, tu pourras reprendre l'école. Tu veux bien venir à Sainte-Thérèse avec moi, dis? Je ne ferai pas mieux que mademoiselle Brunie mais je tâcherai de faire aussi bien.

La Maïré entra avec ses bidons de lait et s'approcha du lit.

– Ne lui parlez pas trop. Ça la fatigue a dit le *medesi*. Elle retournera bien assez tôt à ses livres et à ses cahiers.

Tous ces mots, je les entends mais je les comprends mal. Ils tombent en moi comme des cailloux dans une citerne vide. Je reviens de si loin que tout me semble étranger et me déconcerte. « Elle s'en tirera, a dit le docteur Farge, car elle a une robuste constitution. A son âge on ne meurt pas d'une forte émotion. »

Flavie ne m'a pas quittée. Elle est encore là, ce matin, avec son joli petit visage aux traits tirés, aux yeux fatigués, ses mains prestes, toujours disposées à intervenir lorsque je me découvre ou que la sueur me coule dans les yeux. Je m'y accroche comme à une bouée de sauvetage sur un océan brumeux et tiède. Si le monde renaît ce sera par elle et autour d'elle. Elle me souffle à l'oreille :

– Malvina! Tu m'entends? Il fait beau. Il y a du soleil partout, si tu voyais. La vigne est déjà toute verte et commence à fleurir. Cet après-midi, tu pourras te lever un peu. On fera une bonne flambée.

Elle ajoute :

– Le curé est venu te voir. Il était pas fier. Il a dit trois mots de consolation à la Maïré, une prière et il est reparti sans faire de discours. Tes camarades de classe sont venues aussi. Celles de la « communale ». Elles t'ont porté des fleurs. Pas guère parce que c'est pas la saison.

Je hoche la tête pour signifier que j'ai compris, et je souris. Et Cécile, est-ce qu'elle est venue aussi? Cette question, je ne la poserai pas. Oublier Cécile. Faire comme si elle avait cessé d'exister.

– Faut que je te dise aussi, poursuit Flavie, le visage soudain illuminé, la Maïré a promis que si ça va mieux dimanche elle fera la farce dure au petit salé.

Je salive abondamment, de toutes mes papilles. Cette farce dure, c'est comme si je l'avais devant les yeux. On la fera lever dans mon lit encore chaud et elle se mettra à gonfler comme un nuage, elle débordera du lit et je me sentirai sur elle, en elle comme dans la *juque* au plein de l'été. Dimanche, j'irai mieux. Je me lèverai. J'irai faire un tour dans les vignes de mars.

L'ambiance de la classe de Mlle Berthier changeait de celle de la « communale » : elle était plus détendue, plus disciplinée, plus feutrée, avec moins de bruits de sabots (les demoiselles portaient presque toutes des souliers et certaines, par beau temps, des bottines vernies comme celles de Julia Fabry). Il est vrai que l'aspect du bâtiment, son allure de château branlant, contribuait à renforcer cette impression.

Comme Mlle Berthier me l'avait annoncé, j'avais ma place réservée, dans la division des moyennes mais, en fait, comme à la « communale », j'évoluais entre les extrêmes, prenant ma pâture là où elle me semblait la plus favorable à mon développement. Tout en me surveillant, Mlle Berthier me laissait une certaine liberté, consciente qu'étant donné mes particularités j'étais mieux à même que quiconque d'avoir conscience de mes faiblesses et de mes avantages; elle se contentait de rectifier discrètement et avec le sourire mes erreurs d'orientation. Elle me disait par exemple :

– Je crois que tu en sais suffisamment sur les insectes. En revanche tu devrais t'intéresser de plus près aux plantes. Il y a souvent des questions sur cette matière au certificat.

Elle me confia son herbier et me fit travailler au cours des heures de « répétitions », mêlée à ses pensionnaires, sur les pétales, les sépales, les pistils, autant de noms qui

194

me ravissaient. Tout se compliquait lorsque j'abordais le monde des espèces. Je voyais trop les fleurs dans leur beauté et pas assez leur classification méthodique. Au chapitre « plantes », les leçons de choses prenaient l'apparence d'un labyrinthe semé de fleurs mortes, éventrées, disséquées au scalpel, fouillées au microscope. Le jardin devenait laboratoire et je boudais à la porte.

J'étais arrivée nimbée d'une auréole, située au nœud d'une affaire qui donnait à jaser à toute la commune. Mes camarades tentaient de lire sur mon visage, le jour de mon installation, les traces de cette étrange consomption qui m'avait terrassée et laissée suspendue entre vie et mort durant plus d'une semaine. Certaines me témoignèrent spontanément de l'amitié, notamment une fille de Végennes nommée Guilhermine, qu'on appelait Ninon pour la facilité; elle partageait son goûter avec moi sous prétexte que je devais reprendre des forces et me couvait d'un œil tendre, presque maternel. La plupart m'ignorèrent, passée la curiosité des premiers jours, et même me manifestèrent carrément leur mépris comme s'il restait sur moi quelque effluve méphitique de mon séjour à la « communale » : c'étaient des filles d'agriculteurs aisés, celles qui portaient des souliers et que le domestique venait chercher le soir, ou en fin de semaine quand elles étaient pensionnaires, avec la voiture à cheval.

Mlle Berthier me prenait parfois à part pour m'interroger, lorsqu'elle voyait une ombre passer sur mes traits.

– Malvina... Qu'est-ce qui ne va pas? Il faut tout me dire. Tu regrettes Cécile? Pourquoi ne reviens-tu pas la voir?

Non, je ne regrettais pas Cécile. C'était comme si la fièvre avait dilué en moi en même temps son image et l'amour que je lui portais. J'étais arrivée toute neuve pour ainsi dire à Sainte-Thérèse mais ce n'était qu'une apparence fallacieuse. Il ne fallait pas que je revoie Cécile, sinon tout recommencerait et aucune autre perturbation ne devait troubler mes études; je me « tuais les yeux », comme disait Mlle Berthier, sur des problèmes qui me paraissaient insolubles et sur lesquels je m'acharnais. La maîtresse m'aidait de son mieux mais ses qualités pédagogiques étaient loin de valoir celles de Cécile qui était sortie dans les trois premières de sa promotion à l'École normale. Elle n'avait que son brevet élémentaire et, dans la course aux effectifs, elle partait avec un lourd handicap car beaucoup d'élèves et de parents évaluaient les différences et en tiraient des conclusions qui n'étaient pas à son avantage. Le temps des lettres d'obédience qui permettaient d'enseigner avec une simple permission écrite de l'évêque était révolu mais pas encore celle de l'enseignement au rabais. Sans la protection du curé, Mlle Emma ne serait pas restée un an de plus à Saint-Roch; elle le savait et ne tenait pas rigueur de ses insuffisances à sa concurrente. C'était une âme généreuse et je l'aimais bien.

Elles se tenaient en grappe dans la cour de récréation, contre la margelle du vieux puits, six ou sept grandes, parmi les plus huppées. Dès qu'une autre élève s'approchait d'elles, leur cercle se resserrait et elles baissaient la voix. Elles devaient s'entretenir d'une affaire importante et qui devait me concerner car elles ne cessaient de me suivre de l'œil.

Estelle Vige, de la Fromagerie, cessa de sauter à la corde en passant près de moi. Elle fit volte-face en retombant sur ses deux pieds et me dit rapidement :

– Il paraît que Julia Fabry a fait des bêtises.

Quelles bêtises, Estelle l'ignorait. Ce qu'elle savait en revanche c'est que le curé avait demandé à Mlle Emma de se rendre d'urgence au presbytère. La récréation que Ninon était chargée de surveiller durerait plus que d'ordinaire. J'en profitai pour retourner dans la classe étudier quelques maximes de morale dans le « Petit trésor des lectures des enfants », de P.-M. Georges.

Moins d'une demi-heure plus tard Mlle Emma était de retour, animée d'une sombre exaltation dans laquelle il nous était malaisé de discerner des sentiments de plaisir ou de peine.

– Jeanne Fronty, dit-elle, d'une voix changée, faites répéter leur leçon de grammaire aux petites. Vous,

Germaine Ponchet, levez-vous et récitez-moi *l'Enterrement d'une fourmi.*

Tandis que cette grande pimbêche un peu sotte de Germaine trébuchait sur les vers bébêtes de Rollinat, Mlle Emma songeait à autre chose. Elle tournait sa règle en tous sens comme un sergent-major fait de sa canne, parcourait du regard le paysage de la vallée et la classe. Elle sursauta lorsque Germaine, après avoir débité le dernier vers : « *Les fourmis sont en grand émoi Maurice Rollinat* », regagna sa place.

Un orage avait éclaté quelque part, dont je ne percevais que des ombres mouvantes et quelques lueurs fugaces. Mlle Emma s'absenta de nouveau, cette fois-ci pour se rendre à l'école communale, à l'heure du repas. L'affaire dont m'avait parlé Estelle devait être grave car la maîtresse tenait d'ordinaire à assurer la discipline et le service.

— Eh bé, ma pauvre, me dit Ninon en secouant sa main droite comme si elle s'était piquée à une épine, il s'en passe de belles!

Elle revenait du réfectoire, la bouche pleine, au moment où, assise à mon banc, j'entamais ma seconde tartine de *grillons.* Les grandes lui avaient appris des choses. Julia Fabry, la *Fachounaïre*, avait été surprise par Mlle Brunie en train de fouiller dans sa chambre alors qu'elle avait dû s'absenter pour se rendre auprès du secrétaire de mairie. Il était absent et Cécile était revenue plus tôt que prévu. Que pouvait bien chercher Julia? Qu'y avait-il de précieux à voler chez Cécile?

Alice Bernède compléta mon information le soir même et je crus que la terre s'ouvrait sous moi. Julia cherchait des lettres; elle en avait garni ses poches au moment où la maîtresse l'avait surprise. On avait entendu des cris jusque sur la route.

— Des lettres? Quelles lettres?

— Bête! Celles des Boches et celles de son amoureux, tu sais, celui qui a été porté déserteur.

— Pour en faire quoi?

Alice prit un air de mystère et me souffla à l'oreille pour que ses frères, Jouannet et Jeantounet, n'entendent pas.

– Paraît que le curé serait dans le coup. La *Fachounaïre* a tout raconté à la demoiselle. Julia s'est fait renvoyer exprès de Sainte-Thérèse pour espionner la maîtresse. *Voï!* C'est ce qu' « on » dit. Et le coup d'Eugène Caze, tu te souviens? Il paraît que, là encore, le curé serait derrière. Ça m'étonnerait pas. Cet homme-là, il est capable de tout. Il en veut à la demoiselle et il s'est juré qu'elle finirait pas l'année à Saint-Roch.

– On va peut-être le mettre en prison.

– Qui?

– Le curé.

– 'Ché pas. Mon père dit qu'il pourrait être muté si Cécile porte plainte.

Je faillis me rendre à la « communale », mais y renonçai; ma rancœur envers Cécile était encore trop vive. Je me contentai de remonter aux Bories-Hautes dans le frais de la soirée en traversant le village par la rue principale. Des gens discutaient à voix basse sur le seuil des maisons et se taisaient dès qu'il m'apercevaient. Aucune lumière dans la cave de Valette, le tisserand-bedeau; le pauvre *chéti* mangerait ce soir une soupe assaisonnée de cendre. Un essaim de menettes bourdonnait devant le comptoir d'Eugénie Saulière; retrouvant une facétie de jadis, j'écrasai mon nez à la vitre et tirai la langue, les deux mains en éventail de chaque côté de la tête; cela me fit du bien. Décidément, ce gros bourdon de curé avait mis une fois de plus la panique dans la ruche.

J'allais m'engager dans le chemin des Bories-Hautes par les *escourssières* qui prennent derrière chez la boulangère lorsque je vis Julia Fronty quitter avec sa mère le presbytère, tête basse et l'air sombre. Pour ne pas traverser la rue principale, elles obliquèrent par une venelle conduisant chez Angèle Mauvais-Œil et rejoignant par le cimetière l'autre extrémité du bourg. Alice avait dit vrai mais il y avait encore dans cette affaire trop d'invraisemblances.

– Tu me crois? me dit Alice le lendemain. Eh bé, je peux te dire que la demoiselle a fait signer une lettre à la *Fachounaïre*, comme quoi elle espionnait pour le compte du curé. Elle appelle ça une « déposition ». Va voir la demoiselle : elle te racontera tout, à toi.

198

J'avais bien envie de lui parler, à Alice du chantage que l'abbé Brissaud avait exercé sur ma famille afin de m'arracher à la « communale » et de me faire entrer à Sainte-Thérèse ; de lui dire aussi que la demoiselle m'avait trahie, mais, si Alice était ma meilleure amie, je me méfiais de ses bavardages. L'affaire du chantage, le cas échéant, viendrait à son heure. Le curé ne perdait rien pour attendre.

Quant à la demoiselle...

— Pierre t'attendait pour soigner les bêtes. Tu sais l'heure qu'il est ? me lança la Maïré.

Pierre n'était pas à l'étable ; il se tenait assis à table devant un verre de vin. Il y avait un autre verre en face de lui et, tenant ce verre, Mlle Brunie. J'eus un mouvement de recul. La Maïré me poussa sans ménagement dans la pièce.

— *Bestiasse !* elle te fait peur à présent, la *démeïselle ?*

La demoiselle ne me faisait pas peur, mais j'aurais préféré ne pas la rencontrer.

— Tu es au courant, je suppose ? dit-elle.

Je hochai la tête, posai mon cabas sur la table et en sortis mon encrier, mes cahiers, mon ardoise... La Maïré sursauta :

— Tu vas pas te mettre à faire tes devoirs à l'heure qu'il est ? Mets plutôt le couvert. Toi, Flavie, au lieu de *bader* du bec, prépare la soupe et l'omelette !

— Je ne vais pas vous déranger plus longtemps, dit Mlle Brunie. Je voulais simplement expliquer l'affaire à Malvina, si vous le permettez. Je préfère lui dire moi-même ce que d'autres risqueraient, volontairement ou non, de déformer.

— Vous nous dérangez pas, dit Pierre. Malvina mettra un couvert de plus.

— Ça, *per moun arma !* grogna la Maïré.

— Si ça te gêne, dit Pierre, tu mangeras dans le *cantou*, à la place du pépé. Malvina, fais comme je t'ai dit. Mademoiselle, ne faites pas de façons, allez ! C'est de bon cœur, mais vous attendez pas à faire un festin. Ici on mange de la viande que le dimanche et les jours de fête, des fois, mais on s'en porte pas plus mal comme vous voyez.

Tandis que je mettais la table, la demoiselle m'expliqua l' « affaire ». C'était exactement ce que m'avait rapporté Alice. De plus j'appris que Julia n'en était pas à son coup d'essai, qu'elle lui avait volé des exemplaires de l'*Insurgé* et de « mauvais livres » parmi lesquels le premier tome de *Jean-Christophe*, des articles de Jaurès découpés dans la *Dépêche* et une photo la représentant avec Fred à la terrasse du café de Plaisance, à Brive, sur la Guierle.

– Tous ces documents, dit-elle, se trouvent chez le curé. Il comptait sans doute en faire bon usage pour me discréditer auprès de la population. Il était de mèche avec le père Caze. Après avoir obtenu le renvoi d'Eugène de chez les « Frères », sous un faux prétexte, il l'a fait inscrire chez moi, non pour m'espionner (Julia s'en chargeait), mais pour mettre la pagaïe. Je n'ai pas eu beaucoup de mal à leur faire avouer ces machinations. Des menaces, quelques gifles et ils auraient vendu père et mère. J'ai leur déposition signée et je l'ai mise en lieu sûr.

– Ce curé! glapit la Maïré, il trompait bien son monde. Si je le tenais, cet enfant de pute!

– Et alors, dit Pierre en me faisant asseoir, c'est tout ce que tu trouves à dire?

– Laissez-la, dit Mlle Brunie. Il faut qu'elle juge cette situation en son âme et conscience, qu'elle nous juge, vous et moi, car nous n'avons pas été loyaux avec elle. Nous l'avons bel et bien sacrifiée. Je m'accuse quant à moi de l'avoir mal défendue.

– Putain! marmonna Pierre, il nous a bien eus, ce curé. Faut pas nous en vouloir, mademoiselle Cécile, nous n'avons jamais été riches et ce qu'il nous promettait nous avait un peu tourné la tête. Alors, Flavie, cette soupe!

La demoiselle cherchait à accrocher mon regard; le sien m'interrogeait au-dessus de la soupière fumante. Je faisais en sorte de n'exprimer aucun sentiment, de manière à la laisser dans l'incertitude. Le jeu dura tout le temps de la soupe.

– Je vous fais mes compliments, madame Delpeuch,

dit-elle. Cette soupe est excellente. Moi, je n'en fais jamais. Une femme seule... Un tourin, quelquefois, histoire de faire *chabrol*...

– Vous faites *chabrol*, vous! s'exclama Pierre.

Il la regardait, sceptique. Elle se mit à rire.

– Ça vous étonne? Je suis de Brive, vous savez, et là-bas tout le monde ou presque fait *chabrol*, comme vous. Lorsque j'étais enfant et que mon père voulait nous faire rire, il essuyait ses grosses moustaches avec son index et il disait : « Voilà quarante sous de moins à donner au médecin! » Ma mère faisait aussi *chabrol*. Elle disait : « Juste un doigt de vin, Antoine... »

Elle imitait les gestes de ses parents, parodiait leur façon de parler. Flavie, Paul et André éclatèrent de rire. Demain, à l'école, mes deux frères raconteraient qu'ils avaient soupé avec la maîtresse et qu'elle avait fait *chabrol* comme un homme. La demoiselle laissa un peu de bouillon au fond de son assiette et la tendit à Pierre qui la remplit à demi de vin et se servit ensuite.

– Voilà dix sous, dit-il, qui n'iront pas au denier du culte!

Chabrol... Un mot avait été dit, un simple mot, et la pièce paraissait soudain plus avenante, l'atmosphère plus détendue, les visages plus ouverts. Il me sembla même entendre grincer le rire de la Maïré, là-bas, dans le creux de caverne du *cantou*. Ce simple mot soufflait un esprit de complicité, établissait une communauté entre ma famille, la demoiselle et moi; il déliait des nœuds de rancune, reléguait les vieilles animosités dans le placard aux souvenirs. Je fis *chabrol* moi aussi, comme à l'accoutumée, avec une sorte de jubilation. Je me souvenais de ce que nous disait Mlle Brunie lors de la leçon d'histoire : « Du Guesclin, lorsqu'il partait à l'assaut d'une citadelle, avalait trois ou quatre soupes au vin. C'est notre *chabrol* à nous. » Les yeux fermés, le nez au ras du puissant mélange, je guettais en moi la mutation gorgée après gorgée du breuvage en force vive, l'élaboration d'une magie ancestrale propre à renverser tous les trônes et tous les autels du monde. « Et les Gaulois, mademoiselle, demandait Alice, ils faisaient aussi *chabrol*? » « Bien entendu! sinon ils ne seraient pas descendus jusqu'à Rome et n'auraient pas résisté si longtemps aux légions de César. » J'imaginais les fiers barbares aux longs cheveux, au torse nu, couverts de colliers et de torques, casqués d'ailes de coqs, en train de braver les ciels d'orage et les légions de Rome après un triple *chabrol*. Le culte de mes héros favoris de l'histoire de France, les champions de l'indépendance et de la liberté, je le célébrai désormais sous les espèces de la soupe et du vin et ils prenaient tous des trognes majestueuses de révolutionnaires et de guerriers.

Stimulée par cette buée de chaleur et d'énergie qui s'épanouissait en moi avec plus de puissance que d'ordinaire, je pris mon courage à deux mains et lançai :

– Et moi, dans cette histoire, qu'est-ce que je vais devenir?

Cécile échangea un regard avec Pierre. Il restait encore autour de nous assez d'alacrité pour que ma question ne suscitât pas de vieilles rancunes mais au contraire un besoin de compréhension mutuelle.

– Tu as bien fait de poser cette question, dit Cécile. Après tout, tu es au cœur du problème Pierre, qu'en pensez-vous?

– Moi, dit Pierre j'ai rien contre mademoiselle Berthier. La petite a pas l'air de se déplaire à Sainte-Thérèse. Elle travaille pas mal. Alors...

Cécile surenchérit :

– L'enlever à Mlle Emma, la réinscrire à la « communale », ça risquerait de la perturber de nouveau et ça n'est pas le moment. Nous ne sommes qu'à trois mois du certificat et la guerre peut éclater d'un jour à l'autre, ce qui changerait beaucoup de choses dans votre famille et dans la commune. Je verrai Emma Berthier. Je lui demanderai la permission de revoir Malvina, de suivre son travail, de corriger au besoin ses insuffisances, et Dieu sait qu'elle en a! Malvina est intelligente, certainement la plus intelligente des enfants de la commune, mais il est très difficile d'apprendre en quelques mois ce que d'autres assimilent en cinq ou six ans. Qu'en pensez-vous?

– Ma foi, dit Pierre si vous pensez que c'est la bonne solution, je vous fais confiance.

– Et toi Malvina qu'est-ce que tu en penses?

202

C'était la première fois qu'on me demandait mon avis sur une question importante qui me concernait. Je devenais une personne, « quelqu'un », avec sa propre volonté dont les autres devraient tenir compte, son libre arbitre, une relative indépendance.

– Je ferai *ça* que vous voudrez, dis-je.

– Je ferai *ce* que vous voudrez, rectifia Cécile.

Elle ajouta :

– C'est bien. Ta réponse prouve que tu n'es pas rancunière. Mais je te préviens : il va falloir travailler plus encore. Les derniers mois sont les plus importants.

Flavie servit l'omelette cuite dans le *pélard* que nous utilisons pour les *tourtous*. Elle y avait incorporé de délicieux petits champignons de mars. La Maïré décrocha la claie à fromage qui pendait au plafond, choisit quelques caillades bien prises auxquelles restaient collés des brins de paille et les posa sur une assiette propre, à peine ébréchée, que Paul avait gagnée dans une fête votive.

Il ne fut question tout le temps du repas que de moi, de mes progrès et de mes insuffisances, du caractère aléatoire de cette sorte de pari que Cécile avait fait sur moi. Parfois ils parlaient comme si j'avais été absente; parfois ils m'interrogeaient. Comme le dessert composé de pommes et de noix s'éternisait, Paul et André s'endormirent sur la table.

– *Anatz vos coijar, drôlles* [1]! dit la Maïré, du ton qu'elle prenait pour chasser les poules et le chien.

– Excusez-moi, dit Cécile en se levant. Il est tard et vous devez avoir sommeil.

– Ça, dit Pierre, c'est vrai. On dirait que j'ai des cailloux dans les reins. Faudra revenir, mademoiselle Cécile. Un de ces dimanches la Maïré fera la farce dure. C'est sa spécialité.

Il ajouta avec un gros rire et une joyeuse bourrade à ma sœur :

– On fera couver la pâte par la Flavie. Elle a les fesses chaudes.

---

1. Allez vous coucher, les enfants !

Avril

De jour en jour, de mois en mois, d'année en année, il devenait plus beau et plus dru. Il grandissait avec moi. Cette sécrétion verte qui enveloppait ses branches, dissimulant peu à peu ses ramures noires et nues, cette structure végétale qui semblait, rongée par l'humidité et gercée de traînées vertes, sur le point de s'effondrer, s'épanouissait comme une buée.

Jadis, je ne m'aventurais dans ce domaine dont l'hiver m'avait chassée qu'avec d'infinies précautions, attentive à ne pas arracher avec mes pieds et mes mains les pousses délicates, à détruire ce qui constituerait plus tard les murs mouvants de ma cellule, l'écran que j'interposerais entre le monde et moi. Le printemps revenu, je recomposais mon petit univers dans ce cocon de feuilles, apportant de l'extérieur, pièce à pièce, les richesses que j'avais mises à l'abri dans ma caverne du château. Les hirondelles maçonnes m'avaient appris la manière de construire mon nid avec de petites boules d'argile malaxées et assemblées ; le printemps se chargeait de reconstituer l'enveloppe de mon nid, et moi d'y déposer mes trésors de pauvre et de simple. Parfois les garçons se hissaient dans mon domaine aérien pour le piller mais ils ne volaient rien car il n'y avait rien à voler ; ils se contentaient de le saccager pour le plaisir. D'autres fois, c'était l'orage ou le vent qui dispersait tout, brisait les branches, arrachait les feuilles, ouvrait des brèches dans les murs de ma forteresse. Inlassablement, je reconstituais mon domaine avec les débris que je recueillais alentour.

Ce matin d'avril, accoudée au mur de la cour de récréation, je regarde mon arbre renouveler le miracle du printemps.

A travers les premières feuilles, je distingue la planche pourrie qui me servait de siège et dont le dossier a disparu ; un collier de marrons d'Inde pend encore, ex-voto barbare, à une branche. M'y installer de nouveau je n'en ai ni le désir, ni la volonté. Cette cellule de feuilles n'est plus mon domaine ; je m'en suis exclue et ne me hisserai plus jusqu'à ces territoires de refuge.

Cette année-ci, j'ai grandi plus vite que mon arbre et surtout j'ai changé tandis qu'il demeure immuable. A ce point de notre existence commune, nos destins se sont séparés : il continuera, insensible aux mouvements du monde et aux humeurs des hommes, à porter feuilles et fleurs ; et moi, le monde, j'y suis entrée allègrement, de toute la force de mon cœur et de mon esprit longtemps comprimée pour m'en imprégner et le changer ; dans une certaine mesure, je suis devenue maîtresse de ma destinée, tandis que mon arbre demeure soumis aux lois inéluctables des saisons. Nous n'avons plus rien à nous dire.

Depuis plus d'un mois, je ne suis pas revenue dans ma cellule du château.

La dernière fois, c'était avec Isabelle. Elle a eu du mal à me suivre par les couloirs secrets, les arêtes de murailles vertigineuses, les chatières. Ce dernier domaine que j'aurais défendu quelques mois auparavant à coups de pierres, j'en sacrifiais volontairement l'inviolabilité.

Nous avons beaucoup ri, Isabelle et moi. Lorsque, ayant pris de l'avance, je me retournais, je l'entendais me crier de l'attendre, gémir en se penchant au-dessus des falaises de murailles rongées par la maladie qui leur faisait des ventres creux de cadavres. Elle me tendait la main, retroussait le fond de sa jupe de calicot sur ses pieds nus, blancs comme du lait. Je l'écoutais babiller en reprenant son souffle, le visage rouge, humide de sueur, exhalant cette odeur de garçon, un peu équivoque lorsqu'il s'y mêlait un parfum d'iris.

Elle parut déçue. Peut-être s'attendait-elle à trouver un antre de voleurs, mais, là comme dans mon arbre, il n'y avait rien de précieux. Dans une boîte à sucre, j'avais rangé la lettre de Fred et mes premiers bons points. Un « billet de satisfaction » de couleur gris-bleu un peu écorné, une image de champignon en couleurs (« *Polypore de bouleau. Mauvais* ») et cette pièce rare, qui paraissait taillée dans un morceau de cuir rouge : un « billet d'honneur » imprimé et encadré en or, que Cécile m'avait décerné solennellement lors d'une composition de rédaction. Il restait encore sur une nappe pulvérulente un matelas de mauvais sacs de jute, la couverture « empruntée » à Bécharel, quelques croûtons, des pommes pourries, de tristes jouets et, ouvert sur une pierre saillante, un vieil Atlas classique de Scharder et Gallouédec sur lequel j'épelais interminablement des mots barbares.

Isabelle s'assit, ses genoux remontés serrés entre ses bras, ses orteils bougeant avec des mouvements d'actinies dans un fond marin. Elle se poussa pour me faire place. L'endroit paraissait la fasciner. Par une sorte de meurtrière on distinguait sous la pluie d'avril les pelouses, les arbustes, les buissons, les murs des appartements de Mme Hortense de Bonneuil et la tour ronde d'Isabelle dont les murs s'ornaient déjà d'une estompe d'ampélopsis.

— Parfois, dit-elle, je me demande...

Avec l'ongle de son pouce, elle gratta l'espace entre la lèvre inférieure et le menton et brusquement, après un court silence, elle tourna la tête vers moi comme si elle voulait me surprendre dans ma vérité.

— Je me demande si tu es heureuse.

Persuadée que cette question n'avait aucun sens, je me contentai de hausser les épaules. Heureuse... Ça voulait dire quoi ? Je vivais d'une manière tellement différente des autres que toute tentative de comparaison était absurde. Je vivais autrement. Dans celle que j'avais été j'avais tant de peine à me reconnaître qu'elle m'était devenue étrangère.

Ma personnalité passée pourrissait dans les branches de mon tilleul. Il fallait se méfier aussi des mots.

– Tu ne sais pas si tu es heureuse? Je n'en suis pas étonnée. Mais, avant, l'étais-tu? Tâche de te souvenir.

– Avant, c'était pas pareil.

Elle ajouta, le menton entre ses genoux, comme pour elle-même :

– Quand on commence à se demander si l'on est heureux c'est qu'on ne l'est pas ou qu'on ne l'est plus. Les sauvages de Polynésie qui vivaient dans la paix de leurs dieux avant l'arrivée des missionnaires et des militaires n'avaient pas de mot dans leur vocabulaire pour dire « bonheur », sans doute parce que c'était leur état naturel et qu'ils y baignaient depuis leur naissance. Toi, c'est un peu la même chose. Tu étais heureuse parce que tu étais libre. Maintenant tu ne l'es plus, même si tu as accepté tes nouvelles contraintes, alors tu dois faire l'apprentissage d'une nouvelle forme de bonheur. Tu ne seras plus heureuse que par instants. Des éclaircies entre deux nuages. La vie taillera pour toi de petits morceaux de bonheur et te les jettera comme à un chien. Lorsque tu diras « je suis heureuse » c'est que tu ne l'étais pas auparavant et que tu ne le seras plus un moment après. Je sais : il y a l'amour-propre et c'est la grande affaire. Accepterions-nous un bonheur dont nous n'aurions pas conscience et qui nous rejetterait en marge des conventions sociales? Un bonheur de chien, quelle horreur!

Elle éclata soudain de rire, m'entoura de ses bras pour me serrer contre elle et m'embrasser sur la joue. Elle dit joyeusement :

– Excuse-moi. Il m'arrive de radoter. Malvina, tu es devenue un petit animal apprivoisé, civilisé. Que cela soit préférable ou non, c'est ainsi. Tu ne voudrais pas redevenir ce que tu étais?

– Non!

– Alors tout est pour le mieux. Nous allons redescendre. Je suis flapie!

Elle me tendit la main pour que je l'aide à se relever.

– Alors, ton arbre, ta chambre secrète, c'est fini? Cécile

207

t'a fait la leçon? Il me semble l'entendre : « Malvina, il faut cesser de jouer à la sauvageonne, renoncer à te terrer pour ne pas voir les réalités qu'il te faut affronter. » Elle a raison, hélas! La vie court après nous et, quand elle nous a rattrapés, on ne peut plus lui échapper.

Cécile était dans mes pensées. Cécile était dans mes actes. Chaque heure. Chaque minute.

J'aurais aimé l'oublier car je ne lui avais pas tout à fait pardonné son abandon et le fait qu'on eût pu m'éloigner d'elle sans qu'elle s'accrochât à moi, mais je n'y parvenais pas pleinement. C'était en moi, en permanence, la lutte d'un flux et d'un reflux d'amour et de haine, des querelles de vagues aux limites d'un estuaire.

Parfois Mlle Berthier me surprenait en train de lambiner sur un devoir, les yeux rouges. Elle me disait : « Viens me voir à la récréation. » Elle me dit :

– Tu penses encore à Mlle Brunie, n'est-ce pas? Tu voudrais aller la retrouver mais tu n'oses pas. Quelque chose te retient, qui s'appelle amour-propre. Tu aimerais la punir pour ensuite l'embrasser. C'est bien ça, Malvina?

C'était vrai. Terriblement vrai. Je secouai la tête et fis cette réponse ambiguë :

– Non, mademoiselle. Je crois que je suis pas tout à fait guérie. C'est tout.

– Non, Malvina. Ce n'est pas tout. Pourquoi ne pas te confier à moi. Tu aimes Mlle Brunie, c'est bien naturel, et ça te soulagerait d'en parler avec moi. Ne suis-je pas ton amie?

– Si, mademoiselle.

Mlle Berthier n'était pas mon amie. Je n'en avais qu'une et c'était Cécile.

Un matin, de bonne heure, alors que j'avais pleuré une partie de la nuit, je suis allée cueillir quelques fleurs dans le jardin d'Angèle Mauvais-Œil en me cachant derrière une rangée de groseilliers et je les ai placées dans le vase de Cécile, sur son bureau. Rachel Morange était en train de balayer après avoir allumé le feu car les matinées sont encore fraîches en cette saison. J'ai fait promettre à Rachel de ne rien dire; elle a tenu parole. C'était un petit signe pour faire comprendre à Cécile que je ne l'oubliais pas. Elle ne fut pas dupe du silence de la classe lorsqu'elle demanda qui avait porté ce bouquet.

Encouragée par cette première approche, heureuse que Cécile ne se fût point précipitée vers moi, qu'elle restât sur sa réserve, sans doute pour ne pas m'effaroucher, je renouvelai mon geste, si bien que Cécile finit par me prendre sur le fait, un matin où Joséphine Escaravage était de service. Je lui sus gré de sa discrétion. Elle monta à son bureau pour y déposer les devoirs qu'elle avait relus la veille et vérifier la propreté de la classe.

– Tiens, dit-elle, c'est toi? Merci pour tes fleurs. Dieu, qu'elles sentent bon! Pourquoi ne passerais-tu pas me voir un de ces jours? Nous bavarderions.

Ce fut tout et cela me convenait. L'essentiel de nos rapports était sauf.

Je me proposai de lui rendre visite le jeudi suivant, ainsi je coupais à la classe-promenade du jeudi et à l'humiliation que j'en éprouvais – les pensionnaires les moins fortunées partaient en rang, la main dans la main, en chantant, alors que les externes les plus riches se promenaient dans les calèches de la châtelaine ou le break du maire et se moquaient de nous.

La demeure était déserte. Sur la porte fermée de la salle de classe, un mot : « Absente pour la journée. » Une bouffée de colère me monta aux joues, se transforma peu après en chagrin. Je me disais que je ne supporterais pas un départ précipité de Cécile; je m'accrocherais à elle; si elle me repoussait, je me tuerais. Durant les vacances de Pâques, le mois précédent, elle était partie passer quelques jours chez une collègue, ancienne compagne d'École normale qui, pour son premier poste, avait échoué dans une école de hameau perdue dans les landes enneigées de Millevaches, et le reste chez ses parents, à Brive, mais cette absence était passée inaperçue car j'étais alitée, inconsciente et peu désireuse de la revoir.

Accablée par un brusque sentiment de solitude et d'abandon, je tournai en rond dans la cour, lorgnant vers le tilleul dont je m'étais interdit l'accès, suivant à pas lents, les mains dans le dos, le trajet qu'elle arpentait inlassablement durant les récréations. Puis je m'ébrouai, montai jusqu'aux Bories-Hautes pour proposer mes services.

Depuis le début du mois, Flavie était employée à Meyssac, chez les « Sœurs » où elle était entrée grâce aux bons offices du curé. Pierre était en train de travailler à la construction des cabinets de planches, suite à mon insistance, redoutant en fait que Cécile lui demandât où se trouvaient les « nécessités ».

– Tè! fit la Maïré. Tu vas pas en promenade aujourd'hui?

– Si tu veux que je t'aide?

– Tu tombes bien! Tes frères ont mené les vaches dans les Termes. Prends le chien et va garder les chèvres à la Rebière, mais fais bien attention, tête-en-l'air! Tu sais que c'est le diable pour les tenir.

Je pris mon cahier de dessin et ma boîte de crayons de couleurs que je plaçai dans mon cabas avec un morceau de pain pour mon quatre heures et deux pommes à demi pourries. Je passai mon après-midi à crayonner dans une brume de verdure et de soleil tendre, mon vieux chapeau de paille au ras des yeux. Il faisait une de ces chaleurs bouleversantes d'avril, pleines d'odeurs acides de terre et d'eau avec parfois, sur un fil de vent tiède comme une langue de vache, des odeurs poivrées de buisson blanc. La vallée paraissait tanguer au-delà de la grange des Parementeaux et de la nouvelle vigne que Pierre avait plantée, prête à se mettre en mouvement comme la mer et à venir déposer au pied de mon *sucquetou* d'herbe tendre des vagues de verdure et de fleurs.

Mes crayons de couleur déployés devant moi, je me mis à frotter la feuille avec une ardeur fiévreuse, d'une main tantôt légère, tantôt appuyée, écrasant du pouce le nuage léger des bouleaux, faisant flamber les fusées de lumière des peupliers plantés au bord de la Gane, modelant d'un trait mou les collines lointaines qui se fondaient dans un bleu pathétique. Le paysage vivait en moi; je le sentais bouger sous ma peau et sous mes doigts, me parler de son gros langage de feuilles, d'oiseaux et de vent, m'éclabous-

210

ser de beauté. De temps en temps je m'ébrouais, m'éveillais de ma torpeur heureuse et lançais mon chien :

– Tsé! Tsé! vai quèire la bica!

C'est ce jour-là que j'écrivis mon premier poème de printemps. Je fis maladroitement rimer « avril » avec « Cécile » et « fleurs » avec « douleur ». Un poème d'amour. Je le relisais comme on boit une liqueur, à petites gorgées. Et je signai : « Malvina Delpeuch », avec une queue prétentieuse en forme de tortillon.

Après avoir ramené les chèvres à la ferme, je regagnai l'école communale. Cécile n'était pas encore rentrée. Je glissai le poème et le coloriage sous la porte de la classe et revins aux Bories-Hautes en proie à une sourde exaltation, à travers les odeurs de soupe chaude du village.

Joséphine Escaravage me fit signe par-dessus le mur de clôture de Sainte-Thérèse. Il n'était pas loin de midi et je m'apprêtais à retourner aux Bories-Hautes. Elle me tendit un feuillet plié en quatre « de la part de la maîtresse ». Il contenait ces simples mots : « J'ai besoin de te voir. Viens avant l'heure de la classe. »

Une heure plus tard, je traversais la salle de classe de la « communale » où les élèves prenaient leur repas de midi, à cause de la pluie. Eugène Caze me jeta un regard torve derrière ses lunettes graisseuses. Cécile m'attendait, l'air grave, debout, les mains serrées sur son ventre, très droite dans sa blouse noire stricte. Je restai immobile sur le seuil; elle me regarda longuement et je vis ses yeux s'embuer. Un moment qui me parut interminable, nous restâmes à nous observer puis elle me tendit ses bras et je m'y jetai.

– Malvina... Ma petite fille... Pourquoi m'as-tu fait attendre si longtemps? Dis-moi que c'est fini, que tu as tout oublié. Je veux te l'entendre dire.

– Je t'en veux plus. C'est fini.

Nous avons ri entre nos larmes. Brusquement elle se détacha de moi, me regarda comme si elle découvrait ma présence.

– Il me semble que tu as grandi depuis que je ne t'avais

pas vue. Tu es presque aussi grande que moi à présent! Et cette poitrine qui pousse...

Elle avait accroché ma pochade de la veille au mur avec ma « récitation ».

– J'ai pleuré en lisant ta poésie, hier soir. A ton âge, j'aurais été incapable d'en faire autant, et surtout je n'avais personne pour qui l'écrire. Ton coloriage est très beau aussi. Tu peins un peu comme les impressionnistes. Plus tard je t'expliquerai...

Elle s'assit dans le rocking-chair et me demanda de prendre place près d'elle, sur une chaise.

– Nous avons peu de temps et j'ai beaucoup de choses à te dire. J'aurais aimé étouffer ce qu'on appelle l' « affaire de Saint-Roch », ou du moins qu'elle ne sorte pas de la commune, non par sympathie pour l'abbé Brissaud mais pour que cette fin d'année scolaire n'en soit pas trop affectée.

Je hochai la tête, la regardai rouler une cigarette.

– Malheureusement quelqu'un d'ici a parlé et a écrit. L'inspecteur a été mis au courant, de même que le préfet et l'évêque, Mgr Botreau. Les journaux des deux bords en ont parlé à mots couverts mais cette histoire risque d'éclater au grand jour dans la presse.

L'inspecteur avait fait appeler Cécile à Brive pour la sermonner (il lui reprochait de ne l'avoir pas prévenu des machinations du curé), pour la complimenter de son attitude très digne et la mettre en garde : elle était mal considérée à l'Académie, malgré les excellentes notes d'inspection et l'impression favorable qu'elle avait faite au cours d'une récente conférence pédagogique, à Meyssac, où elle avait présenté devant ses collègues de la circonscription un exposé sur les difficultés de l'éducation primaire en milieu rural. En haut lieu, on n'aimait guère ces mouvements qui agitaient la base, ces querelles de village où trop de maîtres étaient impliqués par excès ou défaut de zèle; on ouvrait une oreille distraite aux doléances des enseignants ruraux qui se trouvaient aux prises avec le maire, le curé, le délégué cantonal, la population, les parents d'élèves et l'on observait à leur égard une souveraine indifférence; mais ce que l'on n'aimait pas, c'étaient les hostilités ouvertes, quel que fût l'agresseur.

– Si l'on me permet de conserver mon poste jusqu'aux prochaines vacances, dit Cécile, c'est grâce à l'appui de M. Pintaut et aussi grâce à toi, Malvina.

J'ouvris des yeux ronds. Grâce à moi?

– Mais oui, Malvina! On te connaît jusqu'à l'académie, à l'évêché et même à la préfecture. On cite en exemple notre « expérience pédagogique », comme disent les messieurs à lorgnons. Ils ne veulent pas risquer de la compromettre. Bien que tu sois maintenant une élève de Sainte-Thérèse, quel triomphe pour la laïcité si tu es reçue au certificat d'études!

Elle rit en se balançant, tira une lourde bouffée de cigarette, qu'elle garda dans sa bouche entrouverte en regardant le marécage sur lequel surnageaient de légers flocons de brume et dans lequel pataugeaient des porcs.

– Quant à l'abbé Brissaud il a été convoqué à l'Évêché pour s'expliquer sur cette affaire. J'ignore le sort qu'on lui réserve, mais si la vérité éclate il risque d'être déplacé ou mis à la retraite d'office. J'en parlerai à Emma Berthier. Peut-être est-elle au courant. Quoi qu'il en soit, il cessera ses provocations.

Elle toussa, jeta sa cigarette à demi consumée par la fenêtre et balaya de la main les cendres éparses sur sa blouse.

– Parle-moi un peu de toi. Tu fais des progrès, m'a-t-on dit. Emma Berthier affirme que si tu continues ainsi tu as des chances de réussir en juillet. Seul, le calcul...

Cette matière n'était pas mon fort. Je m'avançais à travers ce domaine comme au milieu d'un désert de ronces peuplé de reptiles. Aucune voix n'en montait qui me parlât, à moi, Malvina. Je franchissais une étape en suant sang et eau et je me retrouvais au moment de reprendre la route devant d'autres espaces désolés, entortillée dans des géométries stériles comme de monstrueuses toiles d'araignées, évitant mal le piège des règles de trois d'où la demoiselle me dégageait avec une inlassable indulgence, enveloppée comme d'un nuage d'insectes par des chiffres, des nombres, des formules qui bourdonnaient autour de moi. Les modestes victoires que je remportais sur moi-même me laissaient le goût amer de l'effort inutile. Le bon point (une image sainte) que Mlle Berthier m'avait donné, davantage pour m'encourager que pour récompenser mes mérites, je le considérais sans le moindre sentiment de fierté. Elle avait beau me répéter que ces matières étaient nécessaires à ma réussite, je ne pouvais me défendre d'un sentiment d'inutilité qui me paralysait.

En revanche, lâchée dans la forêt exubérante de la littérature, je m'y épanouissais. Des voix m'interpellaient ; des mains se tendaient vers moi ; je respirais un air salubre et vivifiant ; aucun piège ne s'ouvrait sous mes pas et tout m'était amitié.

Un jour que Mlle Berthier m'avait surprise en train de lire le carnet de maximes de Juillard que j'avais emprunté à Cécile, elle m'avait arraché le livre des mains :

— Malheureuse! Tu as envie d'aller en enfer? Tu ne sais donc pas que ce livre est à l'index, qu'il est l'œuvre d'un athée? Tu ne l'as montré à personne, au moins?

Elle fit disparaître le livre comme dans une trappe au fond de la grande poche de sa blouse noire, ce gouffre où les images saintes et les bons points voisinaient avec les bouts de craie et les crayons d'ardoise. Quelques jours plus tard elle me le rendit avec quelques mots de reproche amical :

— Lorsque j'ai débuté à Sainte-Thérèse, je n'avais pour enseigner les élèves qu'un livre de catéchisme! Et aujourd'hui tout leur est donné, à ces chérubins, et même le pire!

L'histoire et la géographie étaient pour moi des domaines étrangers mais dans lesquels je me promenais avec une certaine alacrité. J'aimais de la première son mouvement, ses relations de l'image à l'événement ; de la seconde l'espace, ce monde déployé en couleurs suaves, ces mots qui me laissaient sur la langue un goût de poivre ou d'orange : «Tombouctou.. Tahiti... Guadeloupe... »

Je devais à Mlle Berthier une certaine passion pour les leçons de choses que sa collègue de la « communale », fille de la ville, négligeait. Elle avait pour expliquer les œuvres de la nature un talent particulier qui tenait autant aux références scientifiques que religieuses (« Les créatures, quelles qu'elles soient, disait-elle souvent, sont l'œuvre de Dieu... »).

Elle passait des heures à herboriser pour son propre compte. Nous lui faisions répéter pour le plaisir des noms étranges de fleurs et leurs équivalences en latin savant. Le printemps déployait dans la classe une marée végétale qui s'ordonnait en herbiers dans les pages de nos cahiers. Les leçons devenaient une fête des fleurs et nous consolaient de l'aridité des mathématiques qui d'ailleurs ennuyaient la demoiselle autant que nous. Sa passion pour les champignons dont elle connaissait toutes les espèces indigènes et quelques autres nous faisait pénétrer dans des domaines mystérieux et inquiétants. Nous avions reçu la consigne de lui rapporter tous ceux que nous trouvions; elle les étudiait, les disséquait avec une moue de dégoût pour les « vénéneux », une expression d'effroi pour les « mortels » et un sourire gourmand pour les « comestibles » qu'elle gardait pour ses omelettes.

– Tu vois, Malvina : entre Fred et moi, c'est bien fini.

– Il t'a écrit?

– Non. Je l'ai vu à Paris.

Sur le moment, j'ai cru qu'elle plaisantait ou se moquait de moi. Arrêtée au milieu du chemin bordé de bardanes et de centaurées, je l'ai interrogée du regard.

– Tu ne me crois pas? C'est pourtant vrai. Je n'y suis restée que trois jours et ça m'a suffi. C'était aux dernières vacances de Pâques. Ne va le répéter à personne, tu entends, sinon j'aurai des comptes à rendre à la justice. Pour tout le monde ici, j'étais chez mes parents.

– Où tu as trouvé les sous?

– Ma collègue de Végennes m'a prêté l'argent du voyage.

Fred Moreau vivait à Paris sous un faux nom. Il travaillait comme prote aux *Hommes du jour* et au *Journal*

215

du Peuple que dirigeait son ami Henri Fabre et écrivait quelques articles pour *l'Humanité.* Il voyait Jaurès plusieurs fois par semaine et dînait parfois à sa table. Avec ses moustaches rasées et ses cheveux tondus presque ras, il était méconnaissable et pouvait se promener sans crainte dans Paris, en évitant autant que possible de se mêler aux manifestations, lui qui, dans *l'Insurgé,* demandait aux prolétaires de s'armer pour affronter les forces de l'ordre. Il n'était pas malheureux et même il gagnait bien sa vie. Si la gauche emportait les élections législatives, la loi de trois ans serait abrogée et, si la situation internationale se détendait (elle n'en prenait pas le chemin), une mesure d'amnistie interviendrait envers les déserteurs. Un autre espoir se formait insensiblement en lui qu'il ne pouvait ni expliquer ni justifier : le monde allait changer; un beau matin, on se réveillerait et l'air que l'on respirerait ne serait plus le même, et tout serait possible, et l'homme ne serait plus une bête pour l'homme, et la guerre serait proclamée hors-la-loi, et... et... et... Il rêvait tout haut d'avoir trop et mal écouté le prophète Jaurès. Il construisait sur du sable des châteaux de brouillard.

— Nous nous sommes querellés. Fred m'a reproché mes sentiments religieux et jusqu'à ce détail qui lui tient au cœur : le crucifix placé au-dessus de mon lit. Son appartement à lui, une chambre de bonne donnant sur une cour, rue Cadet, est décoré de portraits de Jaurès, de Jules Guesde, du « petit père Combes », d'affiches où d'horribles filles de cabaret montrent leurs jambes en dansant. Il y reçoit des femmes, je le sais. J'ai découvert sous son armoire un mégot qui portait des traces de rouge à lèvres. Je ne l'aime plus et lui il a tant d'autres choses à aimer, à commencer par « son » Jaurès...

— Pourquoi tu m'en parles aujourd'hui seulement?

Elle a ramassé une branche morte pour décapiter quelques fleurs de lychnis.

— Pourquoi... Pourquoi... Est-ce que je sais? Je n'en ai pas eu l'occasion ou pas envie. Aujourd'hui... aujourd'hui, j'avais besoin de parler, et tu es là. Dieu, qu'il fait chaud!

Elle a ajouté brusquement, comme si ce détail n'avait guère d'intérêt :

216

– Fred m'a parlé de toi. Il t'aime bien. Il te considère un peu comme notre enfant à nous deux. Mais tu ne comptes guère à côté du camarade Jaurès ou de cette nouvelle égérie des pacifistes : la journaliste Marcelle Capy, qui a été institutrice dans le Lot, tout près d'ici, et dont il doit être un peu amoureux...

Nous nous sommes levés de table il y a un quart d'heure à peine. C'est dimanche. Une chaleur molle baigne la terre humide encore de l'averse matinale. Les prairies embaument. Quand on garde le silence face à l'immensité de la vallée et à la danse immobile des puys, on entend monter un chant profond, pathétique, fait d'une infinité de chants d'oiseaux, de grillons, de criquets et de cigales.

Depuis plusieurs jours déjà, je l'observe discrètement. Cécile affolée par sa solitude... L'hiver, ce n'était pas la même chose ; le mauvais temps ou le froid la confinaient dans son petit univers ; sa solitude était une notion acquise et acceptée, une manière d'hibernation ; il lui était relativement aisé de contraindre sa nature car elle vivait d'autres existences à travers les livres. Le printemps venu, elle était toujours aussi solitaire mais elle avait brisé sa coquille et ce qu'elle avait trouvé autour d'elle, c'était cet horizon immense et ce chant profond de la terre qui monte autour de nous aujourd'hui. Elle y sombrait comme dans un gouffre, sans rien ni personne à qui se raccrocher, si ce n'est moi et quelques êtres qui ne lui étaient d'aucun secours. Les livres lui tombaient des mains. Je la surprenais souvent, le regard perdu, la bouche amère, murmurant : « Je suis flapie. »

– Je ne sais pas ce que j'ai aujourd'hui, je suis flapie.

– Je sais bien ce que c'est, moi, dis-je sottement : c'est la farce dure de la Maïré et le vin de Pierre. Moi aussi, je me sens *gonfle*.

Elle hausse les épaules, se retourne brusquement et dit avec impatience :

– Pierre, qu'est-ce qu'il fait ?

Pierre nous a demandé de prendre les devants, dans la direction du *sucquetou* de la Rebière, le temps – je l'ai découvert et cela m'amuse – de se laver les dents avec ma brosse qui commence à être fatiguée, de se passer un peu de « sentbon » sous les aisselles et de se peigner.

Paul et André ne sont pas loin derrière nous, en compagnie de la Flavie qui est venue à pied de Meyssac, et qui repartira de même ce soir. Pour s'acheter une bicyclette, elle tresse, sa journée de travail achevée, de la paille de seigle pour une fabrique de cabas de Beynat. Tous les trois, ils font les « intéressants », les *nècis*, comme dit la Maïré, se roulent dans l'herbe, entraînent la Flavie dans leurs «roudoulous» et j'entends la voix de ma sœur qui proteste. J'ai envie de rester seule avec Cécile, de lui prendre la main, de respirer son odeur de prairie chaude, de parler, de lui réciter les poèmes de printemps qui tournent dans ma tête comme des moulins à prières, mais aujourd'hui, malgré sa confidence, elle me paraît inaccessible. Ce n'est pas ma présence qu'elle désire.

J'ai surpris leur manège à table. Il n'avait d'yeux que pour elle, mangeait sa soupe sans faire son habituel bruit de succion, tenait correctement sa fourchette, n'essuyait pas la lame de son couteau sur son genou et il n'a pas retourné son assiette pour manger le *cailladou*, autant de corrections inspirées par mon propre comportement; il s'attachait à parler en bon français mais trébuchait parfois. Il disait : « C'est pas *ségur* que nous aurons du beau temps demain... » ou « André, mange *ça tien* et pas *ça de Paul*... » ou encore : « Hier, quand je *suis été* dans la vigne... ». Il faisait des manières pour parler comme le père Joffre ou le secrétaire de mairie, avec des effets qui m'auraient fait pouffer de rire si je n'avais craint qu'il ne m'en *vire cinq*, car il avait la main vive et sèche.

Cécile le regardait et l'écoutait parler de sa nouvelle vigne des Parementeaux, de son projet de recréer sur le Puy de la Rebière, du côté exposé au midi, le vignoble qui, avant le phylloxéra, donnait le meilleur vin du pays, de faire avec l'Herbemont qu'il avait planté, de ce vin de paille qu'aimait Cécile; tout cela après ce «putain de service » qui le tiendrait éloigné trois ans du pays.

– La guerre, qu'est-ce que vous en pensez, mademoiselle Cécile?

Elle faisait la savante, parlait avec affectation de l'espoir

né de la Fédération des Gauches, de la visite des souve-
rains anglais à Paris qui allait consolider l'Entente cor-
diale; les troubles des Balkans la tracassaient et l'alliance
avec la Russie ne lui disait rien qui vaille, mais elle ne
croyait pas à la guerre car, y croire, c'était l'accepter
comme une fatalité. Pierre l'écoutait, bouche bée, hochait
la tête, se tournait parfois vers le *cantou* :

– Tu entends, Maïré ?

Il y avait de gros silences au fond desquels on entendait
caqueter la volaille, grogner les porcs et bourdonner les
mouches. De chauds effluves venaient jusqu'à nous par
l'ouverture supérieure de la porte. La campagne se roulait
dans la chaleur d'avril qui sentait l'amour.

Lorsqu'elle vit arriver Pierre par le pré qui longeait le
chemin, Cécile s'arrêta pour le regarder, sa pipe aux
lèvres, les mains dans sa ceinture de flanelle, sa chemise
blanche de droguet, repassée par la Flavie, largement
échancrée sur sa poitrine où buissonnaient des poils
bruns. Il était beau, et fort, et sûr de lui dans sa démarche
et dans son regard. Quelque chose de profond avait changé
en lui en quelques semaines ; je savais que la présence de
Cécile n'y était pas étrangère et qu'elle y était sensible.

Lorsqu'il arriva à sa hauteur, il lui tendit la main pour
qu'elle se hissât jusqu'à lui et leurs mains ne se lâchèrent
pas. Le cœur serré, je les vis s'enfoncer dans les hautes
marguerites de la bordure en direction d'un châtaignier
majestueux, rond comme une boule, qui paraissait avoir
échoué là, en lisière d'un fourré, poussé par le vent et la
pente du haut de la Rebière. J'étais heureuse d'un bonheur
qui me faisait mal. Cette scène, cette bonne entente entre
Cécile et mon frère, je l'avais imaginée, souhaitée même,
en la redoutant. A deux années près ils avaient le même
âge, ils étaient beaux, ils avaient des choses à apprendre
l'un de l'autre et, lorsque avril vous souffle au cœur ses
vents d'amour et qu'il ouvre une caverne de feuilles entre
le châtaignier et les fougères toutes neuves, plus rien ne
compte.

J'arrêtai Flavie et ses frères qui arrivaient en faisant les
fous, leur ordonnai d'aller jouer ailleurs. Moi, j'irais
garder les vaches dans un bout de pré que nous avions

219

au-dessus de la font Saint-Roch. Dans mon cabas j'emportai l'*Histoire de France* de Calvet, un livre proscrit par l'enseignement congréganiste en raison des idées audacieuses qu'il développait et que Cécile me faisait lire en cachette. Les « ténèbres du Moyen Age » étaient encore trop profondes et je comptais sur ce livre pour les éclairer. Le chien allongé près de moi, les reins au soleil, je rêvai sur les images de la « corvée », du « seigneur à la chasse », de la « dîme » et de ces villes du Moyen Age hantées par des gens en costume de Carnaval.

« *Deuxième période : destruction progressive de la féodalité...* »

A la place de l'abbé Brissaud que Pierre s'était promis de recevoir avec son fusil s'il avait l'audace de se présenter aux Bories-Hautes, c'est Mlle Berthier qui vint parler à la Maïré et à mon frère de ma première communion.

Je souhaitais que ma famille s'y opposât car c'était du temps perdu pour mon instruction générale et, de plus, cela coûtait cher. Mlle Berthier me rassura : il y aurait bien sûr cette « semaine de retraite » qui précédait la cérémonie mais cela ne m'empêcherait pas de poursuivre mes études et elle y veillerait. Pour la dépense, il ne fallait rien exagérer : je revêtirais la robe de calicot blanc que la Flavie avait portée l'année précédente et qu'elle avait taillée dans celle de la Maïré, un peu grande pour elle. Le cierge qui avait servi depuis deux générations était rangé, enveloppé de papier journal, dans la grande armoire et il n'y manquait pas une papillote d'or et d'argent. Quant au repas, nul n'était tenu de faire un festin.

– C'est nécessaire, dit Mlle Berthier. Tu serais la seule parmi toutes mes filles à ne pas faire ta première communion. Je ne pourrais pas te garder.

L'Histoire sainte ne retenait mon attention que par son côté merveilleux. Le Christ était mon compagnon; il traversait mes jours et mes nuits dans sa tunique blanche qui rappelait la chemise de nuit de la Maïré, prononçait des propos étranges et semait des miracles comme des fleurs sur sa route. Pour faire du Christ un ami, je n'avais pas attendu Mlle Berthier et ses leçons de catéchisme dans cette église froide, sombre, sévère, si différente des lumineuses collines de Judée. Cécile m'en avait parlé mais comme d'une créature plus proche des hommes que du Ciel.

Mon catéchisme, je l'apprenais avec une froide application, consciente, d'une part, d'entrer dans un jeu de société où tout le monde trichait et d'encombrer ma mémoire de pieux impédiments d'érudition.

Le plus pénible, pour moi, c'étaient les confessions. L'abbé Brissaud sentait mauvais; il ne se lavait guère et avait l'haleine forte des mangeurs d'ail et d'oignon qu'il cultivait lui-même. Il déployait avant la confession son grand mouchoir à carreaux souillé de tabac à priser, donnait un vigoureux coup de trompette et se torchait le visage énergiquement. Écartant ses genoux, il me faisait signe de m'agenouiller à sa droite.

– Je t'écoute. Quelles bêtises as-tu encore faites?

Dans son énorme oreille rouge et poilue j'égrenais des fautes vénielles en me disant que mes péchés resteraient accrochés à ce buisson de ronces et n'atteindraient pas son esprit, mais il entendait tout et avait une sorte de talent fruste pour déceler les réserves d'une âme traquée dans sa noirceur. Son escouade de menettes ne manquait pas de le tenir au courant des moindres faits et gestes de la communauté. C'était sa force; il tenait le village dans un réseau serré de secrets qui, livrés en chaire à la communauté paroissiale, eussent déclenché une guerre civile.

Il ne me tenait pas rigueur de l'échec de ses manœuvres contre celle qu'il appelait la « putain laïque ». J'avais beau montrer des aptitudes à la scolarisation, j'étais toujours pour lui la *nèci*, la brebis qui, un jour ou l'autre, oublierait ce qu'elle avait appris pour retourner au bercail avec son *suint* retrouvé de crétinisme et d'ignorance. En revanche il continuait de vouer à Cécile une haine inexpiable.

Après m'avoir absoute d'un geste rapide, il me retenait sous son regard lourd.

– Alors, cette communion, tu t'y prépares? Parle-moi un peu de la Sainte Trinité...

Il écoutait en grognant, ajoutait :

— Tu vois toujours la « putain » de la « communale », la fille publique? Ton frère prend un mauvais chemin. C'était pourtant un bon chrétien, et qui m'a fait une bonne communion. Alors, tu ne veux rien me dire?

Les mêmes questions, chaque fois, et les mêmes menaces :

— En te taisant, tu deviens leur complice. Ça se paie, tu sais, et très cher. Tu risques ta vie éternelle.

Il ne me faisait pas peur. Ma vie éternelle... S'il avait su combien je m'en moquais! J'avais même un peu pitié de cette solitude dans laquelle il macérait avec ces venins et ce pus qui le rongeaient. Aucun des grognements de ce vieux fauve aux dents gâtées ne parvenait aux oreilles de Cécile ni de Pierre. Et d'ailleurs, entre eux deux, qu'y avait-il? Je l'ignorais et Cécile ne m'en parlait pas. Ils se voyaient rarement. Parfois, le samedi soir, alors que nous étions réunis autour de la table, Pierre lançait :

— Et si on invitait la demoiselle pour demain? *Que n'en pensa*, Maïré? Tu pourrais tuer une poule. Celle qui boite...

La Maïré ne protestait plus car elle savait que c'eût été inutile. Pierre était le maître. Elle se contentait de hausser les épaules en manière d'assentiment et d'ordonner à Paul et à André d'aller lui chercher cette poule qui boitait et qu'il allait falloir sacrifier pour la demoiselle alors qu'elle aurait pu attendre encore une semaine ou deux.

La chasse s'organisait et la fête de mort commençait. La Maïré, assise sur une souche, prenait la poule entre ses genoux et, armée d'une paire de ciseaux qu'elle jugeait préférables à un couteau, lui traversait la gorge. Je restais à quelques pas et détournais les yeux. La Maïré me lançait :

— Fiche le camp! Si tu restes à la plaindre, elle le sent et elle n'en finit plus de crever.

Mes deux frères ne perdaient pas un geste de la Maïré, pas un soubresaut de la volaille. Paul serrait la tête dans son poing pour la tenir immobile et André tenait l'assiette pour recueillir la giclée vermeille. Ce soir, Pierre aurait sa « sanguette » qu'il assaisonnait de sel, de poivre, d'ail et de persil. Un régal dont nul ne lui contestait la jouis sance.

— Malvina, m'ordonnait Pierre, quand tu auras fini ton devoir tu iras chez la demoiselle. Tu lui diras qu'on l'attend demain pour le *mérindé*.

Mai

J'avais presque oublié Eugène Caze. Lui non. D'une certaine manière, selon lui, j'étais responsable de la découverte de ce que Cécile appelait le « complot » et je le connaissais trop bien pour savoir qu'il ne me pardonnait pas et même qu'un jour ou l'autre, vindicatif comme il l'était, il se vengerait d'elle et de moi.

Nous nous rencontrions au catéchisme, car il préparait lui aussi la première communion. Là, il se tenait tranquille. Un petit saint. Mlle Berthier le fascinait; il devait l'assimiler à l'une de ces saintes figurant sur les images qu'elle nous distribuait, avec ses yeux d'un bleu émollient, ses traits purs bien qu'un peu mous, les attitudes infléchies qui la faisaient ressembler à une madone. Le curé, en revanche, l'imposait et même le terrorisait; le simple son de sa voix figeait Eugène et ses colères l'eussent fait rentrer sous terre.

Parfois je le rencontrais sur ma route. Son lance-pierres à la main, il faisait mine de guetter un merle mais, dès que je l'avais dépassé sans lui adresser un mot ni un regard, il m'emboîtait le pas et se mettait à chanter des couplets obscènes appris dans les veillées.

Un jour, alors que je venais de le dépasser, il me cria :

– Eh, la *baraquaine*, t'as encore jamais vu ça?

Je me retournai; il avait ouvert sa braguette et me

montrait son sexe. Un autre jour, il se fit plus entreprenant. Alors que, revenant de rendre visite à Isabelle au château je remontais par le *sendarel* des vignes vers les Bories-Hautes, je le vis surgir d'une rangée de vimes, les mains passées dans sa ceinture de cuir. Il se posta en travers de mon chemin, le bord de son béret rabattu sur ses lunettes de fer, l'air provocant.

– *Inte vas, drolla?*

– Laisse-moi passer.

– Je te laisserai passer si tu me montres ton « chose ».

– Tu veux que j'appelle mon frère? Il est pas loin, tu sais. Je le vois d'ici.

Comme il tournait la tête, je ramassai une pierre. Il se mit à rire sottement en montrant ses dents jaunes.

– Si tu crois me faire peur, *baraquaine*... Ton « chose », tu préfères le montrer à la « putain laïque ». On dit que vous deux...

La pierre l'atteignit au visage avant qu'il eût pu achever sa phrase. Il tomba sur les genoux, à moitié assommé, une main sur sa blessure qui saignait, cherchant de l'autre à défaire sa ceinture qui constituait avec son couteau une arme redoutable dont il se servait pour terroriser les « petits ».

Ce qu'on disait de Cécile et de moi, je ne l'ignorais pas, mais j'étais trop naïve pour déceler le sens et la portée de cette calomnie. On disait aussi que Cécile ne se maintenait à Saint-Roch qu'en raison des faveurs qu'elle accordait d'une part au délégué cantonal et de l'autre à l'inspecteur qui était revenu deux fois à la « communale » à la suite de l' « affaire ». Le « frère trois points », disait-on en faisant allusion à ses obédiences maçonniques, et la « sœur virgule » s'entendaient à merveille et se revoyaient parfois à Brive. Sous ces médisances que j'avais entendues durant les récréations à Sainte-Thérèse, entre deux cantiques, il était facile de reconnaître l'inspiration du curé.

Je laissai Eugène se tordre de douleur et gémir dans la poussière du chemin. J'aurais à redoubler de vigilance. Au lieu de monter vers les Bories-Hautes où la Maïré devait m'attendre pour traire, je pris la direction de l'école.

Cécile était encore dans sa classe avec cinq de ses élèves auxquels elle donnait des « répétitions ». Je lui racontai l'incident. Elle blêmit, m'embrassa :

— Prends bien garde, ma chérie. Ce garçon est capable de tout. Je le punirai, mais ça n'y fera pas grand-chose.

C'était la première fois qu'elle m'appelait – que quelqu'un m'appelait – « ma chérie ». Sur le chemin du retour, accompagnée pour plus de sûreté par mon frère André, je gardai ce mot comme un goût d'orange dans la bouche. Eugène pourrait surgir de nouveau, armé de son couteau et de sa ceinture, j'aurais suffisamment de courage pour le narguer et le provoquer. Je m'endormis avec ce mot sur les lèvres, la moitié de mon traversin repliée contre moi.

— C'est bien, dit Cécile. Elle est comme neuve.

Je n'avais épargné ni ma peine ni mon temps : la selle astiquée, les rayons frottés un à un, le cadre et le guidon débarrassés de leur poussière et de leur boue, la chaîne graissée... Le timbre avait gardé son cristal. Cécile pouvait partir pour Brive. Elle en aurait pour deux bonnes heures en pédalant ferme, mais elle tenait à économiser un billet de chemin de fer, son voyage à Paris ayant tari son pécule, bien que Pierre lui eût restitué une partie de la somme qu'elle lui avait avancée quelques mois auparavant, lorsqu'il avait quitté la région.

— Je peux l'essayer?

Elle accepta. Je partis, poussai jusqu'au moulin de Fonfrèje, assise sur la selle, mes jambes ayant atteint une taille suffisante. Je croisai le courrier de Vayrac, le « Planteur de Caïffa ». Il faisait un temps de mai plein d'allégresse comme un alleluia. L'odeur des derniers lilas et des premiers chèvrefeuilles se mêlaient dans le vent chaud.

— Tu me rapporteras du savon pour ma brosse à dents?

Elle hocha la tête. Le fond de sa jupe était attaché de telle manière qu'elle semblait porter des pantalons bouffants comme on en voit aux zouaves sur les images. Elle avait voilé son chapeau et son visage d'une gaze légère.

– Et maintenant, en route! dit-elle joyeusement.

Elle ajouta en se retournant :

– Si tu veux entrer dans ma chambre, tu sais où je place la clé. Évite de te promener seule et prends garde à Eugène!

Cécile l'avait sévèrement puni. Il avait eu droit à l'agenouillement devant toute la classe, un sabot dans chaque main, les bras tendus, une ardoise accrochée dans le dos avec ce simple mot : « Calomniateur », et le bonnet d'âne que Cécile avait confectionné pour la circonstance bien qu'il fût interdit par l'Administration. Il portait, encore très marquée, la blessure que ma pierre lui avait faite, à la joue gauche. J'aurais bien aimé assister à ce spectacle mais on me l'avait dépeint avec un tel luxe de détails qu'il était facile à imaginer.

– Si tu l'avais vu à la récré, dit Alice! On aurait dit un chien battu. Il est resté sous le tilleul, à creuser un morceau de bois avec son couteau. Il mijote un mauvais coup, c'est sûr.

En quittant Cécile, j'allai aider Pierre à curer l'étable et la Maïré à préparer la *bacade*. Au début de l'après-midi, la Maïré me dit. d'un ton qui n'était comminatoire qu'en apparence :

– *Vai te permenar!*

Je ne me fis pas prier et allai rejoindre les filles de Sainte-Thérèse qui s'apprêtaient à partir en promenade et portaient au bras le cabas contenant leur quatre heures. C'étaient les pensionnaires auxquelles s'étaient jointes quelques pauvresses comme moi qui aimaient bien la demoiselle et souhaitaient apprendre un peu de botanique.

Au bord de la Gane, but privilégié de nos promenades, les prairies riveraines, les *roubières*, étaient riches d'une flore dont, hormis le bouton d'or ou la marguerite, le nom nous était inconnu. La demoiselle procéda à sa cueillette puis nous rassembla à l'ombre d'un peuplier d'où pendaient des flocons de duvet que le moindre souffle de vent emportait à travers la campagne. Assises en demi-cercle devant elle, nous l'écoutâmes égrener la litanie magique de l'herbier et toutes ces fleurs, à la fois familières et inconnues, devenaient par la vertu de sa parole des créatures de Dieu, se pavanaient devant nous avec des grâces de princesses. La science nous devenait aimable; des portes qui semblaient condamnées s'ouvraient sur des merveilles. La leçon devenait poème et la classe partie de campagne en paradis.

Mlle Berthier s'avançait, pieds nus, dans le ruisseau, fouillait le sable du bout des doigts, en retirait de petits fourreaux couleur de terre, des porte-bois, qu'elle nous montrait avant de tendre le doigt vers la branche où dansait une phrygane aux ailes lumineuses. De la larve enfermée dans son étui de silice comme dans un sarcophage à cette image délicate et frémissante, elle expliquait la métamorphose et ce qu'elle appelait non sans emphase la « Création » prenait un sens précis et merveilleux.

– Dieu est partout, mes enfants. Il règle toute vie. Rien ne lui échappe. Ce qui est mystère pour nous est pour lui lumière et évidence. Ninon, cessez de vous curer le nez et répétez ce que je viens de dire.

Nous avions déballé nos serviettes pour le quatre heures et mis nos *fiolous* de vin à rafraîchir dans le ruisseau lorsque Alice Bernède surgit sur la rive opposée et m'appela.

– Faut que tu viennes tout de suite à l'école. Fais vinaigre. Je t'expliquerai.

– Tu nous quittes déjà? dit Mlle Berthier en me regardant plier bagage. Pourquoi pars-tu?

– Je sais pas, mademoiselle, mais c'est pressé.

Je traversai la Gane sur un tronc d'arbre et courus vers Alice. Elle avait pris les devants en direction de l'école qui, heureusement, n'était pas très éloignée. Je lui criai de m'attendre mais elle galopait et me faisait signe de me presser. J'ôtai mes socques pour courir plus vite.

– C'est Eugène, dit-elle. Il est à l'école. Il saccage tout.

Arrivées dans la cour de récréation, nous prîmes chacune un gourdin et pénétrâmes dans la salle de classe. Personne. Le vandale n'avait laissé derrière lui que des traces assez anodines : cartes murales décrochées et jetées à terre, flacons d'encre violette éclatés contre le mur, tables renversées, livres dispersés. Nous allions nous retirer lorsqu'un bruit de tonnerre retentit au-dessus de nos têtes.

– Il est chez Cécile, dis-je. Suis-moi!

Eugène nous regarda, hébété, son couteau d'une main, une boîte d'allumettes dans l'autre. Sa blessure se marquait encore à sa joue gauche, juste sous les lunettes. Il se tenait debout près d'un fatras de livres qu'il avait jetés pêle-mêle sur le plancher et qu'il piétinait rageusement. L'étagère qu'il venait d'arracher pendait au mur. Toutes les gravures sauf une – la *Maternité* d'Eugène Carrière, qui lui rappelait sans doute Emma Berthier – avaient été lacérées, sans oublier mes gribouillages. L'armoire grande ouverte avait été fouillée, le lit retourné et Eugène s'était acharné avec son couteau contre les draps. Il avait fourré hâtivement dans sa poche une lingerie de Cécile; un morceau de dentelle en dépassait.

– Lâche ton couteau! dit tranquillement Alice. Tu nous fais pas peur, tu sais. Et jette cette boîte d'allumettes. Qu'est-ce que tu allais faire? Foutre le feu? Tu es fou, Eugène, ou tu as bu?

Je vins à la rescousse, prête à faire usage de mon bâton en cas de nécessité.

– Ça t'a pas servi, la pierre de l'autre jour, grand *fadar*? Tu le lâches, ce couteau!

Il lâcha le couteau, recula de quelques pas au milieu du tapis de livres, se mit en devoir de craquer une allumette mais il tremblait tellement, de colère et de dépit, qu'il ne put y parvenir. Alice lança son bâton à toute volée. Eugène gémit sous le choc et battit en retraite vers la porte. Nous attendions Attila de pied ferme, comme aux Champs catalauniques. Alice ramassa le couteau tandis que je gardais la sortie.

– Maintenant, dit-elle, il va falloir arranger tout ça, grand *banlève*! Tu es bien avancé. Allez, au travail!

Tandis qu'Eugène, sans hâte, en *roumant*, remettait de l'ordre dans ce capharnaüm, me revenait à la mémoire le sermon de l'abbé Brissaud qui, en chaire, quelques dimanches auparavant, s'en était pris à la jeunesse délinquante. Cécile avait noté sa diatribe comme elle le faisait souvent. Le curé, après avoir évoqué l'intervention de Maurice Barrès à la Chambre des Députés, sur les nombreux suicides d'enfants dans les « écoles sans Dieu », s'était écrié avec cette puissance messianique qui le rendait redoutable :

– Nous voulons préserver notre jeunesse. Le nombre des condamnations de mineurs suit une progression effrayante. Lisez donc les journaux d'images, regardez les têtes de ces bandits qui terrorisent notre pays. Presque tous sont des enfants... Les lois scélérates de la laïcité nous préparent des générations de Bonnot! Je considère l'interdiction de la morale religieuse à l'école comme un crime social. Il faudrait jeter au bûcher tous ces manuels corrupteurs, impies, que l'on met entre les mains de nos enfants. Nous voulons Dieu à l'école. Christ vaincra!

Il ne manquait à cette tirade que les trompettes du Jugement.

– Presse-toi, *bestiourlar!* criait Alice en menaçant Eugène de son bâton. Remets cette étagère en place, et vite! Il te reste encore la classe à ranger et à nettoyer. Dépêche-toi au lieu de *bader*.

J'aidai de mon mieux Eugène. Les étagères de nouveau fixées au mur, je m'attachai à y ranger les livres. Dans ce fatras, je découvris un petit opuscule d'une cinquantaine de pages que Cécile avait recouvert d'une couverture rouge. C'était le « Discours du citoyen Jaurès, prononcé les 10 et 24 janvier 1910 à la Chambre des Députés ». Un de ces discours « corrupteurs et impies » dont parlait le curé, à en juger par les quelques phrases que Cécile avait soulignées au crayon. Celle-ci notamment :

« *L'Église est obligée de subir le mouvement de l'esprit du siècle : ou il faudra qu'elle fasse un pas nouveau, qu'elle rejette les vieilles maximes étroites d'intolérance ou de caprice et, si elle ne le fait pas, elle périra; ou, si elle le fait, elle ne pourra plus rien trouver dans l'enseignement laïque et rationnel de nos écoles dont elle ait le droit de dire que c'est une offense pour la conscience des croyants. (Vifs applaudissements à gauche et à l'extrême gauche. »)*

230

J'allai vers la fenêtre baignée de soleil pour relire ce texte une fois, puis une autre. Je le comprenais mal, comme d'ailleurs tous ces auteurs que j'empruntais à la bibliothèque de Cécile. Il entrait en moi par petites pressions, y déclenchait des ondes lumineuses. Le sens profond m'échappait encore mais je faisais effort pour le comprendre, l'assimiler totalement, non pour le répéter comme un perroquet mais pour l'écouter germer dans mes ténèbres, pousser en moi ses racines, donner un poids à mes pensées et un sens à ma vie.

Je glissai le livre dans ma poche et me remis au travail. La grande armoire retrouva ses piles impeccables de draps, de linges, de vêtements. Derrière les draps, je plaçai le coffret de fer dans lequel Cécile rangeait son argent, sa correspondance, ses papiers, qu'Eugène avait tenté de forcer sans y parvenir. Alice m'aida à mettre au lit des draps propres. Restaient les gravures; mais là le mal était irrémédiable. En revanche il fut aisé de remettre tout en place dans la salle de classe. Sous la menace, Eugène dut nettoyer et frotter les murs souillés d'encre.

– Qu'est-ce qu'on fait maintenant? demanda Alice.

Elle était d'avis de garder avec nous le coupable, de l'enfermer dans la grange et de le confier à Cécile; j'abondai dans son sens mais Eugène protesta avec véhémence : son père l'attendait pour « garder »; s'il ne le voyait pas revenir, ça « ferait vilain ».

– Bien... Bien... Tu peux partir? dit Alice qui ne tenait pas à affronter le père Caze, mais tu perds rien pour attendre. Probable que ça va chauffer pour tes oreilles.

– Rendez-moi mon couteau.

– C'est la maîtresse qui te le rendra, dit Alice. Si elle veut bien.

Il baissa le nez. Sans son couteau, il n'était rien; moins que ces chemineaux voleurs de poules sur lesquels la Maïré lâchait le chien. Rien. Nous aurions pu lui demander de nettoyer le dallage de la classe avec sa langue, l'attacher au tilleul, le fouetter avec sa ceinture de cuir, l'obliger à renier père, mère, le curé et même Dieu, il aurait tout accepté pourvu qu'on le laissât filer. Il était de la race des lâches; il n'avait ni cœur ni conscience.

Cécile, les mains sur son visage. Cécile, très pâle, puis rouge de colère, puis abattue.

– Mon Dieu! Ce gamin est un monstre. Comment a-t-il osé...

Elle réfléchit un moment puis se leva brusquement de la chaise où elle s'était laissée tomber, réunit les gravures lacérées et, remontant sur sa bicyclette, prit en pédalant ferme, malgré la fatigue qui lui tirait les traits, le chemin de Combe-Rigal pour dire son fait à Eugène et au père Caze par la même occasion. Le fermier le prit de haut. Son fils n'était pas un petit saint mais de là à lui mettre sur le dos toutes les conneries qui se faisaient dans la commune, c'était aller un peu loin. Que d'histoires pour quelques bouts de papier déchirés! D'ailleurs, ça ne pouvait pas être Eugène : il n'avait pas bougé de Combe-Rigal de tout l'après-midi.

– Et ça! s'écria Cécile en jetant le couteau sur la table. Pouvez-vous me dire comment cette arme – car c'en est une, monsieur Caze, et dont il fait le pire usage – s'est trouvée dans mon appartement?

Là, le père Caze resta sec et se contenta de bredouiller :

– Probable qu'il l'a perdu en allant « garder » et que vous l'avez trouvé sur le chemin en montant.

– Et cette blessure qu'il porte au visage, vous ne vous êtes pas demandé d'où ça venait? Il a tenté de violer Malvina Delpeuch et la petite s'est défendue.

– Ces gamines... Ça ne sait qu'inventer pour se rendre intéressantes. Eugène! viens ici un peu. Tu as entendu ce qu'a dit la demoiselle? Qu'est-ce que tu as à répondre?

– C'est pas vrai! dit effrontément Eugène. J'ai rien fait.

– Là... Vous voyez! Si vous écoutez ce que racontent ces petites garces...

– Elles le raconteront aux gendarmes, car j'ai bien l'intention de porter plainte. Elles diront comment elles ont surpris votre fils alors qu'il s'apprêtait à mettre le feu à l'école.

Là, le père Caze parut touché au vif. Son regard alla de Cécile à Eugène. Il paraissait ébranlé.

— Moi, dit-il, je veux pas d'histoires. Si vous appelez les gendarmes je leur dirai deux mots d'un certain déserteur qui venait rôder dans les parages. Là-dessus, je sais plus de choses que vous pensez. Ça les intéressera sûrement, et c'est pas votre trou-du-cul d'inspecteur qui pourra vous tirer d'affaire.

— Vous êtes odieux, Caze!

Il lissa ses moustaches en souriant, sûr dès à présent d'avoir gagné la partie.

Cécile frémissait encore en me racontant la scène. Elle en était à sa troisième cigarette. Autour de la lampe allumée tournaient de gros papillons de velours noir. Un frelon irrité se cognait aux poutres.

— En le quittant, je l'ai prévenu que je ferai mon rapport à l'inspecteur et que son Eugène irait sévir ailleurs. Il n'a pas bronché. De toute manière, Eugène n'aurait jamais eu son certificat d'études.

Eugène revint le surlendemain qui était un samedi, avec des ecchymoses au visage, un verre de lunettes cassé, une oreille décollée. Le père Caze n'y était pas allé de main morte. Il ramassa ses affaires sous le regard narquois de ses camarades, les fourra dans son sac et repartit sans un mot.

— J'espère, lui cria Cécile, que nous n'entendrons plus parler de toi!

Nous n'avons pour ainsi dire plus jamais entendu parler de lui. A plusieurs reprises nous l'avons aperçu dans le bourg, le regard fuyant derrière ses lunettes neuves achetées à un colporteur. Il passait comme une ombre pour aller chercher de l'épicerie chez Eugénie Saulière ou du pain chez Noémie Farges. Nous lui jetions des injures et des pierres au passage. Il courbait l'échine mais ne se retournait même pas.

Le dimanche suivant, alors qu'elle dînait à la maison, Cécile nous dit :

— Plus j'y réfléchis, plus je me demande si le curé n'est pas à l'origine de cette affaire.

– *Fi de lou!* dit Pierre, il en est bien capable. J'ai envie d'aller lui dire deux mots après vêpres.

– N'en faites rien. Je m'en chargerai moi-même. Si c'est le cas, il a agi maladroitement et monté la population contre lui. Tant va la cruche à l'eau...

– Dis, Cécile, tu m'emmènes?

Elle prit ma main. Valette, le tisserand-bedeau, avait sonné depuis un moment déjà la fin des vêpres. Quelques hommes jouaient aux quilles sur un espace plat près de font Saint-Roch. Quelque part dans une ferme perdue, les jeunes sabotaient dans la poussière au son de l'accordéon que rythmait le bâton d'Armand Lavaur, l'aveugle. Comme le temps était beau, les gens se tenaient dehors sur le pas de leur porte ou de leur boutique. La boulangère nous salua de la main et se gratta la tête en bâillant de la pointe de son aiguille à tricoter, son petit commis assis près d'elle, les bras sur le dossier de sa chaise retournée devant derrière, sa casquette des dimanches sur les yeux. Jeanne Sauvezie, l'ancienne patronne de Flavie, se disputait avec sa pimbêche de fille qui s'était mis en tête de se fiancer avec un « sans-le-sou » qui lui écrivait de Brive, où il faisait son service dans le 95ᵉ Régiment d'infanterie, des lettres pathétiques. Des gens saluaient Cécile et l'interpellaient pour qu'elle vienne *platucer* quelques instants; d'autres ne lui adressaient pas un signe et à peine un regard; certaines lui tournaient carrément le dos, comme la Mélanie Puyjalon, la postière, ou l'épicière, Eugénie Saulière. Une vieille qui descendait des Escrozes se signa.

L'abbé Brissaud traversait son potager en traînant une bêche derrière lui. D'un appentis proche de la maison d'habitation montait le grognement du cochon qu'il engraissait pour le sacrifier à la Saint-Martin et qu'il appelait « Gambetta », comme tous ceux qui l'avaient précédé.

En voyant surgir Cécile, il s'arrêta, interdit.

– Toi, me dit-elle en me lâchant sur le seuil du jardin, tu vas te promener en m'attendant autour de l'église ou

de Sainte-Thérèse, mais ne viens pas nous déranger.
Je brûlais d'assister à l'engagement mais j'obéis. Des
années qui avaient précédé la venue de Cécile, j'avais
conservé le don de m'insinuer comme Asmodée dans
l'intimité des gens sans laisser soupçonner ma présence
qui d'ailleurs n'avait aucune importance, mais j'étais plus
sensible à l'apparence spectaculaire du secret ou du
scandale qu'à son sens profond et à ses conséquences, qui
m'échappaient ; quand, par extraordinaire, on découvrait
ma présence, on se contentait de me chasser comme un
chien ; n'ayant rien compris, je n'irais rien rapporter.
Je savais comment pénétrer dans le presbytère.
Il fallait passer par la porte voûtée de la cave qui donnait
sur la place de l'église – une sorte de bouche de souterrain
qui soufflait des odeurs de lie de vin et de pommes gâtées –
prendre un escalier vermoulu, au fond de la cave. Je
connaissais même l'endroit où le curé rangeait le vin de
messe que lui livraient les établissements Machat, à
Larche, les hosties dont je me régalais et l' « encens
Bavignac » qui « brûle » au Vatican et dans plusieurs
églises de Rome, dont je me grisais dans ma cachette du
château.
La gouvernante devait être partie dans sa famille, à
Queyssac-les-Vignes, comme tous les dimanches, et la
maison était déserte.
Mes socques à la main, je traversai de grandes pièces
noires et vides pour accéder à celle qui servait au curé de
chambre et de bureau. Le lit n'avait pas été refait après la
sieste et des vêtements de corps s'amoncelaient sur une
chaise. Sur le bureau s'éparpillaient quelques feuilles
couvertes de l'écriture appliquée du curé : le texte du
prochain bulletin paroissial qu'il allait faire polycopier à
Brive.
A pas de loup je m'approchai de la fenêtre dans une
odeur épaisse de sureau. Ils se tenaient au bas de l'escalier
majestueux à la rampe entortillée de glycines mortes : lui,
massif, arrogant, drapé d'une souquenille de jardinier, le
haut du visage dissimulé par le chapeau de paille aux
bords effrangés, pieds nus dans ses énormes socques
terreux ; elle, mince, jolie, en apparence fragile, mais

tendue par une volonté inébranlable. Le contraste me paraissait d'une telle évidence que je jugeai la partie inégale. S'il lui prenait envie de souffler une de ses brusques colères d'Apocalypse, il la balaierait comme une feuille morte.

Collée dans l'embrasure de la fenêtre, prête à me replier en cas de surprise, je tâchai de ne rien perdre de leur entretien. J'appris plus tard de la bouche de Cécile qu'il l'avait priée d'entrer dans le presbytère et qu'elle avait repoussé avec hauteur cette invitation; il lui avait demandé de s'asseoir sur le banc, au bas de l'escalier, sous le sureau où était rangée une brouette encroûtée de fumier et elle avait de même refusé. Accepter eût été déjà une dangereuse faiblesse qui en eût entraîné d'autres. Elle s'était préparée à l'affrontement comme un athlète ou un chevalier et elle refusait de le voir s'achever en concessions doucereuses et en repentirs moites devant un verre de cassis.

Entre les grognements du porc et les insolences des merles dans le cerisier, j'entendais indistinctement leurs propos, mais Cécile, indulgente à toutes mes indiscrétions, devait m'aider quelques heures plus tard à reconstituer ce qu'elle appelait son « combat ».

– Vous ne voulez ni entrer ni vous asseoir? A votre aise. Vous avez peut-être raison. Pour ce que nous avons à nous dire, il est peut-être préférable de rester debout.

Il ajouta :

– Je vous attendais.

– Vous m'attendiez, dites-vous?

– Je veux dire que je savais qu'un jour ou l'autre j'aurais votre visite. Nous avons beaucoup de choses à dire, n'est-ce pas?

– Beaucoup, en effet. Moi surtout. Et pas des choses plaisantes, je vous en préviens.

– Je vois à quoi vous faites allusion. Ce jeune crétin d'Eugène Caze a encore fait des siennes.

– N'êtes-vous pas son modèle et son maître? N'est-il pas votre instrument et, si vous me permettez cette expression, Brissaud, votre bras séculier?

La flèche avait porté. Le curé fit virer son chapeau bord

sur bord avant de le rabattre sur ses gros sourcils.

– J'ai été le premier informé, ce qui est normal. Mais je vous demande en grâce de ne pas m'attribuer la responsabilité de ses méfaits.

– Vous avez joué les apprentis sorciers et vous voyez jusqu'où cela peut aller! Si Eugène avait mis le feu à l'école comme il en avait l'intention...

– Vous exagérez!

– Alice Bernède et Malvina Delpeuch pourront vous le confirmer. S'il avait mis le feu à l'école, j'aurais fourni des preuves de votre collusion et de votre responsabilité. Ce n'est pas à la maison de retraite que vous auriez fini votre carrière de prêtre mais à la prison de Brive!

– Retirez ces propos immédiatement!

– Je ne retire rien de ce que j'ai dit! Je ne crois pas que vous ayez donné l'ordre à Eugène de dévaster ma classe et mon appartement et d'y mettre le feu, je suis même certaine que vous étiez dans l'ignorance, mais il reste que ce garnement est votre créature et que vous l'avez monté contre moi. Estimez-vous heureux que l'on ait étouffé l'affaire précédente. Celle de l'autre jour aurait pu vous coûter très cher. Julia Fabry... Eugène Caze... Vous avez envoyé ces deux enfants pour me susciter des ennuis. Passe encore que vous m'attaquiez en chaire en sachant que je ne peux me défendre. C'est votre domaine et vous êtes libre, sauf à rendre des comptes à Dieu et à votre conscience de vos injures et de vos calomnies, d'en faire une tribune d'insanités. Mais vous servir de ces deux enfants, vous abriter derrière eux pour défendre votre cause, c'est une grande lâcheté!

A ma grande surprise, le curé garda son flegme, se contenta d'ôter son chapeau, d'essuyer son visage et son crâne rouges avec son mouchoir à carreaux et de respirer une prise de tabac.

– Mon enfant, dit-il d'une voix posée, vous oubliez qu'entre vous et moi c'est la guerre et que vous l'avez déjà perdue. Quand il s'agit de la gloire de Dieu et de l'Église, tous les moyens me sont bons. Ma conscience, dites-vous? J'en fais abandon à Dieu. Elle ne compte pas dans le combat que je mène. Elle est lourde de péchés, j'en

237

conviens, mais dans le cas qui nous occupe une conscience nette est un luxe que je refuse. Dieu me jugera. J'accepte d'avance son verdict, mais le sien seulement.

Il éternua à plusieurs reprises, se torcha le nez et ajouta :

– Ce n'est pas pour rien qu'on a surnommé Saint-Roch la « Petite Vendée ». Avez-vous entendu parler de la réaction des prêtres bretons et vendéens, il y a quelques années, lors de la promulgation des « lois scélérates » de la Séparation, de l'inventaire, de l'aliénation des biens de l'Église ? Ils sont allés plus loin que moi. Ils sont montés à cheval et ont pris la tête de leurs troupes de paysans comme pour une croisade. Moi-même, j'ai pris le fusil et, j'en demande pardon à Dieu, je crois que je m'en serais servi contre ce prêtre étranger qui venait prendre ma place et prêcher dans le troupeau la révolution et l'anarchie. Il s'appelait Goodsiker. Vous a-t-on raconté ce qui est arrivé lors de la Séparation à cette sorte d'huissier de la République qui voulait chasser nos bonnes sœurs de l'église où elles étaient réfugiées, à quelques kilomètres de Saint-Roch ? Il est tombé comme foudroyé dans l'église qu'il était en train de piller et il est resté paralysé. Vous y verrez sans doute un fait du hasard. Moi, j'y vois le signe de la colère de Dieu.

– Brissaud, vous êtes un homme d'un autre siècle. Le monde évolue et vous restez accroché à vos superstitions, à votre foi de templier. Cette guerre dont vous parlez, c'est vous qui l'avez perdue, mais vous refusez de l'admettre et vous continuez à vous battre avec l'énergie du désespoir. L'Église aussi a perdu dans cette mauvaise guerre qu'elle mène contre le progrès de l'esprit.

J'entendis rouler le gros rire de l'abbé.

– Mon enfant, vous parlez comme Jaurès! L'Église reçoit des coups depuis le Christ et ne les rend pas toujours, mais prenez garde! c'est une enclume qui a usé bien des marteaux et ce ne sont pas les petits hommes qui nous gouvernent qui parviendront à la briser. C'est dans l'adversité qu'elle montre sa force. S'il faut de nouveaux martyrs, des légions se lèveront à l'appel du Saint Père. Dois-je expier pour mes péchés, moi, misérable créature ?

J'y suis prêt. Mais sachez que je ne regrette rien de ce que j'ai fait car c'était pour la bonne cause.

– Vous vous trompez d'endroit, Brissaud, dit ironiquement Cécile. Vous n'êtes pas en chaire. Essayez de reprendre conscience des réalités. Selon vous, j'ai perdu dans le combat que vous me livrez depuis mon arrivée, exactement depuis l'instant précis où je suis descendue du char à bancs, sous les injures de vos menettes.

– Vous ne resterez pas une année de plus à Saint-Roch, vous le savez bien, mais je dois reconnaître que vous m'avez facilité la tâche par votre comportement. Vous vous êtes conduite comme une fille publique! Vous avez reçu des hommes chez vous, et qui plus est des francs-maçons, des anarchistes, des antimilitaristes, des déserteurs. Vous présentez aux enfants le pire exemple qui puisse être. Croyez-vous donner le change par des apparences de piété? Les gens de Saint-Roch savent maintenant qui vous êtes : une révolutionnaire, une potache en jupons sortie de ces casernes que sont les Écoles normales.

– Ces casernes d'où votre nièce est sortie, Brissaud, ne l'oubliez pas! Mais vous vous égarez, vous perdez votre sang-froid. Moi, je reste calme et je vous dis : vous êtes perdant et c'est ce qui vous conduit aux pires extrémités dans vos propos comme dans vos actes. Peut-être quitterai-je Saint-Roch, mais d'autres viendront après moi, hommes ou femmes, peu importe, afin de poursuivre la laïcisation, et vous aurez à vous battre de nouveau, et encore, et encore... Il faut en prendre votre parti.

Elle se détourna comme pour mettre fin à l'engagement mais elle fit face de nouveau, le visage à peine coloré par la colère :

– Un mot encore, curé! Dans un mois, ce sera le certificat d'études. Au nom de nos enfants, les miens et ceux de votre école, je vous demande une trêve. Si vous vous acharniez à troubler la sérénité des consciences, si vous persistiez dans vos attaques, dans vos intrigues, dans vos calomnies dignes de Tartuffe et de Basile, ce sont les enfants qui en pâtiraient. Et ça, Brissaud, je ne vous le pardonnerais pas!

Lorsque je rejoignis Cécile j'étais encore toute frémissante et tenais à peine sur mes jambes alors qu'elle semblait ragaillardie. Elle me prit la main, me regarda sévèrement :

– Toi, telle que je te connais, tu t'es arrangée pour assister à la rencontre! Il suffit de te voir. Où étais-tu cachée, petit singe?

Je lui avouai mon astuce et je l'attirai vers moi pour l'embrasser.

– C'est bien, ma Cécile! Tu lui as cloué le bec, à Brissaud.

De retour aux Bories-Hautes, Cécile raconta l'affrontement à Pierre en me prenant à témoin, en faisant appel à ma mémoire pour lui rappeler certaines reparties que, dans son animation, elle avait oubliées.

Pierre nous écoutait en roulant une cigarette.

– *Fi dè lou!* Vous lui avez tout déballé, au curé. Ah! *per moun arma*, ça c'est envoyé! T'entends, Maïré? J'aurais aimé être là. Il va la *barrer* maintenant sa grande gueule, ce bougre. Ce que vous lui avez dit pour le certificat, c'est bien aussi, c'est très bien. Faut que je vous dise, mademoiselle Cécile : j'aurais bien aimé venir élève dans votre classe.

– Entendez-le, ce grand *bestiourlard!* glapit la Maïré. Voilà qu'il veut retourner à l'école à présent.

– Si vous voulez, dit en plaisantant Cécile, je vous prendrai en « répétitions » mais il y a un inconvénient : vous ne pourriez pas faire rentrer vos grandes jambes sous le pupitre des enfants; et un risque : si Brissaud l'apprenait, vous auriez droit à une dénonciation publique.

Elle se mit à rouler elle aussi une cigarette.

– Bon Dieu, ça s'arrose! lança Pierre. Malvina, *vaï quère* le ratafia et porte six verres. Tout le monde y aura droit ce soir, même ces deux *cache-nid.* Allez, Paul, André, amenez-vous!

Même la Maïré avait le sourire. Il faut dire qu'au fond elle ne l'aimait guère, ce curé, avec sa manie de tout vouloir régenter, faire la loi, se mêler des affaires de famille comme s'il se prenait pour l'adjoint du bon Dieu. Elle ne soufflait mot mais, à la façon qu'elle avait de regarder le fond de son verre avant de boire, pour ainsi dire dans le fond de l'œil, d'esquisser un sourire qui redessinait une ride effacée, je devinais qu'il se passait en elle, dans son obscurité, une petite fête de vengeance.

– Je fais l'omelette, dit-elle. Avec un peu de soupe et de fromage, ça vous ira, Cécile?

Nous nous sommes tous regardés. C'est la première fois que la Maïré l'appelait par son prénom et qu'elle l'invitait.

– Tu la fais à l'oseille, dit Pierre. Toi, André, au lieu de te curer le nez, prends le couteau et va la couper au jardin.

Tandis que la Maïré essuyait sa grande poêle graisseuse et ranimait le feu, j'entendis Pierre dire à Cécile :

– Au fond, avec vous, c'est comme si j'étais à l'école. J'en apprends un peu tous les jours.

De l'altercation de Cécile et du curé, rien n'avait filtré dans la population. On avait bien vu Cécile prendre en ma compagnie la direction du presbytère mais on pouvait croire que nous nous rendions à l'église ou en promenade au-delà des jardins de Sainte-Thérèse. Même Mlle Berthier n'en fut pas informée, preuve que le curé se sentait en mauvaise posture. Si la querelle avait tourné à son avantage, il aurait claironné sa victoire en chaire le dimanche suivant. Dans son sermon, il se borna à condamner le tango, ou « pas argentin », cette « danse lascive » que l'évêque de New York avait interdite dans son diocèse, à fulminer contre les spectacles déshonorants que les cinémas proposaient à la jeunesse, les revues qui venaient jusqu'à Brive, aux *Nouveautés*, montrer des femmes vêtues de deux ou trois *pétassous*.

– Il était pas en forme, hier, notre curé, me dit Estelle Vige, de la Fromagerie. Il se fait vieux.

Ce même dimanche, Mlle Berthier rendit visite à Cécile pour lui porter un panier des premières cerises sur un lit de feuilles. Je l'accompagnai. Elle ne se gênait plus pour descendre à la « communale » plusieurs fois par semaine.

Nous trouvâmes Cécile pliée en deux, en train de brandir le dernier numéro de la *Revue de l'Enseignement primaire supérieur* que lisait toute l'avant-garde des instituteurs laïques. On y trouvait notamment des sujets de certificat d'études proposés dans différentes villes de France. Entre deux hoquets de rire, elle nous dit :

— Savez-vous quel sujet de dessin a été proposé au Havre, l'an dernier ? Je vous le donne en mille ! *« Dessin : Seau hygiénique sur une sellette au-dessus de la ligne d'horizon. »* C'est écrit là, en toutes lettres ! Encore heureux qu'on ne leur ait pas demandé en rédaction de décrire ses fonctions. Vous imaginez, Emma : le seau hygiénique devenu œuvre d'art !

Elle changea de mine et de ton, jeta la revue sur son bureau.

— On se moque de nos enfants ! On les ridiculise ! Souvenez-vous de ce que Francisque Sarcey disait à la fin du siècle dernier, dans les *Annales*, de ce certificat d'études que nous préparons avec tant de soins et auquel nous attachons tant d'importance : « Il est inutile et imbécile ! ».

Elle reprit la revue, la feuilleta nerveusement, furieuse cette fois.

— Et les dictées ! Lisez-les donc, Emma ! « Quand vient le printemps... », « Midi à la ferme... » « Le cheval de Roger... » Et gnan... Et gnan... La guerre est à nos frontières, les élections vont peut-être changer notre régime, des hommes en aéroplane traversent les mers et vont bientôt relier les continents entre eux, et l'on persiste à confiner notre jeunesse dans un univers de pacotille, fait de petits oiseaux et de fleurs. Si c'est ainsi qu'on prépare les citoyens de demain...

— Je vous trouve bien sévère tout à coup, dit Emma. Les enfants doivent d'abord apprendre à connaître ce qui existe et vit autour d'eux, ce que Dieu y a mis : la nature. Les problèmes des hommes, les progrès de la science, ils apprendront bien assez tôt à les connaître.

— On ne se prépare jamais assez tôt à sa vie d'homme, Emma, surtout à cette époque où tout change très vite. Si l'on ne veut pas être dépassé il faut se tenir en avant et le plus tôt possible.

Je ramenai l'entretien à des notions plus concrètes :

– Mademoiselle Berthier t'a apporté des cerises.

Cécile sourit, fit ruisseler les fruits entre ses doigts et embrassa Emma. Puis elle prit la plus grosse, la plus rouge et la fit éclater entre sa langue et son palais, les yeux fermés.

– C'est ma première cerise de la saison, dit-elle. Je devrais faire un vœu, mais j'ai tant de choses à souhaiter, pour les autres comme pour moi...

Elle ajouta brusquement :

– Je vous trouve bien hardie depuis quelque temps, Emma! Vous venez me rendre visite en plein jour. Et si quelqu'un vous avait croisée?

– Plusieurs personnes m'ont vue mais je m'en moque. Vous croyez peut-être que le curé me fait encore peur?

– Non, mais il pourrait vous nuire.

– Détrompez-vous! Il sent que la fin approche pour lui. Il est très mal noté à l'Évêché. Selon Isabelle de Bonneuil qui le tient de sa mère, laquelle est au mieux avec monseigneur Botreau, il serait muté à Brive comme aumônier du régiment. C'est un jeune curé qui le remplacerait. Cela vous fait plaisir?

– Certes, mais pour vous, Emma, et pour les gens de Saint-Roch. Quant à moi, qui sait où l'Académie va m'envoyer? Dans une école de hameau du plateau de Millevaches ou des Monédières, là où il neige quatre mois par an? J'ai bien envie de quitter la France, de partir comme des camarades de promotion dans les colonies. Le combat que j'ai mené ici et auquel personne ne m'avait préparée m'a épuisée. Je ne comprends pas ces gens, et eux non plus ne me comprennent pas. Alors, à quoi bon demeurer?

Elle se retourna vers moi comme je m'enfuyais.

– Eh bien, Malvina, en voilà des façons! Où cours-tu si vite?

Elle me força à me retourner. Je jetai ma tête dans sa poitrine, frappant ses hanches de mes poings. Les mots qui ne parvenaient pas à son oreille, elle devait les sentir pénétrer dans son corps avec une chaleur d'haleine et de larmes : « Je... veux pas .. que tu partes... Je... veux pas... »

243

– Mais qu'est-ce que tu as, Malvina? Pourquoi pleures-tu?

– Vous ne comprenez donc pas! dit sévèrement Emma. Souvenez-vous de ce que vous venez de dire : en somme que vous quitteriez Saint-Roch sans regret. Vous n'avez oublié qu'une chose : que Malvina tient plus à vous qu'à tout au monde, que c'est vous qui l'avez faite ce qu'elle est devenue et qu'elle ne supportera pas votre départ. Souvenez-vous de sa maladie lorsqu'on a décidé de vous l'enlever pour me la confier. Vous êtes redoutable, Cécile! On vous aime et vous faites comme si cet amour était sans importance. Vous ne semblez guère aimer ce que vous avez créé, mais c'est Malvina que vous avez créée et elle ne peut continuer à exister sans vous.

– Mon Dieu! dit Cécile, les mains sur son visage. Vous avez raison. Je suis donc un monstre d'égoïsme?

– Allons! Allons! Vous exagérez dans l'autre sens, à présent.

Avec force mais avec douceur Cécile me détacha d'elle. Ses yeux étaient rouges mais sans larmes. Elle m'attira vers le rocking-chair, m'y fit asseoir, essuya mes joues avec son mouchoir et me dit en imprimant au fauteuil un léger balancement :

– Pardonne-moi, Malvina, ce que j'ai dit tout à l'heure. Les mots ont dépassé ma pensée. Si je dois partir, contrainte par l'administration, je ne t'oublierai pas. Nous nous écrirons, où que nous nous trouvions, toi et moi. Tu es mon enfant. Tu es ma sœur. Tu es mon amie. N'oublie jamais ça. Je vais te dire mieux encore : je vais me battre pour rester à Saint-Roch, et tu sais que lorsqu'une cause me tient au cœur je vais jusqu'au bout de mes forces pour la défendre. Mais je ne pourrai réussir qu'à une condition : que tu passes ton certificat. Je ne veux pas que tu le doives à une mesure d'indulgence de la part du jury et Mlle Berthier l'accepterait mal elle aussi. Tu peux réussir si tu le veux, mais le veux-tu vraiment!

– Oui, Cécile, je le veux.

– Vous entendez, Emma? Malvina a pris sa décision : elle sera reçue.

– Je n'en ai jamais douté. Malvina vous ressemble. C'est déjà une forte nature.

– Marché conclu! dit joyeusement Cécile. Où en es-tu? Demain, c'est jeudi. Emma, vous me laissez Malvina toute la journée. Je devais me rendre à Meyssac pour rencontrer des collègues du syndicat, mais ce sera pour une autre fois. Je verrai Pierre. Il ne refusera pas de libérer sa sœur de la garde du troupeau.

– Dimanche aussi? dit Emma.

– Non. Dimanche, je resterai à la mairie pour le scrutin des élections législatives. Je tiens à être présente et à observer les mœurs électorales pour mon propre compte. Nous, les femmes, nous ne votons pas, mais personne ne peut nous empêcher d'aller voir à l'œuvre les citoyens mâles.

– Le point faible de Malvina, c'est toujours le calcul, surtout le calcul mental. Et le zéro est éliminatoire...

– Nous allons reprendre les épreuves mentionnées dans le *Manuel général de l'enseignement primaire*. Je sais que Malvina a fait des progrès sérieux dans votre classe mais je crains que ce soit insuffisant.

Elle prenait le ton un peu rugueux de nos « répétitions » mais cela me plaisait. J'étais prête à tout accepter d'elle : ses crises d'humeur, ses colères froides, ses accès d'enthousiasme, ses rigueurs.

– Il nous reste une bonne heure avant le souper, dit Cécile, après que Mlle Berthier fut partie. Installe-toi. Nous allons travailler.

Elle ouvrit la revue, la feuilleta nerveusement.

– Eh bien, qu'attends-tu? Prends un cahier de brouillon, un buvard... Choisissons pour commencer quelque chose de simple. Tiens, ça. Écris : « *Pour réduire les dépenses de la maison... de la maison... une mère de famille... de... famille... achète de la viande frigorifiée...* » Tu sais au moins ce que c'est, la viande frigorifiée? Non? alors je t'explique. C'est un procédé tout récent...

Nous passâmes tout le jeudi sur des problèmes et des épreuves de calcul mental dont Cécile démontait pour moi le mécanisme subtil.

Je travaillais dans une sorte de brume sur laquelle les

245

chiffres et les nombres éclataient comme des éclairs. Par moments, ma tête vacillait. Je me levais pour aller me pencher à la fenêtre. Les derniers iris sauvages se fanaient dans le marécage hanté de porcs que le conseil municipal avait décidé de faire drainer et assécher à l'instigation du délégué cantonal, lui-même inspiré par Cécile. Les pensionnaires de Mlle Emma devaient prendre leur leçon de nature dans les champs de genévriers et de chênes nains du Puy-Faure car je voyais au loin une petite chaîne mouvante de couleurs. « Dieu est partout, mes enfants, même dans cette fleur, même dans ce brin d'herbe... ».

– Tu es fatiguée, Malvina? Moi aussi. Reposons-nous un moment. Coupe-toi un morceau de pain si tu as faim. Tu trouveras les confitures sur l'étagère.

– Je peux prendre ta bicyclette?

– Où veux-tu aller traîner encore? Bon... Bon... Prends-la. Mais je veux que tu sois de retour dans une heure, tu entends? Tiens, prends ma montre puisque tu as appris à lire sur un cadran.

Le soir, c'est Pierre lui-même qui vint me chercher. C'était la première fois qu'il pénétrait chez Cécile. Il revenait – disait-il – du moulin de Fonfrèje où il avait à faire et il en profitait pour me prendre en passant. Il avait taillé ses moustaches, revêtu une chemise neuve, coiffé sa casquette du dimanche, celle qu'il portait pour se rendre à l'église. Arrivé dans la cour, il appela Cécile et elle le pria de monter.

– Au fond de la classe, derrière mon bureau, un escalier qui monte tout droit...

Il était là, genou légèrement fléchi, sa casquette à la main, le pouce libre passé dans sa ceinture de flanelle, l'air emprunté.

– Eh bien, asseyez-vous! dit Cécile avec quelque impatience. Nous en avons fini. Une rude journée, hein, Malvina? Je l'ai littéralement gavée d'arithmétique au point qu'elle va y rêver toute la nuit. Nous recommencerons jeudi prochain jusqu'à ce qu'elle sache faire correctement un calcul mental et résoudre en moins d'une heure un problème du niveau du certificat. Ce n'est pas brillant mais il y a des progrès.

246

Il sourit, se lissa les moutaches, montra les étagères aux livres.

— Vous avez lu tout ça?

— Non, mais je le lirai un jour ou l'autre. Et ceux que j'ai lus je les relis parfois. Les poètes surtout : Baudelaire, Rimbaud, Verlaine, Lautréamont, les « maudits », ceux que Mme Prieur nous confisquait à l'École normale mais qu'elle nous rendait à la sortie. Un verre de vin?

Il accepta et c'est moi qui les servis. Pierre hocha la tête.

— *Fi de lou!* Du Bordeaux? Le curé a raison de dire que vous, les instituteurs, vous êtes « cousus d'or ». Mlle Emma, elle, ne boit que de l'eau.

— On voit bien que vous n'avez jamais mangé à sa table...

Pierre apprécia le vin venu d'une commune de la haute Corrèze, Meymac. Par une astuce du négociant qui ne trompait que des étrangers il s'intitulait « Vin de Meymac, près Bordeaux », bien que la région bordelaise fût distante de trois cents kilomètres.

— Vous avez bien fait de venir, dit Cécile. J'avais envie de vous voir et de bavarder avec vous.

— Vous avez pensé à ce que je vous ai dit, l'autre dimanche?

Le visage de Cécile se ferma.

— Nous en reparlerons plus tard.

— Bon. J'insiste pas. C'est pas le moment. Malvina vous a dit, pour sa première communion?

La veille, j'avais essayé la robe de calicot et le bonnet que Flavie et la Maïré avaient portés avant moi et qui avaient un peu jauni. Avec précaution, la Maïré avait sorti de son étui de papier journal le cierge acheté le siècle passé pour son père et qui paraissait confectionné de la veille avec sa belle couleur d'ivoire à peine jauni et ses papillotes dorées. « S'il fallait acheter tout ça aujourd'hui... », avait dit la Maïré. Il n'y avait rien à retoucher dans le costume sauf à défaire l'ourlet de la robe car j'étais plus grande que la Flavie ne l'était à l'époque. Les souliers vernis dont Isabelle de Bonneuil m'avait fait cadeau étaient un peu justes et je m'attachais à les porter le soir à la maison afin qu'ils « prêtent ».

– On dirait une petite mariée, dit Pierre.

Il me regardait intensément et je savais qu'il pensait à Cécile et je faisais exprès de tourner autour de lui en minaudant et en parlant comme elle. J'aurais aimé me regarder dans une glace, tout entière, mais nous n'avions que le miroir accroché au-dessus de l'évier, qui servait à Pierre pour se raser. Je poussai jusqu'à la *serbe*, au bas de la vigne, où l'on mettait tremper les vimes d'osier et me penchai sur le miroir d'eau qui me renvoya l'image d'un nuage blanc. Je me trouvai laide et brouillai l'eau en y jetant un caillou.

– Tu es bien assez belle pour le curé, dit la Maïré. Allez! tu t'es assez amusée. Enlève ça! La Flavie te l'ajustera dimanche. Toi, c'est pas avec le peu de couture que tu apprends à l'école...

Elle ajouta :

– Tâche de te rendre libre jeudi prochain. C'est jour de *bujade*. Faut que nous ayons du linge propre pour les Rogations.

J'en parlai le lendemain à Cécile.

– Puisqu'il le faut... Mais tâche d'avoir fini à cinq heures. Nous travaillerons jusqu'à la nuit.

Elle ajouta :

– Si les tiens sont d'accord, je viendrai vous rejoindre, au bord de la Gane. Ça se passe où, cette « cérémonie » ?

Ça se passait sur une petite *roubière* en pente douce, bien exposée au soleil, qui appartenait à Jules Bernède. On y trouvait à l'automne les premiers colchiques et au printemps les premières primevères. La rive était bordée d'une minuscle forêt de prêles sous le couvert des saules. Au milieu, un grand chêne bien rond épanoui comme un nuage. Une échancrure dans un rideau de verdure permettait d'accéder au ruisseau, relativement profond à cet endroit à cause d'une petite digue qui en relevait l'étiage.

Le matin, « à bonne heure », Pierre alla emprunter le cheval et le char à bancs du père Selves, notre voisin, moyennant une bonbonne de vin. Toute la famille suivit, même le chien. La Maïré avait placé les provisions de bouche dans le coffre et, dans l'habitacle du véhicule tout juste assez grand pour le contenir, le linge familial, les draps surtout, dont nous changions tous les deux ou trois mois. Pour cette grande lessive de printemps – la *bujade* – il fallait un beau temps chaud avec, si possible, un peu de vent afin que les draps et le linge sèchent vite sur le pré.

Une rude journée. Nous n'avions pas le temps de regarder voler les libellules et de guetter les geais et les martins-pêcheurs, sinon au moment du *méripdé* que nous prenions dans la grande chaleur de midi sous les basses branches du chêne en luttant contre le sommeil. La Maïré veillait. Avalé le dernier verre de vin, elle dressait sa stature imposante, retroussait ses manches et descendait pieds nus vers la rivière. Deux *banches* de bois nous attendaient sur la rive, fabriquées jadis par mon père. Malgré le coussinet de *pétassous* et de fougère, nous nous meurtrissions les genoux. Une des *banches* était pour la Maïré; l'autre pour Flavie, que ce jour-là je remplaçais.

La Maïré s'occupa des draps et moi du linge. Jadis elle chantait pour se donner du cœur à l'ouvrage ou *platuçait* de tout et de rien avec la Flavie; elle avait cessé depuis « ses malheurs » comme elle disait : la mort de son pauvre Baptiste, les misères de l'existence... Elle ne soufflait mot, toute à son travail, ne s'arrêtant que pour reprendre souffle et détendre ses bras fatigués par le mouvement qu'elle imprimait aux draps de grosse toile comme on agite un étendard, sauf que c'était dans l'eau et qu'elle paraissait lourde comme du mercure. Elle fabriquait elle-même son savon avec des cendres et du gras; il ne moussait guère mais arrachait du droguet la saleté la plus tenace.

Je regardai les traces grises qui tournoyaient dans le courant, irisées de petits arcs-en-ciel, et se perdaient sous les ramures des saules.

– Et alors, Malvina, tu rêves?

Je ne rêvais pas. Je comptais mentalement : « Une lavandière lave dix kilos de linge, soit quatre draps pesant chacun... » Ce qu'ils pouvaient salir, mes trois frères, surtout Pierre... Les chaussettes n'en finissaient plus de dégorger leur suint.

– Pierre! cria la Maïré en se retournant, tu peux venir.

Pierre arriva avec la brouette soigneusement récurée et capitonnée d'une grande touaille. Il retira de la *bandelle* de cuivre qui servait à soutirer le vin les draps lavés, aida la Maïré à les essorer – un travail pénible et qui les faisait geindre – les plaça dans la brouette pour les transporter sur le pré brûlant où, aidé de mes frères, il les « écarta » dans la grande lumière plombée de l'après-midi en les maintenant avec des pierres car il y avait un peu de vent qui sentait l'orage.

Le dernier drap étendu sur le pré, Pierre s'éloigna vers l'amont. Il y avait là un petit gour rond comme une *serbe* et joli comme un coin de paradis avec ses profondeurs glauques et les petites mains de feuilles qui caressaient la surface. Il se déshabilla derrière un buisson et nous l'entendîmes crier par jeu que l'eau était froide et qu'il allait se noyer.

– A vous autres à présent, *drolles!* dit la Maria. Malvina, toi d'abord!

Elle retroussa ses jupes sur ses cuisses puissantes veinées de bleu, déformées par de gros nodules de varices, me frotta de son gros savon de cendres qui déchirait la peau et nous faisait hurler, Flavie surtout qui était douillette. C'était un des moments les plus délicieux de l'année, un des rares où Virgile avait raison contre Zola. Une fois dans l'eau nous ne voulions plus en sortir. Flavie et moi nous comparions en riant la taille de nos petits seins et la grosseur de nos fesses.

Je vis venir Cécile sur le chemin de rive qui conduit droit au moulin. Elle avait revêtu une ample robe violette sans ceinture, légèrement échancrée au cou, avec comme seul ornement la petite montre d'argent qui lui servait de collier. Elle avait coiffé un chapeau de paille noué d'un ruban dont les extrémités flottaient sur ses épaules dans le vent chaud. Pierre s'était dressé après avoir étendu le dernier drap et la Maïré, qui baignait ses jambes douloureuses, sortit du ruisseau.

Moi, dès que je la vis je courus vers elle. D'un coup ma fatigue s'évaporait, me libérant du poids des heures passées à savonner et à frotter. Je lui montrai mes mains roses et ridées par l'eau. Des mains de vieille.

— Voilà le contrôleur des travaux finis! dit Pierre en plaisantant.

— Je ne vous aurai pas été d'un grand secours, mais si je peux encore vous être utile...

— Peut-être pour plier les draps, dit Pierre. Ceux qui sont secs. Vous m'aidez?

Ils s'amusèrent comme des enfants, tirant chacun de leur côté pour déplisser les lourdes surfaces de toile qui sentaient bon l'herbe chaude et le vent de mai.

— Regarde-les ces deux *bestiassous!* dit la Maïré. Ils vont être bien pliés, mes draps...

Je l'aidai à ramasser le petit linge qui séchait rapidement, sauf les grosses chaussettes que la Maïré suspendrait à des fils dans le coudert. Pierre et Cécile poursuivaient leurs jeux sans se presser, prenant même le temps de se « courser » autour de l'arbre. En les regardant, je me disais que, d'ici une heure, ça changerait de chanson :

— Malvina, le Gillard, et vite. Page quatre-vingt-trois : « *Exercices et problèmes écrits...* »

Il fallait compléter le tableau : *Prix du kilo de bœuf, 1 F 19 en 1901 et 1 F 50 en 1911. Quelle était l'augmentation par kilo? »*

— Vite! Réponds! Tu perds trop de temps à réfléchir. C'est simple pourtant. Trente et un centimes. Bien. Veau : 1 F 88 en 1901 et 2 F 80 en 1911. Une soustraction, vite!

La fatigue dont la présence de Cécile m'avait délivrée revenait par lourdes vagues et m'embuait l'esprit. Lorsque l'exercice suivant me proposa le même genre d'opérations mentales mais sous forme d'huîtres, j'oubliai les tonnages de fruits de mer pour ne voir qu'une image : celle du port de La Tremblade figurant sur un bon point, le mouvement des bateaux violemment coloriés, le vol en écharpe des mouettes, la ligne d'horizon sur laquelle fumait un

251

steamer. « *La Tremblade... 1 035 tonnes 265 en 1910...* »
La voix de Cécile me parvenait de très loin. Ma tête se
porta d'un côté, puis de l'autre, comme vide et poussée par
le « vent salubre de l'Océan ». Et je m'endormis.

Ce Gillard, je le vouais aux gémonies. Il avait le talent,
chapitre par chapitre, de proposer des exercices anodins.
Je sautais allègrement les pièges et les obstacles puis,
insensiblement, tout s'épaississait autour de moi ; des
ronces m'accrochaient au passage ; je trébuchais dans des
chausse-trappes d'où, sans la main charitable de Cécile, je
ne serais jamais remontée. Qui était-il, ce Georges Gillard,
« inspecteur de l'Enseignement primaire » comme presque tous les auteurs de manuels ? Je l'imaginais, ce
tortionnaire, en train de tirer ironiquement sur sa barbi-
che, caché dans les images d'instruments de mesure de
capacités, décalitre et double décalitre, comme les voleurs
d'Ali Baba dans leurs tonneaux, en faisant grincer son rire
sarcastique. Après le certificat, je lui écrirais, je lui dirais
ce que je pensais de ses méthodes, des tortures mentales
qu'il infligeait à la jeunesse, de son « sadisme » (je ne
connaissais pas le mot mais j'aurais su trouver les
circonlocutions efficaces). Un jour, excédée par une
histoire d'aéroplane et de pétrole, j'envoyai ce diable de
Gillard voler contre l'armoire.

– Tu deviens folle ! s'écria Cécile.

– Voilà ce que j'en fais, de « ton » Gillard ! Tu peux le
garder !

A la colère de Cécile succéda en moi une crise de larmes
puis nous fîmes la paix au cours d'une de ces scènes de
réconciliation dont Cécile avait le secret et qui m'aurait fait
suivre tous les Gillard au bout du monde. Elle avait le don
d'exercer sur moi de menus chantages auxquels je ne
résistais pas.

– Si tu es reçue – et tu le seras, ma chérie – tu
prépareras ton brevet élémentaire. Tu entreras à l'École
normale et tu deviendras institutrice comme moi. Tu iras
même plus loin encore. Tu deviendras professeur. Pas de
mathématiques, bien sûr, mais de dessin ou bien de
français.

– Je voudrais devenir journaliste comme Fred, comme
Marcelle Capy.

252

– Tu seras ce que tu voudras être, mais il faut le vouloir vraiment.

Je reniflai mes larmes et me mouchai. Elle entoura mes épaules de son bras, son visage tout près du mien, me parlant de Marcelle Capy, de ses voyages, de ses reportages dans les pays lointains, là où le monde bouge, puis elle nous ramena doucement, comme se pose un aéroplane, à des problèmes plus terre à terre.

– Pour en arriver là, il faut d'abord que tu puisses répondre à toutes les questions que te pose dans son livre M. Gillard. C'est un brave homme et qui aime les enfants. Soit, ce n'est pas toujours simple mais ce sera pire quand tu aborderas les « grandeurs proportionnelles », les « règles d'intérêt », les « surfaces », là, à la fin du livre.

Un jour, elle me fit un aveu et me dit, comme si je faisais encore partie de ses effectifs :

– Tu es ma meilleure élève, Malvina, en mathématiques comme dans les autres matières, sauf peut-être la physique, le chant et la couture, mais ça s'arrangera. Cela t'étonne ? Je te dirai plus : Emma Berthier te considère également comme son élève la plus douée, une des rares qui veuillent comprendre en même temps qu'apprendre. Les classements de fin de mois seront bons pour toi, mais ne va pas en tirer vanité. Ce que je redoute c'est le « trou » au moment de l'examen. Tu es encore trop émotive ; tu manques d'assurance ; tu te figes devant l'obstacle. Malgré tout, j'ai confiance. Allons, détends-toi ! Nous allons faire un peu de grammaire. Tu es encore faible sur les verbes. C'est curieux : tu conjugues parfaitement en patois et, en français, tu commets des fautes d'accords. Prenons le Maquet, Flot et Roy, page deux cent un : « *Les verbes en " s "*... »

Je suivis les Rogations avec Cécile, main dans la main, en chantant des cantiques derrière le curé, accompagnée de Valette le bedeau et de Mlle Berthier. Il s'arrêtait pour bénir les champs où les paysans de la paroisse avaient planté des croix et des soleils de paille et disposé quelques dons en nature que Valette faisait disparaître dans un grand sac. Le curé procédait à la bénédiction, murmurait une prière, se signait, passait au champ suivant. Il faisait un temps chaud et lourd et la cérémonie n'en finissait plus.

Au retour, Cécile me suivit jusqu'aux Bories-Hautes en compagnie de Maria Selves de la classe des petites, notre voisine. Pierre nous accueillit fraîchement. Il s'était abstenu de tresser des croix pour ses champs et s'était ainsi passé volontairement de la bénédiction du curé malgré les protestations de la Maïré. Il entraîna Cécile à part dans le coudert et je les entendis qui se querellaient. Lorsqu'elle revint, Cécile avait les larmes aux yeux. Elle m'embrassa et partit sans un mot. Le lendemain elle me dit :

– Ton frère, je le comprends. Pour une femme, je professe des idées avancées. Je suis socialiste et syndicaliste. Je brave l'Église, les autorités civiles et administratives. Je suis ouverte aux idées modernes de libéralisation de la femme. Malgré ça, je crois en Dieu, je vais à la messe tous les dimanches et je suis de toutes les fêtes religieuses. Il m'arrive même de dire une prière, le soir, en me couchant et je n'ai jamais protesté en voyant les anciennes filles de Sainte-Thérèse dire aussi une prière avant de commencer la classe. Ces contradictions le dérangent. Il ne comprend pas. Fred me faisait les mêmes reproches. Je ne peux pas leur en vouloir mais je voudrais qu'ils admettent qu'il est difficile de se débarrasser de son éducation première. J'envie ceux dont la foi est profonde et ceux qui ne l'ont jamais eue ou y ont renoncé. Ils ont acquis la paix de l'âme et de l'esprit. Moi, je suis sans cesse en train de me débattre entre des courants contraires. Je crois qu'un jour je décrocherai le crucifix qui est au-dessus de mon lit, que je renoncerai aux exercices de la religion, peut-être à Dieu lui-même. Quoi que j'en pense, c'est ma voie, mais c'est le cœur qui décide et non la raison.

Tout le temps que dura ma communion, Cécile fut présente, m'encourageant et m'assistant, mais je la sentais froide, appliquée, distante même. Emma Berthier lui en fit l'observation.

– Cécile, vous êtes sur le point de perdre la foi. Il suffit de vous observer. Vous vous comportez comme une bigote, avec tous les signes extérieurs de la dévotion. Le formalisme est un mauvais signe. Vous êtes en train de franchir le pas, de vous raccrocher à votre passé, à des gestes qui ont perdu toute signification pour vous. Je vous en prie, évitez le piège de la raison. Si vous sentez encore une étincelle en vous, luttez pour la préserver.

Cécile ne répondit pas. Des évidences cruelles la meurtrissaient, la déchiraient, la violaient et les anciennes vérités dont elle tentait vainement de se faire un bouclier se dérobaient comme des lianes pourries. Elle se noyait sans recours dans la raison.

– Cours chez toi, me dit-elle. Enlève cette défroque ridicule. Je ne peux plus supporter de te voir dans cet accoutrement. Tu es laide!

Après la messe de communion, le curé, traditionnellement, offrait une collation à ses jeunes ouailles : le chocolat et le biscuit que préparait sa gouvernante. J'y fus invitée bien que ma famille n'eût pas participé au cadeau que les parents faisaient à l'abbé Brissaud. Après quelques hésitations et sans bien savoir pourquoi, je refusai cette invitation, restai à l'écart, regardant les garçons et les filles qui s'engouffraient en caquetant dans le jardin du curé, s'y installaient sur les marches du perron pour le cliché que devait tirer un photographe de Brive, M. Gérardin. Une voix m'appela ; je reconnus Estelle Vige. Puis on m'oublia et j'en fus presque heureuse. Les souliers d'Isabelle me torturaient les pieds, le cierge familial me collait aux doigts et pesait à mon bras. Je le jetai sur mon épaule comme on porte une fourche.

Ma décision était prise : on se passerait de moi. Je traversai seule le village, mes souliers à la main, en direction des Bories-Hautes.

Rachel Morange n'aura pas son certificat d'études cette année. Peut-être jamais.

L'année précédente, elle a failli mourir du *miserere*. Elle se plaignait de maux de ventre, mais, comme elle est fragile, sa mère, contre toute évidence, s'imaginait qu'elle voulait se faire plaindre. Les choses prenant mauvaise tournure, Pauline Morange fit venir le sorcier de Végennes, de préférence à Mlle Berthier qui eût alerté le docteur Farge, ce qui eût fait de la dépense. Pour quelques sous et une poule elle reçut une poudre qui avait l'apparence de la sciure de bois. C'en était d'ailleurs. Le bonhomme lui expliqua qu'il la tenait d'une de ses parentes, cliente du docteur de Chammard, à Tulle. Comme on fait de l'effigie de saint Étienne d'Aubazine, elle grattait à chacune de ses visites un peu de bois au banc de la salle d'attente, persuadée que des vertus magiques y étaient attachées.

L'état de Rachel empirant, il avait fallu se résoudre, sur les instances d'Emma Berthier qui était intervenue avec vigueur, à appeler le docteur Farge.

Il vint de Meyssac en pleine nuit, dut en pestant abandonner sa voiture automobile dans le chemin étroit et boueux qui monte vers les peuchs de Malevergne, en pleine sauvagerie. Il diagnostiqua une appendicite aiguë et dut opérer immédiatement, sur la table de la cuisine, comme il l'avait fait pour la hernie étranglée de mon père

256

quelques années auparavant. Rachel perdit beaucoup de sang et n'en réchappa que de justesse mais sa convalescence fut brève tant il lui tardait de reprendre l'école. Mlle Berthier la vit arriver un matin dans la neige, sous son grand parapluie bleu, chancelante mais radieuse.

Lorsque le docteur Farge abandonna sa voiture, je n'étais pas très loin. Autant qu'il m'en souvienne, je dormais entortillée d'une toile à sac au creux d'un nid de vieille paille, dans une grange voisine. Éveillée en sursaut par un bruit insolite, je vis deux lances de lumière percer la nuit neigeuse dans un ronflement de gros chat. La bête s'immobilisa et il sortit une ombre qui se mit à jurer dans la langue du pays que, « milhard de Dieus, il fallait avoir tué père et mère pour vivre dans des endroits pareils ». Je n'avais pas peur; rien ne m'effrayait et j'étais préparée à toutes les surprises de la nuit et des gîtes de fortune. Celle-ci me ravissait. Je venais de voir ma première automobile.

Moins d'une heure plus tard, je collais mon visage à la vitre de la masure des Morange. Dans la lumière d'un mauvais *chaleil*, j'aperçus la table et un gros homme noir qui se penchait sur un petit corps aux membres attachés avec des cordes. Je crus qu'on était en train d'égorger Rachel comme un goret et, cette fois-ci, je me mis à hurler si bien que Pauline Morange dut venir me chasser. Au retour, le docteur Farge m'avait une nouvelle fois délogée : je m'étais endormie dans sa voiture.

– Cette petite, dit Emma Berthier, si elle en réchappe, c'est que la Providence veille sur elle. Sa mère est inconsciente.

Rachel avait besoin d'un fortifiant. Au lieu de la viande dont elle ne mangeait qu'une fois ou deux par semaine, lorsque je partageais avec elle une *gogue* ¹ ou une tranche de *grillons*, sa mère n'avait rien trouvé de mieux que de lui faire boire de l' « eau de fer ».

– Encore un remède du sorcier de Végennes! dit Cécile.

– Sûrement. Il s'agit de cette eau « rouillée » qu'on

---

1. Un boudin.

trouve dans certaines *serbes* du plateau et qui passe pour être un fortifiant. C'en est peut-être un, mais c'est sûrement un poison. La typhoïde ne s'est pas fait attendre. Le médecin dit que Rachel a une chance sur dix de survivre.

Avant de quitter la « communale », sachant qu'elle allait devoir s'aliter, elle a rangé soigneusement ses affaires dans son pupitre : ses cahiers d'un côté, ses manuels de l'autre, son plumier au milieu avec ses plumes bien nettoyées et comme neuves. Elle a embrassé Cécile, lui a promis de revenir bientôt. Elle ne voulait pas manquer le certificat. Après avoir traversé la cour, elle s'est accrochée au portail pour ne pas tomber et il a fallu que Bécharel la ramène chez elle dans son char à bancs. Je ne l'ai pas revue depuis, à cause de la contagion. C'était le lundi suivant les élections. Le maire a prévenu les gendarmes. Comme disent les journaux : « Une enquête est en cours. » Le sorcier de Végennes risque une peine de prison.

Chaque jour, Emma Berthier rend visite à Rachel, bien que de Sainte-Thérèse à Malevergne le trajet soit long et rude. Elle surveille l'état de la petite, la bonne administration des médicaments, l'hygiène dont Pauline Morange ignore jusqu'au nom.

Profitant de la voiture du médecin qui passe devant l'école, Cécile s'est rendue aussi au chevet de la malade. Elle aime Rachel presque autant que moi ; elle la préparait au certificat d'études comme elle eût fait de sa propre fille ; il fallait que Rachel réussisse, qu'elle obtienne une bourse pour accéder au brevet élémentaire.

– Tu comprends, Malvina, Rachel ne peut plus rester chez elle sinon elle se détruira sans profit pour personne. Ce n'est pas un brillant sujet mais elle est animée d'une volonté farouche. Hier, elle voulait se lever, la petite folle !

Un jour, j'ai suivi Cécile. Rachel ne m'a pas reconnue. Elle avait le visage tuméfié au point qu'elle avait de la peine à ouvrir les yeux et la bouche. Ses joues maigres étaient devenues grosses comme des melons. Dans la pièce unique de la masure, il régnait une odeur médicamenteuse qui se mêlait curieusement à celle de l'étable voisine séparée de la pièce d'habitation pas une cloison de torchis ouverte de larges brèches.

– Ne t'approche pas, dit Cécile. Elle est peut-être encore contagieuse.

– Tu crois qu'elle va mourir?

– Peut-être.

La mère, assise à son chevet, ne cessait de gémir : « Ma petite, ma petite... Si le bon Dieu me la reprend, qu'est-ce qui me restera? » Il lui resterait un beau cadeau du Ciel : son fils, le *nèci*, tout juste bon à « garder ». Derrière elle, accrochée à une poutre, mon cadeau de premier de l'an à Rachel : un poème illustré sur « l'Orange de Noël ». Rachel n'a connu que la saveur de celle dont Cécile lui a fait cadeau. Elle s'est essayée elle aussi à écrire des « récitations », mais elle était peu douée.

Parfois Rachel semble sortir de sa torpeur. Ses lèvres bougent ; elle récite une leçon d'histoire ou de géographie ; elle fait une règle de trois ; elle se raccroche, du fond de son inconscient, à ce qui est sa vie et, sans cette ressource, elle serait peut-être morte déjà.

– C'est rien, dit la Pauline, des bêtises. Elle délire.

La Maïré me le répétait mais sans insistance : je « faisais besoin » à la ferme.

Je n'étais pas la seule. On entrait dans la saison des grands travaux. Les trois ou quatre bouts de prés que nous avions ici et là, disséminés entre bois et vignes, c'était peu de chose, mais l'herbe poussait et il fallait bien la faucher. Pierre « faisait de moitié » une grande *roubière* d'herbe grasse qui couvrait bien trois hectares. C'étaient ses dernières fenaisons avant son incorporation et peut-être la guerre et il y mettait toutes ses forces et tout son cœur. Il voulait que le fenil – la *juque* – soit bien garni de manière que nous n'ayons pas à acheter du foin d'hiver à ces brigands de meuniers. Le printemps avait été pluvieux mais juste ce qu'il fallait et, comme disait le pépé avant qu'il devienne gâteux : « Qui a du foin a du pain. »

Malgré la proximité du certificat, le cahier de présence de Cécile offrait certains jours l'image d'une désertion généralisée. Elle s'y attendait et avait prévenu ses élèves : Que vous aidiez votre famille aux travaux des champs, rien de plus naturel. Cela vous changera de vos devoirs, mais veillez à ne pas vous fatiguer outre mesure. Couchez-vous le plus tôt possible et dormez longtemps. Je souhaite également que vous me fassiez connaître vos temps d'absence. N'est-ce pas, Armand Simbille? Mon prédécesseur avait ses méthodes et moi les miennes. Je tiens à un minimum de discipline dans la fréquentation de l'école.

Le prédécesseur de Cécile, jeune stagiaire pâlot et timoré qui n'avait pas tenu plus d'une année scolaire face au curé, n'avait à vrai dire, dans ce domaine comme dans d'autres, aucune méthode. Lors de son installation, Cécile n'avait pas trouvé trace des notes qui lui auraient permis d'effectuer d'une manière plus rationnelle le classement des élèves par sections. Les documents qu'il devait communiquer à l'inspection académique n'arrivaient qu'avec du retard ou pas du tout. Cécile avait dû tout reprendre à partir de zéro.

C'est Alice Bernède qui m'avait fait ce petit rapport. A Sainte-Thérèse, la situation était moins difficile du fait de l'aisance des parents qui avaient un ou plusieurs domestiques, mais l'atmosphère de la classe marquait une pause.

Toutes fenêtres ouvertes sur l'odeur des foins, la classe somnolait. Les mouches bourdonnaient sur les pupitres abandonnés. Parfois le vent chaud soulevait les rideaux que Mlle Berthier avait obtenus après un affrontement avec le maire et nous avions l'impression que la vieille bâtisse allait prendre le large sur l' «océan des foins mûrs» comme l'écrivaient les poètes de manuels, partir pour quelque odyssée dans de lointaines contrées entre Meyssac et Beaulieu. Parfois nous demandions la permission d'aller faire pipi pour regarder dans le pré voisin la faneuse à six fourches « Vérité » (une Puzenat de Bourbon-Lancy) avec son râteau « Lion supérieur » que Baptiste Ponchet avait acquise récemment d'occasion grâce à une publicité des *Annonces corréziennes* et qui faisait l'admiration du village. Avec son cheval de trait, le Baptiste accomplissait seul le travail de six ou sept hommes.

Pierre, lui, n'avait que ses bras, mais ils étaient robustes et la Maïré ne boudait pas l'ouvrage.

– J'aimerais bien que tu nous aides un peu, m'avait dit Pierre.

Je l'aidai de mon mieux et mes frères de même, qui d'ailleurs passaient plus de temps à « se courir » entre les rangs qu'à faner. Le travail que me confiait Pierre, je l'effectuais correctement mais ma pensée en était absente. Toutes ces journées harassantes et monotones, je les passai à ruminer les accords de verbes, à retrouver dans ma mémoire des filaments de géométrie que je rajustais inlassablement jusqu'à un semblant de cohérence. J'admirais de pouvoir, pour une durée indéterminée, m'abstraire des gestes mécaniques pour vivre par la pensée dans un autre domaine où se modelaient et se défaisaient des épures de cristal. Je ne sentais ma fatigue que le soir. Elle m'était bonne. Je m'endormais dans le picotement des brindilles et l'odeur légère de l'herbe cuite au soleil. Parfois, en plein travail, alors que le manche de la fourche ou du *rastel* me brûlait la paume des mains, j'observais une pause et je murmurais les premiers vers de Leconte de Lisle : « *Midi, roi des étés, épandu sur la plaine – Tombe en nappe d'argent des hauteurs du ciel bleu...* » et je plaignais Pierre et la Maïré qui trimaient comme des bêtes sans le recours du poème qui donne de la beauté aux spectacles du monde et allège la fatigue, l'ennui ou la peine. J'étais heureuse. Plus heureuse encore lorsque je voyais surgir sur le coup de midi mon amie Cécile.

Elle arrivait sur sa bicyclette, le visage abrité par son large chapeau de paille attaché sous le cou, dont l'ombre légère estompait les couleurs et les reliefs. Elle semblait remonter comme une statue engloutie de profondeurs lumineuses et fraîches avec sur elle des odeurs de vent et d'amour comme ces femmes de Renoir qui tanguent sous leurs ombrelles dans des vagues de scabieuses et de coquelicots.

Elle posait sa bicyclette à l'ombre, libérait le panier qu'elle portait à son guidon, allait le placer à côté du *mérindé* dans l'ombre des saules qui bordent la Gane, puis elle se dirigeait vers nous et me disait :

– **Prête-moi ton** *rastel.*

Je lui tendais mon râteau en lui montrant la manière de le manier. Elle peinait, accrochant les dents de bois à des mottes ou à des chevelures d'herbes nouées, s'épuisant en gestes inutiles et geignant qu'elle n'y arriverait jamais. Pierre abandonnait sa faux, lui expliquait la méthode, la regardait faire, haussait les épaules.

– Plus de souplesse... Laissez aller votre bras... S'il y avait un certificat pour ces choses-là, vous seriez reçue avec mention « à repasser l'année prochaine ».

– Je manque de pratique, c'est vrai, mais je suis robuste. Vous verrez, jeudi prochain, si vous voulez encore de moi!

Elle partageait de bon cœur notre *mérindé*. La Maïré avait préparé le repas traditionnel des fenaisons : un *millassou* fait de farine de maïs et de caillé cuit au pélard, qu'elle emportait enveloppé d'un torchon et d'une pèlerine pour qu'il garde de sa chaleur et de son moelleux, du jambon de notre cochon, noir et sec mais savoureux, et du pain de chez Jules Bernède, le meilleur du canton, disait-on dans le pays. Au fond du panier de Cécile nous trouvions tantôt un clafoutis de cerises, tantôt du fromage de riches de chez Agathe Laspoumadère. La piquette était mise à rafraîchir dans le ruisseau. Cécile et moi, nous mangions dos contre dos et de temps en temps je me retournais pour l'embrasser, ce qui étonnait la Maïré car je ne passais pas pour une *poutounaïre*.

– Tu as bien de la chance, disait Pierre qui mangeait en face d'elle, entre mes deux cadets. A toi, on te permet tout.

– Essayez un peu pour voir, méchant garçon!

Pour faire bisquer Pierre, je me retournais et embrassais de nouveau Cécile entre l'épaule et le cou, « là où ça sent bon ». La Maïré mangeait à part, en silence, le dos rond, une main posée en arc-boutant bien à plat sur l'herbe, le front barré par la marque rouge du chapeau. Elle transpirait affreusement dans sa jupe noire et sa chemise boutonnée jusqu'au col. Parfois, lorsque Paul et André riaient trop fort à son gré, elle leur jetait :

– *Minjatz e taisatz vos, diables! La jornada es pas achabada.*

262

La sieste était nécessaire mais elle durait peu. Pierre et Cécile s'allongeaient à l'ombre des saules en fumant une cigarette. De temps en temps, leurs mains se prenaient, leurs visages se rapprochaient et je détournais la tête pour ne pas les voir s'embrasser. Le cœur plein d'une joie amère, je me replongeais dans mon vieux Mironneau annoté en marge par Cécile. Pierre dormait, sa tête sur les cuisses de Cécile. La Maïré donnait le signal de la reprise et nous pénétrions de nouveau dans la fournaise.

— Pourrait bien y avoir de l'orage, *drolles*! disait-elle en regardant l'horizon. C'est pas le moment de lambiner.

Il n'y eut pas d'orage tout le temps que dura la fenaison malgré la chaleur lourde et ce vent de cigales qui vous tombait sur la nuque comme un fer chaud du Puy-Faure où semblait s'être concentré le plus fort de la canicule. Cécile tint parole. Elle travailla avec nous toute une journée, refusant de s'arrêter lorsque Pierre le lui conseillait. Elle cachait mal sa fatigue sous la bonne humeur et l'entrain, chantait même pour faire illusion mais, le soir, en me montrant ses mains huileuses d'ampoules éclatées, elle m'avoua sa grande fatigue. Elle n'aurait pu tenir une heure de plus.

— Pourquoi tu t'es pas reposée plus souvent? Ça pressait pas trop aujourd'hui.

— Peut-être que j'avais envie de passer mon certificat d'études, moi aussi. Tu te souviens de ce que m'a dit Pierre. Ça m'est resté comme une humiliation. Maintenant, j'ai l'impression qu'il est fier de moi.

Une qui n'était pas fière de l'exploit de Cécile, c'est la Maïré, lorsque j'eus obligé Cécile à lui montrer ses mains.

— *Paubré!* Vous voilà bien avancée. Je le disais bien que c'est pas un travail pour vous.

Elle lui lava les mains doucement avec son gros savon, les laissa sécher, appliqua sur les plaies dont certaines saignaient des pétales de lis macérés dans l'huile, qu'elle gardait dans un *fiolou*. Puis elle lui enveloppa les mains dans un grand mouchoir.

— Bouge pas trop, surtout. Tu ferais tomber les « emplastres ». Tu verras, ma *drolla* : demain ça ira mieux C'est le métier qui rentre, comme on dit.

Du coup, elle la tutoyait et même elle se permettait un brin de plaisanterie, en bonne amitié. Cécile y fut sensible.

– Elle a bien changé, ta mère. Je ne la reconnais plus. Avant elle me recevait comme si je venais lui manger sa soupe. Et maintenant... Tu crois que Pierre lui a parlé?

– Parlé de quoi?

Tandis que la Maïré allait aider Pierre à rentrer dans la *juque* ce qui restait de foin sur la charrette, elle me dit :

– Pierre voudrait m'épouser. Je lui ai répondu que ce serait une folie puisqu'il n'a pas fait son service. Après ces trois ans, au retour, s'il tient encore à son idée et si je suis toujours libre, on pourra en reparler, mais il refuse d'attendre. Il me répète qu'il m'aime et qu'il n'aimera jamais une autre femme. Des phrases...

– Il t'aime, ça je le sais. Il suffit de le voir lorsqu'il te regarde. Avant toi, il n'avait connu personne. Alors tu comprends...

Pierre allait parfois « saboter » dans les bals de campagne, à la *vote* de Saint-Roch ou dans les veillées. Il en avait rencontré, de ces « fillasses » promptes à se faire engrosser pour tenir ferme un parti et ne plus le lâcher, mais aucune ne lui plaisait. Il « faisait le difficile ». Une fois ou deux, il avait dû aller au bordel à Brive, avec le frère de Joséphine Escaravage et deux ou trois autres garnements, mais, à Saint-Roch, il n'avait jamais consommé la moindre aventure amoureuse. Les vues qu'on lui prêtait sur telle ou telle fille ne se révélaient en fin de compte que des manigances lancées par les parents ou les amis de la demoiselle afin qu'il se déclarât. Il ne se décidait jamais. Il semblait qu'il se fût gardé pour Cécile.

Cécile m'avoua qu'elle n'avait autorisé à mon frère que des privautés sans conséquence et que cela le rendait fou. Plusieurs fois, elle avait failli rompre mais elle avait lu dans les yeux de Pierre une telle détresse qu'elle avait renoncé. D'ailleurs elle se plaisait chez nous ; notre famille, notre maison lui proposaient un refuge lorsque la solitude et l'ennui lui pesaient. Elle me prit contre elle, me serra de ses mains blessées, ses « mains de momie », comme elle disait.

– Et puis, tu comprends, Malvina, rompre avec Pierre ce serait rompre aussi avec toi dans une certaine mesure. Et ça, vois-tu, je ne pourrais pas.

Elle était certaine de se marier un jour. Le célibat dans lequel macéraient la plupart de ses collègues, elle n'en voulait pas. Elle refusait de même la perspective d'une union avec un collègue, que l'on considérait en haut lieu comme la solution d'un double problème : l'inadaptation et la solitude des jeunes enseignantes laïques dans les campagnes; l'insuffisance notoire du salaire unique. Elle protestait avec véhémence :

– Mariée avec un instituteur, moi! Retrouver sur lui, le soir, l'odeur de la classe, ne parler que des problèmes que j'aurais du mal à oublier, mes heures de classes terminées! Jamais! J'aurais épousé Fred s'il avait accepté l'idée du mariage et s'il avait bien voulu me consacrer autant d'attention qu'à ses utopies mais il est inguérissable et d'ailleurs nous ne nous reverrons plus. Je connaissais, à Brive, des fils de bourgeois qui auraient souhaité faire leur vie avec moi, mais je me méfie de ces « frelons » que les abeilles doivent nourrir. Alors, Pierre, pourquoi pas?

– Tu l'aimes?

Elle s'éloigna de quelques pas, le regarda à travers les pommiers du coudert, torse nu, ébouriffé, beau comme un dieu d'argile. Elle aimait Pierre d'une certaine manière, bien qu'ils fussent différents l'un de l'autre, si différents qu'ils se heurtaient dans leurs idées et leurs comporte-ments mais c'étaient de ces différences qui enrichissent une union, la nourrissent au jour le jour. Il suffisait de les voir pour deviner qu'ils avaient l'un de l'autre une envie pareille à une faim ou à une soif. Le moment venu, ils n'en finissaient plus de se séparer : il lui faisait un brin de conduite; elle le raccompagnait; il se tenait debout sur le seuil jusqu'à ce qu'elle eût disparu derrière les vimières de la font Saint-Roch. La Maïré l'apostrophait :

– Tu pourrais lui demander de rester coucher tant que tu y es! C'est pas l'envie qui t'en manque. Ah! *per moun arma*, cette fille te fera devenir *nèci*...

Elle ajouta un jour, imprudemment :

– Elle est pas pour toi, *vaï*! Peut-être bien que si tu étais inspecteur primaire...

La colère de Pierre ce soir-là! Il tapait du poing sur la table, menaçait de quitter cette « putain de baraque » où l'on arrivait tout juste à ne pas crever de faim, d'aller travailler à la « Compagnie » ou de prendre un engagement de dix ans pour les colonies.

De cette soirée mémorable, Cécile ne perçut que des échos. Elle trouva le lendemain Pierre « bizarre et distant ». Je lui racontai l'algarade. Elle me répondit sévèrement :

– Ta mère se trompe. S'il n'y avait pas ces trois ans de régiment, j'épouserais Pierre. Quant à l'histoire de l'inspecteur, c'est une légende et une absurdité, tu le sais. Le pauvre homme...

Les foins dans les greniers, le registre de présences des deux écoles se garnit de nouveau.

Rachel allait mieux. Le docteur Farge avait assuré qu'elle s'en tirerait mais qu'elle aurait à se ménager, que la Pauline devrait surveiller sa nourriture et s'en tenir aux prescriptions quant aux médicaments. J'allais la voir souvent pour lui porter des illustrés, des images à découper et des livres. Je m'apitoyais sur sa tête grosse comme le poing et ses yeux charbonneux. Elle me demandait des nouvelles de la « communale », à quelle page les « grands » en étaient de tel ou tel manuel. Parfois elle s'appliquait à lire mais sa tête se mettait à tourner et elle ne retenait rien. Pour la rassurer, je lui disais :

– Tu as bien de la chance. Paraît que cette année ce sera dur pour passer le certif. Tu réussiras l'année prochaine parce que tu seras mieux préparée. Te fais pas de bile, *vaï*. Tu n'as que douze ans.

La classe de Mlle Berthier avait retrouvé son ambiance studieuse. La demoiselle me confiait par intermittence le rôle de monitrice lorsque l'emploi du temps des petites portait sur l'écriture et le dessin et je m'acquittais assez bien de ma tâche. La section comportait sept fillettes et il

266

fallait passer plus de temps à les déculotter et à les torcher qu'à leur apprendre le B A BA.

Parfois, pour nous détendre, Mlle Berthier nous conduisait, le matin, en dehors des heures chaudes, jusqu'à une prairie proche de l'école. Nous nous installions à l'ombre. Les grandes vaches blanches de Ponchet venaient nous regarder travailler et se couchaient près de nous lorsque la chaleur commençait à croître. C'était un mois de juin torride ; il annonçait, à ce que disait Pierre qui était un peu *tampourier* (il avait observé que les pies nichaient haut cette année-là), une rude sécheresse. Avec quelques petites bénédictions de pluie, la vigne, le blé et le seigle seraient magnifiques, mais gare aux orages et à la grêle !

Dans la classe de Cécile, l'atmosphère était plus détendue depuis qu'Eugène Caze l'avait quittée.

Armand Simbille se désolait : il était nul en orthographe et guère moins en écriture. Jeantounet Bernède appréhendait surtout l'oral du certificat, car il bégayait, ce qui lui faisait perdre ses moyens. Pour Alice, sa sœur, l'examen s'annonçait comme une simple formalité ; elle partageait cette magnifique assurance avec Joséphine Escaravage que le père Poincaré, président de la République, devenu examinateur par l'opération du Saint-Esprit, n'eût pas désarçonnée. Julia Fabry connaissait son histoire et sa géographie sur le bout des doigts, mais séchait piteusement sur les rédactions. La maîtresse fondait beaucoup d'espoir sur Estelle Vige, mais elle était capricieuse et répugnait aux efforts prolongés. Les deux sœurs Blavignac, Anna et Camille, étaient deux paresseuses tellement pénétrées de leur supériorité – leur père était fonctionnaire et militait dans un syndicat – qu'elles partaient cuirassées de certitudes admirables mais nullement fondées.

Dans les deux écoles, la nervosité et l'angoisse s'intensifiaient de jour en jour. Des filles éclataient soudain en sanglots pour un oui, pour un non, refusaient de s'expliquer sur les raisons de leur chagrin et s'enfermaient dans leur mutisme. Cette inquiétude générale m'atteignait aussi mais, lorsque je me sentais partir à la dérive, découragée,

267

sans ressort, la main de Mlle Berthier ou celle de Cécile se tendait vers moi et je reprenais confiance.

La Fête-Dieu nous fut une détente. Avec Cécile et les filles de Sainte-Thérèse j'aidai à la préparation des reposoirs, cueillant des gerbes d'origan, de mauves et de campanules aux revers des fossés, composant, avec des fleurs de diverses couleurs, des croix et des bouquets pour les calvaires où la procession conduite par le curé ferait halte pour chanter les cantiques que nous faisait répéter Mlle Berthier :

> « Vierge, notre espérance,
> Étends sur nous tes bras.
> Sauve, sauve la France
> Ne l'abandonne pas... »

ou encore :

> « Mon âme, prends courage
> Le Ciel en est le prix...

que, lorsque nous étions d'humeur facétieuse, nous chantions sur un air de contredanse ce qui mettait en fureur Mlle Berthier :
— Allez-vous cesser, folles que vous êtes! Si le curé vous entendait...

Juillet

— Malvina! C'est l'heure. Allons, réveille-toi, ma *drol-
le*...

Il faisait à peine jour. La Maïré dormait encore. Une
petite charpie de nuages roses s'effrangeait au-dessus du
Puy-Faure. Je n'avais vu qu'en de rares occasions cette
barre de lumière oblique comme un couperet de guillotine
qui tranchait le mur blanc en diagonale en passant par
l'image du Christ debout sous un déluge de rayons comme
sous une pomme d'arrosoir.

Il était très tôt. Pierre m'avait prévenue : « Je te sonnerai
le réveil à quatre heures et demie. » J'aurais bien aimé voir
à quoi ressemblait la vallée au petit jour, vue de la fenêtre
de ma chambre, histoire d'en faire un poème ou une
simple rédaction mais je demeurais paralysée au creux de
mon lit. La paresse qui m'immobilisait ce matin-là n'était
pas celle des dimanches et des jours de fête que les cris et
les menaces de la Maïré troublaient sans susciter en nous
la moindre crainte, mais une sorte de refus du jour, de ce
jour en particulier, une peur incontrôlable devant l'inten-
sité de la lumière, la fuite du temps, l'attente anxieuse
d'une nouvelle injonction dont la crainte me tordait les
entrailles.

J'avais envie d'être malade, de recréer autour de moi
mes cellules matricielles, mon amnios de solitude, de redevenir irresponsable, de laisser le monde se faire sans moi.

– Malvina! Tu te lèves, oui ou non? J'entends Selves qui est en train d'atteler.

– Je suis malade. Je peux pas me lever.

– Tu veux que je te lève, moi, *milhard de Dieus*? *Puta de puta*, si je prends le vime...

Il ne plaisantait qu'à moitié. Rabattant les draps, il me cueillit toute molle et moite de panique au creux de ma couche de *panouille* et me força à me lever.

– Tu vas pas avoir peur, non? C'est rien, tu verras. J'y suis passé. Tu l'auras, ton certificat. Allez, va pisser! Ton déjeuner est prêt. Je t'ai préparé une *pout*. Elle est toute chaude.

J'étais réellement malade. L'angoisse s'était portée sur mon ventre au point que je dus aller trois fois aux cabinets.

– Tu es blanche comme une caillade. Qu'est-ce que tu as? La « courante »? Si tu es malade pour de bon...

C'est moi, maintenant, qui minimisais mon malaise. Ce n'était rien; ça passerait avec l'air frais. En mangeant ma bouillie de maïs, je m'efforçai de me remémorer quelques exercices de calcul et de géométrie que j'avais révisés la veille. Rien! Je tâtonnais dans ma mémoire : elle était vide comme un tonneau. Je tentai de remonter le fil, de retrouver quelques notions acquises ou révisées les jours précédents et je trébuchais dans la pierraille stérile d'un désert. Ce n'était pas possible! Je ne pouvais pas avoir tout oublié en une nuit; la peur ne pouvait m'avoir privée à ce point de mémoire et de réflexion. Bêtement je comptai de l'œil les briques de la cheminée comme on m'avait appris à le faire. Ça marchait! Je pouvais compter jusqu'à dix. Tout n'était pas perdu.

– Tu as fini de lambiner? Va t'habiller à présent ou j'appelle la Maïré et tu vas voir tes fesses!

La Maïré se leva comme nous étions sur le point de descendre chez Selves où nous attendait l'attelage qui nous conduirait à Meyssac. Elle s'avança vers moi dans sa chemise de nuit qui lui balayait les pieds, ses cheveux gris répandus sur ses épaules, son visage tanné par le soleil des foins bouffi de sommeil. Je respirai son odeur aigre. Elle se pencha vers moi, inspecta ma tenue – j'avais revêtu les

vêtements qu'Isabelle m'avait offerts et que Flavie avait
ajustés à ma taille, le dimanche précédent. Elle hocha la
tête et me dit :

– Ma *drolla*, tâche de faire de ton mieux, qu'on ait pas
fait tous ces sacrifices pour rien. Prends un morceau de
pain et des *grillons*. Tu auras faim sur les dix heures. Va, et
que le bon Dieu te protège, ma petiote.

Elle me serra contre elle avec violence, torcha une
larme sur sa joue et nous poussa dehors. Debout sur le
seuil dans le premier soleil, elle nous regarda partir
comme si nous ne devions plus revenir. De temps en
temps, sur le *rapétou* qui mène à la ferme de Selves, je me
retournais; elle était toujours debout comme une sainte
Vierge dans sa tunique de douleur.

Les premières mouches bourdonnaient autour de *Joséphine*, la jument de Selves, qui marquait son impatience
par des coups de sabot sur la terre battue de la cour.

– Tiens-la serré, recommanda notre voisin. Je sais pas
ce qu'elle a ce matin, la garce. On dirait qu'elle a peur de
son ombre. C'est pourtant pas elle qui va passer son
certificat!

– J'en connais une autre qui n'est pas rassurée, dit
Pierre.

– C'est vrai que t'as pas bonne mine, Malvina. Tu
devrais t'allonger dans le fond du char à bancs. Quand on
a pas l'habitude de se lever à bonne heure...

– Si c'était que ça... Tu te souviens pas comment ça fait
pour le certificat? Moi, je me rappelle. J'avais une de ces
chiasses. Allez, *a dieu siats*, l'homme!

Joséphine était nerveuse comme moi mais elle n'était
pas malade, elle. Avant d'arriver sur la grand-route, j'avais
vomi toute ma *pout* et me retenais pour ne pas faire dans
ma culotte. Les souliers d'Isabelle me torturaient les pieds
et je bougeais désespérément les orteils pour me libérer de
cette pression insupportable avant de me décider à les
ôter.

Il y avait déjà une chaîne de chars à bancs, de voitures
de toutes tailles et de toute nature roulant dans des bruits
de grelots tout au long de la ligne droite où flottaient de
légers flocons de poussière soulevés par les roues. Un

271

groupe de trois ou quatre véhicules s'était formé devant la « communale ». Cécile avait décidé de prendre la route avec Jules Bernède. Elle m'avait dit : « Tu comprends, si je partais avec toi et Pierre, on trouverait encore à *clamper* dans le village, à dire que je suis l'amoureuse de Pierre et que tu étais ma préférée. Il vaut mieux que nous partions séparément. » Pourtant jamais la présence de Cécile ne m'eût été aussi précieuse. Le corps vide, la tête creuse, ballottée par la carriole qui menaçait de perdre un de ses cerclages de fer, j'étais dans l'état d'esprit d'un condamné à l'échafaud.

Joséphine Escaravage nous rattrapa avant le carrefour de Meyssac; elle se tenait bien droite à côté d'Estelle Vige et conduisait elle-même avec beaucoup d'assurance, sans cesser de bavarder avec sa copine. Cécile venait derrière, le visage perdu sous son grand chapeau à voilette, le réticule de velours vert sur les genoux, à côté du père Bernède qui tenait sa tête entre les mains. Loin devant, les deux petites Blavignac conduites par un voisin tenaient compagnie à Julia Fabry.

Les filles de Sainte-Thérèse avaient pris les devants et j'entendais les sonnailles des beaux attelages dans la côte qui mène à la route de Meyssac par l'*escourssière* de la Geneste. Loin derrière, venait la théorie des « communales » de Végennes et de La Chapelle.

– *Milhard de Dieus!* jura Pierre, qu'est-ce qu'il fabrique celui-là? Il pouvait pas prendre un autre chemin, non?

Il fit ralentir *Joséphine* et se rangea du mieux qu'il put pour laisser passer la bétaillère pleine de moutons qui partait à contresens en direction de l'abattoir de Vayrac.

– Ceux-là, dit Pierre, ils sont plus à plaindre que toi.

Je songeais à Rachel. Elle devait se tenir sur le pas de sa porte, là-haut, sur les hauteurs pouilleuses de Malevergne, écoutant les sonnailles dans la vallée, regardant la caravane s'ébranler dans la poussière tiède du matin. La veille, elle m'avait dit : « Je me lèverai un peu avant six heures et tu sauras que je pense à toi, que j'y penserai toute la journée. » Elle m'avait tendu un petit *tessenou* de pierres vertes et rouges pour que je le passe à mon cou. « Ça te

272

portera bonheur, tu verras. » Je tâtais le collier et sentais un peu de la force d'âme et de la confiance de Rachel passer en moi.

Dans la montée de la Geneste, la caravane s'était resserrée. Les demoiselles de Sainte-Thérèse chantaient un cantique à la Vierge. Ne voulant pas être en reste, Joséphine Escaravage entonna le chant de Maurice Bouchor : « *Ah! que vous êtes belles – Cimes du Canigou...* » que tous les enfants des « communales » de Saint-Roch, de Végennes et de La Chapelle reprirent en chœur.

– Et toi, dit Pierre, tu chantes pas?

Je n'avais le cœur ni à rire ni à chanter, mais la joie ambiante me faisait du bien. Pierre avait passé son bras autour de mon épaule, me répétant pour la dixième fois que nous irions manger au restaurant, chez la veuve Delmas, et qu'il me payerait pour mon quatre heures une pâtisserie de chez Condamine. Au diable l'avarice! Un jour comme celui-là, il fallait savoir ne pas compter. Ce qui le tourmentait c'est qu'il devrait faire vérifier le cerclage de la roue et le sabot droit de *Joséphine* qui faisait un drôle de bruit.

– T'en fais pas, Malvina! Je serai pas loin. Le forgeron est juste à côté de l'école.

A peine avions-nous mis pied à terre, Cécile se dirigea vers moi.

– Je te trouve une petite mine ce matin. Est-ce que tu aurais peur? *Bétassoune...* Je te promets que tu t'en tireras très bien. Si tu avais vu le Jeantounet Bernède! Il a dû descendre trois fois de voiture et les filles se moquaient de lui.

– Me semble que j'ai tout oublié. Ce matin, quand je me suis réveillée, je savais plus rien.

– C'est normal. Ça te reviendra au fur et à mesure que tu en auras besoin. Maintenant, je vais te laisser avec les aspirantes de Mlle Berthier. Après tout, tu es une fille de Sainte-Thérèse.

Je rejoignis Ninon et quelques filles avec lesquelles j'entretenais de bons rapports. Les autres se tenaient à l'écart, habillées comme pour les grandes occasions, à quelques pas de la commission cantonale au milieu de laquelle venait de surgir comme un diable hors de sa boîte l'inspecteur primaire, M. Arsène Pintaut. Tous ces gens paraissaient se préparer pour une fête dont nous ferions les frais; ils riaient fort, se saluaient en langage « monsieur » avec ostentation, se penchaient les uns vers les autres comme des poules qui s'observent, pour échanger des secrets de la plus extrême importance, semblait-il, sans cesser de parcourir du regard les groupes d'élèves qui se tassaient dans les coins d'ombre au pied des murs et sous les marronniers. Il me sembla que j'étais l'objet d'une attention toute particulière et le feu me monta aux joues. Une grande femme très sèche et très noire qui tenait une liasse de dossiers serrés contre sa poitrine me dévisageait avec insistance au point que je rougis et dus détourner la tête à plusieurs reprises. Elle se tenait près de notre délégué cantonal qui lui parlait à l'oreille.

– Les filles qui ont besoin d'aller aux cabinets, dit Mlle Berthier, suivez-moi! Les autres ne bougeront pas.

C'étaient de beaux cabinets avec des cuvettes de faïence blanche et une chasse d'eau qui arrosait les pieds si l'on n'y prenait garde. On ne voyait au-dessus de la porte que les verdures profondes des marronniers et un coin de ciel très bleu où passaient des rafales de martinets. Je n'avais pas « besoin » mais ces quelques instants de solitude me firent du bien et la chasse d'eau m'amusa.

– Patientez, mesdemoiselles, nous dit la maîtresse, il n'y en a plus pour longtemps. Je vous rappelle que vous aurez à l'écrit, ce matin, une dictée avec questions, une rédaction, du calcul avec un problème et une épreuve d'histoire et de géographie. La note d'écriture sera donnée sur la dictée. Alors appliquez-vous. Vous ne devez pas communiquer pendant les épreuves et il vous est interdit de sortir, sauf en cas d'urgence.

Je cherchai des yeux Cécile. Elle se tenait en marge de ses aspirants et aspirantes et discutait avec ses collègues de Chauffour et de Collonges. Je priai Dieu qu'elle me vît, qu'elle me regardât au moins une fois, une dernière fois, qu'elle restât attachée à moi par un fil de regard jusqu'à cette porte qui nous avait été désignée, que sa pensée me suivît jusqu'au bout de cette longue matinée sans se relâcher un instant. Déjà nous étions coupés du reste du monde, parqués en ligne comme des moutons sur un champ de foire et toute liberté nous était refusée, même celle de courir aux cabinets. De part et d'autre de notre groupe s'alignaient des filles que nous ne connaissions pas, qui nous paraissaient venir des confins du canton, du département, du pays. Certaines avaient de drôles de frimousses, mais je me dis qu'elles devaient penser la même chose de nous.

Cécile s'écarta pour laisser passer les garçons qui furent dirigés vers une autre aile de l'école en s'essayant maladroitement à marcher au pas. Elle s'enfonça dans l'ombre d'un marronnier, disparut derrière un groupe de parents et de collègues et je ne vis plus rien d'elle qu'une main qui s'agitait, pour quoi et pour qui?

Lorsque je l'eus quittée des yeux, la grande femme noire était montée sur les marches de la classe en compagnie de l'inspecteur, et l'appel débuta.

De cette matinée redoutable, je n'ai gardé qu'un souvenir confus : celui d'un huis clos au sein d'une forteresse, dans lequel se succédaient des émotions, des enthousiasmes, des désespérances dans un silence d'église troublé par la voix lente et monocorde de la grande femme noire exposant les sujets des épreuves, par les cris cinglants des martinets, le rythme d'un marteau sur l'enclume du forgeron et, déchirant, le bruit mouillé d'un reniflement lorsqu'une fille au désespoir se mettait à pleurer.

La dictée consistait en un petit texte d'Anatole France : « Le cheval de Roger », avec des questions anodines : « Quel est le sens du mot " dada " (dans " enfourcher deux dadas "), de " enfourcher ", de " ébréché "? Analyser les mots " puisse, vous, heureusement, monde ". Mots de la même famille que " fleur ". »

Cécile se penche sur mon épaule :
– Tu te trompes. C'est bien un texte d'Anatole France, mais c'est « l'Enfant et les oiseaux ». Il y a plus de soixante ans, mais je m'en souviens.
– Je le sais mieux que toi, tout de même! Mes notes sont là. Allez, va te promener dans le jardin tant qu'il reste un peu de soleil. Laisse-moi travailler.
– Bien... Bien... Tu veux toujours avoir raison.
Elle s'éloigne, appuyée sur sa canne. Je sais qu'elle va revenir dans un moment, qu'elle profitera de ce que je serai absente pour lire mes derniers feuillets, qu'elle protestera : « Tu ferais bien de changer le ruban de ta machine. Ton texte devient illisible! » Et je répondrai comme d'habitude : « Et toi c'est tes lunettes que tu devrais changer. »

Je me sentais mieux. J'avais retrouvé l'ambiance de la classe de Sainte-Thérèse. Mon esprit détendu, la mémoire me revenait et je remerciai Anatole France, ce bon vieillard barbu coiffé d'une calotte de rabbin, de n'avoir pas accumulé les difficultés dans sa dictée. Une bouffée de chaleur heureuse me monta au visage lorsque la grande femme noire (pas si austère qu'il m'avait semblé au premier abord) énonça le sujet de la rédaction : « *Commentez ce vers de La Fontaine : " Deux vrais amis vivaient au Monomotapa. " Qu'est-ce que l'amitié pour vous? Quelle importance tient-elle dans votre existence? Avez-vous une amie véritable? Dites pourquoi vous l'aimez.* »
Confondue de plaisir et d'émotion, je fermai les yeux sur un télescopage de sentiments qui passaient en rafale dans mon cœur et dans ma tête. Cécile! J'allais parler de Cécile. Cela m'était demandé et je n'avais envie de parler que d'elle. Il me semblait que ma poitrine se dilatait, que je respirais un air plus salubre, plus riche, que l'espace ne m'était plus compté, que j'allais pouvoir donner ma pleine mesure sans restriction. Les derniers mots de l'exposé, je les avais écrits d'une main tremblante. Je pris un temps de pause et de réflexion, laissai reposer ma main et mon esprit, se décanter mon inspiration et mes idées en suçant

le bout de mon porte-plume et en cherchant sous ma chemise le contact du *tessenou* de Rachel. Un instant, j'envisageai de donner à mon épreuve la forme du poème mais je me ravisai et, le premier vers écrit, je renonçai : on me demandait un devoir en prose.

Et je me lançai : « *L'amitié ce n'est pas de l'amour, ni l'affection que l'on voue à ses parents, mais c'est un mélange de ces deux sentiments qui en fait quelque chose d'unique et d'irremplaçable...* » J'avais lu quelque part et entendu de la bouche de Cécile un de ces mots magiques qui me touchaient par leur sonorité, leur couleur ou leur densité avant que le sens m'en fût révélé : « affinité ». J'essayai de le glisser dans mon texte ; il y fit merveille : « *L'amitié est avant tout un sentiment à base d'affinité...* » Je me sentais sûre de moi. La route était tracée et, au bout, il y avait Cécile, rayonnante comme une Vierge de missel. « *Celle que j'aime d'une amitié profonde et sincère se prénomme Cécile. Je lui dois tout...* »

Le cœur encore plein d'un reliquat d'alacrité et de fièvre j'entendis tomber l'énoncé du problème de calcul : « *L'azote vaut 2 fr. 15 le kilo ; un cultivateur achète 19 sacs de nitrate donnant 14,58 % d'azote ; chaque sac pèse 85 kilos. Le marchand demande 450 francs ; de combien la facture doit-elle être majorée ?* »

Et soudain ce fut la nuit avec en face de moi cet ange qui répétait : «Allons ! taisez-vous. On ne parle pas pendant les épreuves. Si vous avez quelque chose à demander c'est à moi qu'il faut vous adresser. » Les murmures s'apaisèrent autour de moi. Ninon me jeta un regard désespéré. Julia Fabry avait posé son porte-plume dans la rainure et semblait, la tête dans ses mains, lire les graffiti gravés sur le pupitre.

– Vous avez bien pris l'énoncé ? Voulez-vous que je le répète ?

Je tournai désespérément entre mes doigts le *tessenou* de Rachel, m'efforçai d'échapper au gouffre dans lequel je m'étais retrouvée le matin, d'avancer à pas prudents dans le traquenard des règles de trois qui dessinaient leurs structures en forme d'échafaud. Je relus le texte, jetai des chiffres sur ma feuille de brouillon, cherchant à déceler dans leur embrouillamini le fil lumineux qui me mettrait sur la voie. Déjà, près de moi, une fille de Végennes, le nez sur sa feuille, laissait courir sa plume dans un grattement de souris, sans un regard de commisération ou d'encouragement aux malheureuses qui l'entouraient. Les minutes passaient; le clocher de Meyssac laissa tomber son glas. De nouveau mon ventre se nouait et je songeai à la fraîcheur, à la solitude des cabinets qui me rappelaient mes cellules du tilleul et du château. Tout était perdu; un zéro en calcul était éliminatoire; me l'avait-on assez répété : « É LI MI NA TOI RE! » Le désespoir de Cécile, de Rachel, de Pierre lorsqu'ils apprendraient que j'avais échoué pour une affaire de nitrate... Avais-je le droit de les décevoir? N'étais-je pas la dépositaire d'une espérance commune, la caution de nombreux sacrifices?

Les dents serrées, je me lançai dans la ronde des chiffres.

Lorsqu'on releva les copies, je n'étais sûre de rien. En principe le résultat « tombait juste » mais j'avais choisi pour y parvenir des voies peu orthodoxes.

L'histoire et la géographie vinrent à point nommé me redonner confiance. Je connaissais bien les principaux événements de la vie de Henri IV et ceux qui jalonnaient la guerre de Cent Ans. Quant à tracer le cours de la Garonne avec ses affluents et les principales villes qu'elle « arrosait », c'était un exercice auquel je m'étais livrée une semaine auparavant.

Midi sonna dans une chaleur pesante et la dame en noir nous libéra. Ils étaient tous là : Cécile, Emma Berthier, Pierre, au milieu de la cour qui caquetait comme une volière. Ils m'interrogèrent et je haussai les épaules : on verrait bien. J'avais l'impression de sortir d'un buisson d'épines hanté de vipères et j'avais une faim de loup, mais pas envie de parler.

– Ils vont pas s'embêter les gens de la commission cantonale, dit Pierre. Ils ont rendez-vous à l'hôtel des Voyageurs avec treize plats au menu! Avec la chaleur qu'il fait, ils vont en crever. Cécile, nous dînons ensemble?

Cécile refusa : elle avait promis à ses collègues de les rejoindre. Le restaurant de la veuve Delmas était honnête.

278

Nous y retrouvâmes des gens de connaissance et des camarades de classe avec lesquelles j'échangeai des impressions. J'appris qu'Alice Bernède m'avait désignée comme son amie dans sa rédaction ; elle avait rédigé d'un trait son problème mais elle n'était pas certaine d'avoir fait moins de cinq fautes à sa dictée. La salle de restaurant était comble et bruyante. Sur la place que nous avions traversée, des hommes mangeaient dans leur carriole, sur des bottes de paille, leurs gosses autour d'eux, comme les soldats d'Attila.

Je bredouillai lamentablement lors des épreuves de l'après-midi sur des questions de calcul mental et fus repêchée in extremis par le jeune instituteur qui m'interrogeait, indulgent à mon trouble. En épreuve de couture (« *Marquer la lettre "R" : cinq centimètres de couture rabattue* »), j'eus du mal à terminer dans le temps qui nous était imparti. L'épreuve d'histoire naturelle portait sur la botanique et je m'en tirai honorablement.

– C'est bien grâce à Emma Berthier que tu as réussi cette dernière épreuve, dit Cécile.

Elle arrive par derrière sans que je l'entende dans le crépitement de ma machine à écrire. Je la devine à la chaleur de son souffle sur mon oreille. Elle se penche pour mieux lire. Cette présence m'exaspère mais je la tolère car après tout c'est à elle en partie que ce livre est consacré.

– Cécile, veux-tu pousser les contrevents pour que la fraîcheur pénètre. Je suis en eau.

Du bout de sa canne, elle libère dans la pièce un flot de lumière dorée. Le Puy-Faure resplendit au loin dans une clarté de Provence. On dirait un Cézanne.

– Tu te souviens, dit Cécile sans se retourner. Jaurès... C'était quelques jours plus tard.

Nous attendions dans la cour de l'école, la chaleur tombée. Dans le jardin voisin, les abeilles bourdonnaient

autour d'un seringa. Flavie, son ouvrage terminé chez les
« Sœurs », nous avait rejoint; elle avait même fait pour la
circonstance un brin de toilette tout en restant convenable
et décente. Toute inquiétude m'avait abandonnée; quelque
chose me disait que j'avais réussi, peut-être à cause de la
confiance qu'Emma Berthier et Cécile me témoignaient;
peut-être à cause du *tessenou* de Rachel. Cécile aussi avait
confiance. Je devrais largement avoir la moyenne. Elle
avait jeté quelques chiffres sur son carnet.

– Tu auras sûrement une grosse note pour ta rédaction,
mais c'est le calcul qui m'inquiète. Évidemment, ton
résultat « tombe juste » mais tu as suivi un drôle de chemin
pour y arriver.

J'étais reçue.

L'inspecteur venait de l'annoncer du haut des marches,
au milieu d'une rumeur faite de cris de joie et de
gémissements qui l'obligeait à hausser le ton. Flavie
pleurait, mais de bonheur, et aussi un peu Pierre et Cécile
qui s'étaient pris la main et échangeaient un regard plein
de gravité.

– Jamais je ne pourrai assez te remercier, lui dit Pierre.
Sans toi, cette petite, qui sait ce qu'elle serait devenue? Tu
l'as sauvée. Et moi, pauvre imbécile, j'y croyais pas. Ce
matin encore...

C'était la première fois que je l'entendais tutoyer Cécile.
J'avais l'impression de les avoir poussés l'un vers l'autre,
d'avoir scellé leur passion naissante, d'être devenue entre
eux un pôle d'affection commun, un relais sentimental.

Mlle Emma vint vers nous, très animée.

– Compliments, Cécile! Tous vos aspirants reçus! Quels
beau succès...

– Mais vous-mêmes, Emma... Vos résultats sont excel-
lents.

– Oh, moi... Sept reçues sur dix en comptant Malvina.
C'est la proportion habituelle. Ce qui me fait plaisir, c'est
que ce sont les petites pécores qui se croient sorties de la
cuisse de Jupiter parce que leur père a trois vaches de plus
que le voisin, qui ont échoué.

Elle ajouta en m'embrassant :

– On parle beaucoup de toi, Malvina, et de ton épreuve

de rédaction. Tu y as mis tout ton cœur à ce qu'on m'a dit. L'inspecteur l'a lue à haute voix devant toute la commission cantonale. Tu ne seras pas la première du canton, mais tu n'en seras pas loin. C'est votre œuvre, Cécile. Sans vous, Malvina ne serait pas là aujourd'hui.

Je songeais à Rachel, à sa joie lorsque je lui annoncerais ma réussite. Elle m'attendrait sur le pas de sa porte en découpant ses illustrés. L'année prochaine, elle sera là à son tour et elle entendra la voix de l'inspecteur prononcer son nom devant toute l'assemblée.

– Il faut partir, dis-je. La Maïré doit nous attendre.

– D'abord, dit Pierre, nous allons passer à la pâtisserie. Tu te souviens de ce que je t'ai promis? Flavie, Cécile, mademoiselle Emma, vous êtes invitées aussi.

Fier comme un coq au milieu de ses poules, il faisait le généreux.

– Excusez-moi, dit Cécile. L'inspecteur désire me parler. Partez sans moi et veillez à ce que Malvina se couche de bonne heure. Nous nous verrons demain.

Dès qu'il eut remis la liste des aspirants reçus à la dame en noir, M. Arsène Pintaut essuya son front, passa l'index enveloppé dans un pan de son mouchoir entre le col cassé frangé de sueur et la peau. Il fit signe à Cécile de le rejoindre.

– Je ne veux pas attendre plus longtemps pour vous féliciter, dit-il. Tous vos aspirants reçus... C'est bien. C'est très bien. M. Bourgeois, notre inspecteur d'Académie, va revenir à de meilleurs sentiments à votre égard. Toutes ces lettres anonymes qui lui parvenaient et qu'il m'adressait en me demandant d'effectuer une enquête avaient fini par vous rendre suspecte à ses yeux. Mais nous savons, lui et moi, que ces procédés ne déshonorent que ceux qui les emploient. Tout cela sera oublié, mais il faut dire que vous m'avez causé bien du tracas, mademoiselle Brunie et que vous n'avez pas facilité ma tâche. Mon Dieu, quelle chaleur... Entrons dans une classe, il fera meilleur.

Ils s'assirent côte à côte dans la première travée. Machinalement, comme s'il poursuivait une idée, M. Pintaut fouilla dans ses dossiers, fit s'éparpiller quelques feuillets que Cécile l'aida à ramasser.

– Comment les élèves peuvent-ils travailler sur une aussi petite surface? s'exclama-t-il. Que vous disais-je? Ah, oui... Bien du tracas. Je sais que nous n'en sommes plus aux querelles entre Jules Ferry et Louis Veuillot, que le monde change, que les mœurs évoluent et qu'une institutrice, de nos jours, à l'heure de l'aéroplane... Bref, les rapports des femmes avec la société deviennent plus libres. Mais vous êtes allée trop loin, mademoiselle Brunie, et je ne vous cache pas que, sans mon appui, M. Bourgeois aurait décrété votre changement, voire votre révocation. Eh oui, mon enfant, les choses en étaient à ce point. Souvenez-vous! Vous avez divisé la commune par vos prises de position trop tranchées, vos provocations conscientes ou non. Passe encore de recevoir des lettres d'Allemagne – j'en reçois moi-même – et de prêter ainsi le flanc à l'« espionnite », mais accueillir chez vous, dans un appartement de fonction, un anarchiste, un antimilitariste aujourd'hui recherché par la police, fumer en public, aller – pardonnez-moi cette expression triviale – « boire le coup » au bistrot comme les hommes, c'est prêter le flanc aux critiques et aux calomnies.

– Je constate qu'on vous a bien renseigné, monsieur l'inspecteur.

– Je me suis moi-même renseigné, je ne vous le cache pas. A certains moments de mon enquête, je me demandais si M. Bourgeois n'avait pas raison de vouloir vous infliger au moins une réprimande, voire une censure.

– Pourquoi ne l'a-t-il pas fait? Je ne suis qu'une stagiaire à son premier poste, c'est-à-dire rien.

– Pour plusieurs raisons. C'est difficile à avouer, mademoiselle Brunie, mais je dois vous le révéler aujourd'hui. Nous avions besoin de vous. A Saint-Roch et pas ailleurs. L'Académie, le Rectorat étaient excédés de ce curé de combat qui faisait la loi dans son petit royaume et confondait paroisse et commune. Tous les maîtres, toutes les maîtresses que nous avions envoyés pour laïciser cette « petite Vendée » ont échoué piteusement. Il nous fallait une enseignante laïque qui fût à la fois souple et résistante,

282

qui sût ne pas heurter de front ce monstre d'orgueil et toute la population catholique avec lui, et ne pas battre en retraite au moindre incident. Une femme forte en quelque sorte, comme dans les Évangiles, une « pionnière », mais qui se laisse gouverner par la raison plus que par ses impulsions et ses sentiments. Votre réussite dans cette mission dont vous n'aviez pas conscience serait parfaite sans vos outrances.

Il ajouta brusquement :

— Vous fumez, je crois?

— Modérément, monsieur l'inspecteur, et jamais en public, contrairement à ce qu'on a pu vous dire.

— Bien... Bien... Alors, puisque personne ne peut nous voir, nous allons en « griller une » en toute amitié. Dommage que nous n'ayons pas une absinthe.

Il tâta les poches de sa veste et de son gilet. Il n'avait pas d'allumettes. Cécile fit craquer une des siennes (de contrebande) qui prenaient sur n'importe quoi au moindre frottement.

— Par exemple! s'exclama M. Pintaut, où peut-on se procurer ces merveilles?

Cécile lui abandonna sa boîte et il manifesta une joie d'enfant.

— La suite de ce que j'ai à vous dire est également à votre honneur. Nous avons suivi de près les progrès de cette enfant : Malvina Delpeuch. Ce que vous avez réussi là est prodigieux. A vrai dire, lors de ma première inspection, je ne croyais guère à votre ambition. Et puis j'ai appris par notre délégué cantonal que le prodige s'élaborait lentement et que le certificat d'études se dessinait au bout de cette longue patience. Je ne connais que peu de cas similaires et aucun de si parfaitement achevé. Cette petite ira loin. Si elle consent à poursuivre son effort et si sa famille veut bien lui laisser le champ libre elle obtiendra sûrement une bourse.

Il toussa à la première bouffée, épousseta de la main les quelques brindilles de caporal accrochées à son petit gilet.

— Quoi qu'il en soit, je vous transmets d'ores et déjà les compliments de mes supérieurs. Une lettre suivra.

M. Bourgeois souhaiterait que vous rédigiez un rapport détaillé sur la méthode qui vous a permis d'obtenir un tel résultat.

– Il n'y a pas de méthode. monsieur l'inspecteur. Tout s'est fait au jour le jour, avec des hésitations, des repentirs, des espoirs déçus ou comblés, sans idée préconçue.

– Intéressant... Intéressant... Rédigez-le tout de même, ce rapport, je vous prie. Il sera sûrement utile à l'administration. Que comptez-vous faire?

– Je vous demande pardon...

– Je veux dire : souhaitez-vous être mutée à Brive, par exemple, où vous avez votre famille? Nous aurons à la rentrée un poste de titulaire vacant à l'école Paul-de-Salvandy. Le préfet ne refusera pas, sur la proposition de M. Bourgeois. Moi-même, je pourrais...

– J'ai promis à Malvina de rester près d'elle si elle était reçue. Comment oserais-je la décevoir, monsieur l'inspecteur? D'ailleurs il reste beaucoup à faire. Le curé est encore en place et n'a pas mis bas les armes.

– Plus pour longtemps! dit joyeusement M. Pintaut. Je vous annonce qu'il est nommé aumônier au 95ᵉ, à Brive. Ainsi vous souhaitez rester à Saint-Roch... Vous avez peut-être raison. Une titularisation à titre exceptionnel vous y rejoindra sous peu. Mais vous ne souhaitez tout de même pas y faire toute votre carrière? Vous valez mieux que cela.

– Pourquoi pas, monsieur l'inspecteur? Avec votre appui et votre bienveillance...

Il partit d'un rire en crécelle qui fit voler des cendres autour de lui.

– A propos de bienveillance, dit-il, j'aurais bien aimé vous faire lire la lettre anonyme qui évoque nos rapports. Mademoiselle Brunie, je vous annonce, aux termes de cette lettre, que je suis follement épris de vous, que vous ne m'avez jamais refusé vos faveurs en intrigante invétérée que vous êtes et que, dans mon « harem » (je cite!) vous êtes ma favorite. On en rit encore à l'Académie...

Il se leva, s'excusa d'avoir retenu Cécile si longtemps et dit en prenant congé :

– Quelle chance a votre protégée! Cette rédaction qui

est un petit chef-d'œuvre de sensibilité, c'est une déclaration d'amour très chaste, ni plus ni moins.

– C'est vrai, dit Cécile. C'est exactement ce qu'il a dit. Tu t'es parfaitement servie de mes notes mais tu as oublié un détail : le point de notre entretien où il a évoqué notre « communauté d'opinions philosophiques ». Ce « frère trois points », comme disaient les menettes de Saint-Roch, savait que je partageais les opinions de Jaurès sans jeter le Christ aux orties, que j'étais prête à me lancer dans les luttes politiques et syndicales, ce que je n'ai pas manqué de faire, tu le sais. Il avait deviné que je militerais dans les rangs des féministes aux côtés de Marcelle Capy, Hélène Brion, Marie Guillot et Marie Mayoux. Tout cela lui touchait le cœur et même l'exaltait un peu.
Elle ajoute :
– Jaurès : tu vas en parler?
– Naturellement. Quel souvenir!
– Bien. Je te laisse. Nous aurons une belle soirée. Si tu veux nous monterons tout à l'heure jusqu'au village, histoire de nous dégourdir les jambes, si je ne suis pas trop fatiguée et s'il n'y a rien d'intéressant à la télévision.
On distinguait très nettement sur le ciel de juin, au sommet du Puy-Faure, ces trois allumettes piquées au-dessus des arbres : la croix du Christ et celle des deux larrons. Cécile, il y a deux mois, a voulu suivre le chemin de croix avec la procession, moins par conviction religieuse que pour retrouver l'ambiance des vendredis saints de jadis dans l'odeur forte des genévriers et du thym. Elle a dû s'arrêter à mi-chemin. « Mes jambes ne me portent plus, tu vois. C'est la fin, Malvina... » Il y a quelques années, elle a enlevé le crucifix au-dessus de son lit; il en reste une trace claire à l'endroit où il était posé; pour l'effacer, il faudrait refaire la tapisserie; elle y a renoncé.
– Qu'cst-ce que tu aimerais manger ce soir, Malvina?

– Si tu faisais des *merveilles*...
– Il est bien un peu tard et ça demande du temps, mais si tu y tiens...

La Maïré nous attendait sur le pas de la porte en écossant des haricots. Dès qu'elle nous vit, elle se leva et, rien qu'à son comportement – elle avait dû entendre nos rires dans la cour des Selves – elle savait que j'étais reçue. Elle ne souffla mot, m'embrassa et se retira pour aller je ne sais où. Elle revint quelques minutes plus tard, les yeux rouges.

– Je savais pas quoi faire pour le souper, dit-elle. Alors, comme je me suis pensé que vous auriez faim, j'ai préparé la pâte pour les *merveilles*.

– La Maïré, dit Paul, elle a pleuré tout l'après-midi.

– Tu vas te taire, menteur!

– Et si elle avait pas été reçue, ma sœur, dit Pierre, qu'est-ce que tu en aurais fait, de ta pâte?

La Maïré écrasa Pierre d'un regard de reproche.

– Je savais bien qu'elle serait reçue.

– Elle est descendue faire brûler un cierge à l'église, ajouta Paul.

– *Taisa te, innoucentou!* Tu vas voir le vime! Mais qu'est-ce qu'ils ont tous, ce soir, ces *drolles?*

Je réclamai le privilège de faire cuire les *merveilles* que nous appelions également les *jambes d'ouilles*, et la Maïré m'abandonna les instruments du pouvoir : le rouleau, la bassine d'huile brûlante, la jatte de pâte dure. La pâte aplatie, je la découpais avec la pointe d'un couteau en images de fantaisie, larges comme la main, que je jetais dans le liquide en les laissant le temps nécessaire à durcir et à prendre une belle couleur d'or roux et d'ambre en se boursouflant. Au fur et à mesure que je les retirais de l'huile, je les alignais sur une assiette en disputant à mes cadets les gouttes solidifiées, craquantes sous la dent, qui se décrochaient. André les saupoudra de sucre broyé fin, à petites doses pour ne pas s'attirer les foudres de la Maïré. Ce régal des jours de fête, Pierre tint à l'agrémenter d'une bouteille de ratafia.

286

Ils voulaient tout savoir : en quoi consistaient les épreuves, ce que j'avais répondu, où j'avais fait des fautes... Ils hochaient gravement la tête, se regardaient entre eux et je devinais soudain qu'ils m'entouraient d'une sorte de respect sacré; je devenais la petite déesse tutélaire du Savoir et l'on devrait désormais me témoigner une vénération discrète mais constante, veiller à son vocabulaire en m'adressant la parole, me donner à table les meilleurs morceaux. Il me parut urgent de démythifier ce personnage que je ne voulais pas devenir.

– Qu'est-ce que vous avez tous à *bader*? J'ai rien fait d'extraordinaire. Il y en a des centaines dans le département qui ont été reçus.

– C'est vrai, dit Pierre, mais tu es la première de la famille. Ça compte, non? On fera encadrer ton diplôme et on le mettra à la place de Sébastopol...

– ...et tu feras brûler une bougie devant comme pour la sainte Vierge, *banlève!*

La fatigue commençait à me submerger. Je jetai au chien ma dernière bouchée de *merveille* qui avait un peu *bougné* et je me levai. La Maïré m'aida comme jadis à me déshabiller et je me laissai faire. Elle avait mis des draps propres à mon lit et un gros oreiller bien gonflé comme je les aimais. Il faisait encore jour lorsque je m'endormis.

C'est à quelques jours de là que nous avons appris, de la bouche de Cécile, l'assassinat de l'archiduc d'Autriche François-Joseph, à Sarajevo. Nous cherchâmes cette ville sur la carte. C'était bien loin de Saint-Roch, mais il semblait, tant on en parlait, que les distances fussent abolies.

– La guerre se rapproche, dit Cécile en regardant fixement Pierre. Ça ne peut finir autrement. Guillaume l'a dit à Bruxelles : elle est inévitable entre nos deux pays. Demain dans les Balkans, bientôt à nos frontières.

La Maïré se signa; elle se souvenait de ce que le pépé lui avait dit, du temps où il avait encore sa langue, de la guerre de Crimée et de ce qu'il avait souffert là-bas.

– Moi, dit Pierre, j'y crois pas à cette guerre.

Il ne *voulait* pas y croire. La vigne était belle et annonçait une récolte abondante; pour plaire à Cécile, il se proposait de faire cette année du vin de paille avec l'Herbemont qu'il avait planté quelques années auparavant. Les blés et les seigles poussaient dru et il fallait songer aux moissons et aux battages.

Pour clore l'année scolaire, Cécile, avec l'accord et le concours de la municipalité, organisa une petite fête de distribution des prix, ce qu'on n'avait encore jamais vu à la « communale ». Isabelle de Bonneuil accepta d'y assister et d'y participer : elle avait abondamment pourvu les lauréats de livres de prix et puisé dans sa bibliothèque pour agrémenter le lot de quelques dons supplémentaires. Elle était assise à côté de M. Arsène Pintaut qui, sur les instances de Cécile, avait accepté d'être présent, et elle avait le maire à sa droite. Cécile avait invité également quelques collègues des environs, parmi lesquels Marguerite Martineau, une « forte tête » comme elle, lectrice de *l'Humanité*, pionnière de belle allure de la laïcité dans un poste à concurrence, à Saint-Julien-Maumont.

La fête se déroulait dans la cour de l'école sur la fin de l'après-midi à cause de la chaleur. La classe au grand complet, Rachel Morange au premier rang, entonna les *Cimes du Canigou*, de Maurice Bouchor. Alice Bernède déclama « l'Été », de M. Leconte de Lisle et Estelle Vige, qui était toujours première en récitation, le « Forgeron ». de M. François Coppée. C'est le petit Armand Simbille qui eut l'honneur de réciter un compliment pour Cécile, et Maria Selves qui lui remit un bouquet de fleurs des champs. Le maire, sur ses propres deniers, offrit une collation aux enfants. Au-dessus de nos têtes, mon tilleul paraissait frissonner de plaisir dans le vent chaud qui montait du marécage.

A titre d'élève et de lauréate j'assistai à l'autre fête : celle de Sainte-Thérèse, mais je refusai de chanter, de déclamer et de jouer la comédie devant le curé et le parterre de paysans prétentieux. Le moment du goûter venu, je m'éclipsai après avoir embrassé Emma Berthier. Elle avait tant à faire qu'elle n'essaya pas de me retenir. J'emportais avec moi le *Voyage du capitaine Hatteras au Pôle Nord*, de Jules Verne, avec des illustrations de Gustave Doré, « don de Madame Hortense de Bonneuil », pour mon premier prix de rédaction, et les *Contes de Noël* de Charles Dickens, « don de Monseigneur l'évêque de Tulle » pour un deuxième prix de dictée, avec une belle couronne de papier vert laurier.

— Pourquoi tu restes pas pour les quatre heures? me dit Ninon. Il y aura un biscuit avec du chocolat. Le curé va en profiter pour nous faire ses adieux. Tu manquerais ça?

Elle était encore affublée du costume masculin du prétendant dont elle tenait le rôle dans une pièce en un acte de Labiche dont j'ai oublié le titre et qui m'avait profondément ennuyée.

— Faut que j'aille « garder », dis-je.

J'avais hâte surtout de déployer sur mes genoux mes livres de prix, de me plonger dans ce monde d'aventures et de merveilleux qui me changeait de ma vacuité quotidienne et de l'ennui qui, par vagues, commençait à m'investir.

Juillet-août

– Tu perds la mémoire, ma pauvre Malvina, me dit Cécile. Ce n'est pas Gustave Doré qui a illustré le livre de Jules Verne mais Riou. Quand tu voudras passer à table...

Elle se penche au-dessus de mon épaule, lit les dernières lignes.

– C'est vrai que tu faisais une drôle de tête pour cette distribution des prix. Tu paraissais totalement étrangère à ces fêtes dont tu étais pourtant l'héroïne dans les deux écoles. Tu n'avais d'yeux que pour ton arbre.

– Tu exagères.

– Et les gens, eux, n'avaient d'yeux que pour toi. Dans leurs conversations, il n'était question que de toi. « Cette petite Malvina, qui l'aurait cru? Moi qui la prenais pour une *nèci*... Et voilà qu'elle est dans les dix premières du canton... » Et ça devait être le même refrain à Sainte-Thérèse.

– Tu te trompes. On a fait comme si je n'existais pas. Le mépris. C'est tout juste si on a applaudi lorsque j'ai reçu mon premier prix, mais ça m'était bien égal. On m'a traitée comme si je sortais de l'étable et sentais encore le purin. Mme de Bonneuil m'a à peine effleuré la joue. Tous ces paysans enrichis qui ont oublié leurs gros sabots trouvaient

290

louche ma réussite. Ça les dépassait. Le succès, le savoir, c'étaient encore pour eux un privilège de classe. C'est tout juste s'ils n'ont pas parlé de « piston ».

— Ils en ont parlé, sois-en sûre! Ils tenaient à leur idée : j'étais la maîtresse de M. Pintaut et ta réussite était le fruit d'une machination. Ceux qui ont survécu en sont toujours persuadés. On peut oublier un malheur; rarement un affront. Ce jour-là, ils avaient sur le cœur celui que tu leur avais fait subir.

Elle ajoute :

— Tu as oublié autre chose dans ton récit : les oranges que je t'ai offertes. Tu ne te souviens pas?

C'est vrai. Les oranges de Cécile. Je m'en régalai, en distribuai à mes frères et en gardai une pour Flavie lorsqu'elle nous rendrait visite, un dimanche. J'avais retrouvé leur odeur et leur saveur, mais elles avaient perdu pour moi ce qu'elles avaient la première fois de merveilleux. La seule dont je me souvienne vraiment, dont je n'ai oublié ni la couleur, ni le contact, ni le parfum, ni le goût, qui trône encore dans ma mémoire comme ces soleils d'automne pommelés au milieu des nuages rouges du vent, au ras de l'horizon, c'est celle que m'offrit Cécile pour mon premier véritable Noël. Je la porte encore en moi comme un enfant qui aurait refusé de naître et qui ne voudrait pas mourir.

De la cuisine, j'entends la voix de Cécile :

— Les *merveilles* vont refroidir! Je vais commencer sans toi.

Je m'ennuyais. A Sainte-Thérèse l'année scolaire tirait à sa fin dans des jeux que je boudais, des chants et des danses qui me lassaient vite, des exercices de piété que je fuyais car je voyais toujours derrière eux, confondue à l'image d'un dieu mauvais, se profiler la silhouette du curé.

Cécile allait quitter Saint-Roch pour une semaine ou deux, invitée par une collègue ancienne normalienne, en poste dans la haute Corrèze. J'appréhendais cette absence en me disant qu'elle ne reviendrait peut-être pas, qu'elle accepterait la proposition de l'inspecteur de lui confier un poste à Brive. Autant que possible, je l'évitais afin qu'elle ne se sente pas contrainte envers moi, mais ce « possible » avait des limites floues. Je décidai de rester quelque temps sans la rencontrer et, deux jours plus tard, je cognais à sa porte sous prétexte de venir chercher un livre. J'étais désemparée ; je me sentais inutile ; même les travaux de la ferme avaient perdu leur transcendance poétique et me fatiguaient vite.

Sans éveiller mon attention, Cécile m'observait. Elle me conduisait avec elle au château lorsque Isabelle l'invitait en l'absence de Mme Hortense. Tandis qu'elles fumaient et buvaient en discutant politique et philosophie, je me promenais dans le château, m'enfonçais dans les fauteuils, m'allongeais sur les divans et les sofas, interrogeais durant de longues minutes les portraits d'ancêtres que je congédiais d'une grimace en les abandonnant à leur morne éternité.

Je comprenais mal Isabelle. Elle détestait tout ce qui était peuple, qui sentait la sueur, le travail manuel, l'ignorance, mais éprouvait une singulière attirance pour les idées nouvelles qui visaient à sortir de la misère les « classes inférieures ». Elle consentait à descendre vers le peuple mais en gardant ses distances et en se bouchant le nez. Elle se donnait volontiers des allures de femme libre, de « garçonne », aimait passionnément Jaurès mais vouait une admiration sans borne à Maurice Barrès. Elle cherchait à se définir sans drame de conscience, à travers le labyrinthe des événements et les aléas de la politique. Elle ne critiquait les attitudes féministes de Cécile que parce qu'elle était impuissante à les adopter elle-même, ligotée qu'elle était par des préjugés de classe. Parfois, comme pour se provoquer elle-même, elle avançait des idées anarchistes mais ces têtes de pont qu'elle lançait maladroitement dans une idéologie lointaine et instable ne résistaient pas aux coups de boutoir de Cécile.

Qu'allait-on faire de moi? M'envoyer dans une école primaire supérieure, à Brive ou à Tulle, avec une bourse, pour y préparer le brevet élémentaire? Me garder à la ferme où, Pierre parti, ma présence s'imposerait en attendant que Flavie revienne et que mes deux cadets aient l'âge de travailler? Cécile avait évoqué mon avenir avec Pierre, mais ils se gardaient bien de me confier leurs conclusions car ils étaient en désaccord. Je regrettais presque d'avoir réussi mon examen; un échec m'eût permis de rester un an de plus dans la classe de Cécile où je me serais de nouveau fait inscrire au lieu de retourner à Sainte-Thérèse où je n'avais pas ma place.

Lorsque, le 28 juillet, l'Autriche déclara la guerre à la Serbie, Mlle Berthier fit aux rares élèves qui fréquentaient encore sa classe un exposé sur les Balkans, avec un détachement, une sérénité qui m'incitaient à penser que, comme la plupart des gens de Saint-Roch, elle ne croyait pas à la généralisation du conflit. Cette idée de distance rassurait; de différence aussi – ces gens n'étaient pas comme nous, s'habillaient et se comportaient à leur manière et certains vivaient encore dans leurs montagnes comme des barbares d'Asie. On parlait plus volontiers et avec plus de passion de l'acquittement de Mme Caillaux, la « tueuse » de Calmette, le directeur du *Figaro* qui avait calomnié son mari, ou de ce voyage en Russie que le président Poincaré, un an après celui qu'il avait effectué en Corrèze, allait entreprendre par mer avec son premier ministre, Viviani. Si la guerre avait été aussi menaçante qu'on le disait il n'aurait pas quitté la France.

En revanche, l'assassinat de Jaurès retentit comme un coup de tonnerre.

C'est Bernède qui l'apprit à Cécile lorsqu'elle alla prendre son pain dans le fournil qui servait de boutique. Jules déplia la *Dépêche* à laquelle il était abonné et que « La Jeunesse » venait de lui porter.

– Sur le moment, dit-elle, je n'y ai pas cru, puis mes jambes se sont dérobées et j'ai demandé à m'asseoir. Mes mains tremblaient tellement que j'avais du mal à lire l'énorme pavé qui racontait le drame de la rue du Croissant. Ce café où Vilain l'a abattu, je le connais. Fred m'y a conduite un jour où il y avait Jaurès, entouré d'une foule d'amis et de militants qui l'écoutaient parler en buvant leur absinthe. Je n'oublierai jamais sa barbe de prophète, sa voix pénétrante, ses gestes qui semblaient élargir l'espace autour de lui à la dimension d'un forum. Il était en train de critiquer je ne sais plus quel journaliste ou homme politique qui avait parlé du « châtelain de Bessoulet ». « Bessoulet..., disait Jaurès. S'il le connaissait, mon " château "... » Je ne voyais, je n'entendais que lui. Fred répétait après tant d'autres : « Lui vivant, il n'y aura pas la guerre. »

— Et maintenant qu'il est mort, dit Pierre, tu crois qu'on l'aura, la guerre?

— Comment veux-tu que je sache? On entend partout des bruits de bottes et de canons, mais les Français font la sourde oreille. C'est comme si le feu prenait dans les meules de blé du voisin et que tu dises : « Après tout, ce n'est pas chez moi que ça se passe et je ne risque rien puisque le vent ne souffle pas dans ma direction. » Et si le vent tourne...

Cécile me réclama le petit livre à couverture rouge relatant le discours de Jaurès à l'Assemblée nationale, un peu plus de quatre ans auparavant, que je parcourais de temps à autre sans y comprendre grand-chose. C'était un souvenir de Fred, mais où était Fred?

Il donna de ses nouvelles quelques jours plus tard, au début d'août. Une longue lettre dans laquelle il expliquait qu'il avait décidé de se livrer aux autorités, d'offrir aux Puissances, sur l'autel du Dieu mort, cette vie qui n'avait plus de sens; son sacrifice, si l'on consentait en Haute-Cour à l'incorporer, servirait à racheter en partie l'acte de Vilain, « bras séculier du Clergé, de l'Armée et de la Droite ». Il poursuivait : « Si je suis condamné à mort, c'est le nom de Jaurès que je crierai devant le peloton. »

En même temps que la nouvelle de la mort de Jaurès nous parvenaient par les journaux celles de la situation internationale. Les événements se précipitaient. Notre alliée, la Russie, mobilisait. L'Allemagne adressait un ultimatum à la France et déclarait la guerre au Tsar. Les affiches de la mobilisation générale apparurent sur la façade de la mairie.

– La mobilisation, ce n'est pas la guerre, dit Cécile. Il ne faut pas désespérer tout à fait.

Le lendemain, l'Allemagne déclarait la guerre à la France.

C'était le lundi 3 août.

Cécile ne quittait plus Pierre. J'ai gardé dans l'oreille le bruit du tocsin dans la lourde chaleur de la matinée avec cette impression oppressante que la sérénité de notre vallée, cette coque de navire échouée dans le grand soleil et l'odeur sèche des éteules rousses, allait soudain être balayée comme par un raz de marée ou l'éruption de la montagne Pelée, aux Antilles. Cette guerre qui venait d'éclater, j'avais peine à l'imaginer. J'y voyais des affrontements de hordes comme dans cette histoire de la guerre de Cent ans que je connaissais bien et qui me passionnait. En fait d'armes à feu, je ne connaissais que le fusil que Pierre décrochait parfois pour aller tirer « la lièvre dans la trèfle » et la longue pétoire à baïonnette datant de la Révolution française que nous conservions dans un coffre au grenier. Les images de canons géants que j'avais vues dans les numéros de l'*Illustration* que recevait Isabelle de Bonneuil, les colonnes de voitures, les soldats à pied ou à cheval, ne rappelaient en rien les armées de Du Guesclin et du Prince Noir.

C'était la dernière fois que l'abbé Brissaud faisait sonner notre vieille cloche. Il n'en finissait plus de tirer sur la corde, d'éveiller des échos d'angoisse dans la vallée, de répondre à celles de Végennes, de La Chapelle, de Marcillac. Il allait nous quitter ; les offices, les sacrements seraient assurés par le vieux curé de Végennes, en attendant le remplaçant.

Ils restaient là, l'un en face de l'autre, de part et d'autre de la table, leurs mains soudées, un verre de vin devant eux, auquel ils n'avaient pas touché. Les moissons auraient dû battre leur plein ; la veille encore, on entendait ronfler la batteuse et l'on voyait de petits flocons de poussière se dessiner au-dessus de la ferme Simbille, aux Escrozes, après les hameaux de Puyperdu et de Malevergne. Ce matin, à l'annonce des nouvelles, les batteuses s'étaient tues, les hommes avaient regardé tourner lentement puis s'arrêter la grande courroie de transmission, mourir dans un dernier râle la carcasse dévoreuse de blé. Ils avaient lavé à grande eau leur visage fatigué, mal rasé, couvert de sueur et de poussière, dénoué leur mouchoir de cou pour s'essuyer, rangé leurs affaires avant de rejoindre leur maison.

Ils plaisantaient, mais le cœur n'y était pas. Ils disaient :

— Ça durera pas, allez, braves gens! C'est une alerte. On va flanquer la pile aux Boches et, dans quinze jours, nous serons de retour. Qu'est-ce que vous voulez qu'il fasse, Guillaume, devant nos armements? Dans une semaine nous serons à Berlin. Pleurez pas, femmes... Nous serons là pour les patates.

Ils faisaient semblant de rire mais, sur le chemin du retour ils pleuraient comme des enfants. Chez la Jeanne on chantait la *Marseillaise* et le *Chant du départ* devant des canons de vin.

— Pierre Delpeuch, c'est toi?

Ils se tiennent dans la porte, le visage rouge de chaleur sous le bicorne, leur uniforme à aiguillettes couvert de poussière, des papiers plein leur sacoche.

— Voilà ton ordre de mission, et ta feuille de route, dit le brigadier. Tu dois prendre le train à Vayrac. Signe là.

— *Prendretz ben un veire de vin?* dit la Maïré.

— Non merci. Nous avons encore de l'ouvrage et le vin, avec cette chaleur, ça nous endormirait. C'est pas le moment. Mais nous allons faire boire nos chevaux à votre *serbe*.

Dès qu'ils furent partis, Pierre se laissa tomber sur le *banchou*, devant la porte.

— Et voilà... dit-il. Les grandes vacances sont arrivées pour moi aussi. Il me tarde de voir à quoi ça ressemble, Berlin. Maïré, commence à préparer mon baluchon. N'y mets pas trop d'affaires. Il y a du chemin jusqu'à Vayrac.

– Tu prendras ma bicyclette, dit Cécile. Je passerai la prendre avec le tramway, au café de la Gare, un de ces jours.

La nuit suivante, ils l'ont passée ensemble, à la maison, dans le grand lit de la Maïré, qu'elle leur avait abandonné car ils étaient « pour se marier ». A plusieurs reprises, je les ai entendus pleurer. Le lendemain, Pierre m'a dit :

– J'ai parlé de toi avec la Maïré. Voilà. Tu vas aider à la ferme jusqu'au mois d'octobre. Après, Cécile te fera inscrire à Brive pour que tu puisses passer ton brevet élémentaire. Pour la dépense, te tracasse pas. Avec une bourse, on y arrivera.

– Toute seule à la ferme, la Maïré tiendra pas.

– Flavie va revenir. Elle est travailleuse et elle n'a pas d'examen à passer, elle. Tes frères aideront aussi, que ça leur plaise ou non. Pour les coups durs, les vendanges, les labours, le père Selves vous aidera. Il est « de service ». T'en fais pas, ma petite Malvina. Ce qui compte, c'est que tu poursuives tes études et que tu réussisses. Tu m'écriras. Cécile me donnera aussi de vos nouvelles. Je me sentirai moins seul et moins loin.

– Tiens, dis-je en lui passant au cou le *tessenou* de Rachel. Ça m'a porté chance pour le certificat. Ça fera de même pour toi. Tu le garderas toujours à ton cou?

– C'est promis, petite sœur.

Nous l'avons regardé partir, Cécile et moi, debout sur la route, devant la « communale ». De temps en temps, il se retournait et nous faisait un signe de la main. Nous sommes restées jusqu'à ce qu'un tournant de la route nous le cache.

Pierre n'a jamais reçu de nos nouvelles et nous n'en avons jamais eu de lui. Il est mort dans les affrontements des premiers jours, quelque part dans les plaines de Belgique. Il n'aura jamais su à quoi ressemblait Berlin.

Les *merveilles* étaient froides et Cécile boudait.

– Ça n'aurait pas pu attendre demain, non, la suite de ton « chef-d'œuvre »?

Je n'ai pas répondu. C'est vrai qu'il est tard et que j'ai abusé de la patience de Cécile.

– J'ai fini, dis-je. Je termine avec la mort de Pierre.

– Je lirai ça demain, si tu permets. Ce soir, j'ai mal aux yeux. Ma conjonctivite... Dès que tu auras fini tes *merveilles*, nous irons faire une promenade jusqu'à l'église.

– J'ai fini. Je n'ai pas très faim, ce soir.

– Tu aurais pu le dire avant. J'en ai fait pour quatre.

Nous avons jeté une pèlerine sur nos épaules, pris nos cannes et nous sommes parties chacune dans notre chambre pour nous refaire une beauté. Nous entrons et sortons plusieurs fois par jour, chacune de notre côté, comme ces petits personnages d'horloges suisses quand sonne le coucou. Je suis prête et j'attends Cécile. Le soir est doux autour de notre chartreuse. Il monte du parc des odeurs de roses et de seringas. Cécile me prend le bras et nous poussons le lourd battant de bois de notre petit domaine.

Nous avons les cheveux blancs toutes les deux à présent.

Dans le village on nous appelle les « deux hermines ».

L'auteur doit des remerciements à ceux et celles qui lui ont apporté le témoignage de leur expérience personnelle et notamment :

Mlle Félicie Parquet, qui a mis ses souvenirs et sa bibliothèque pédagogique à notre disposition;

M. Raymond Buche qui a donné aux termes occitans leur orthographe exacte, et son épouse;

Mme Suzy Bourliaguet qui a contrôlé la véracité de ce récit.

De même : Mme Pierrette Sartin; M. André Lagarde; M. Issoulié; Mme Dautrement; Mme Tronche; Mme Suzanne Ymon; Mme Audubert; Mme Marthe Rougier; Mme Clothilde Escure; Mme Lavaud; Mme Marguerite Martini; M. Marcel Chastanet; M. Daniel Borzeix; MM. Joël Guersent et Michel La Rosa; Mme Cueille; Mme Adrienne Molinier; Mme Aubrerie; M. Brousse; Mlle Pradine; Mlle Guillaume; Mme Marcel Champeix; Mme Germaine Levet; Mme Anne-Marie Feintrenie; l'abbé Vinatier; M. Jean Vial; Mme Catherine Serre; M. Robert Chabassier; M. Martial Chaulanges; le docteur Faige, Mme Lassalle; M. Bruno Vizerie; enseignants, anciens enseignants, anciens élèves, psychologues orthophonistes, écrivains, amis...

Achevé d'imprimer en janvier 1983
sur presse CAMERON
dans les ateliers de la S.E.P.C.
à Saint-Amand-Montrond (Cher)
pour le compte de France Loisirs
123, boulevard de Grenelle, Paris

Dépôt légal : janvier 1983.
N° d'Édition : 7802. N° d'Impression : 178.
Imprimé en France